D0294760

15 minuten

Maaike Schutten

15 minuten

Uitgeverij 521 Amsterdam 2007

Omslagontwerp: Marieke Oele
Foto omslag: Sílvia Silva
Foto auteur: Geert Snoeijer
Typografie en zetwerk: Mat-Zet, Soest

ISBN 978 90 499 7043 7
NUR 301

www.uitgeverij521.nl
www.maaikeschutten.nl

Uitgeverij 521 is een imprint van Foreign Media Books bv,
onderdeel van Foreign Media Group

'In the future, everyone will be world-famous for fifteen minutes.'

Andy Warhol, 1968

Proloog

Ik trap het gaspedaal van mijn nieuwe Mini Cooper s Cabrio nog wat verder in en passeer moeiteloos een Mercedes. In mijn achteruitkijkspiegel zie ik een man zijn middelvinger opsteken, zijn cholesterolrode hoofd roept geluidloos iets kwaads. Tevreden laat ik me onderuitzakken in mijn sportstoel. Het is verbazingwekkend wat bedrijven je allemaal willen geven zodra je met je hoofd op tv komt. Naast Mini wilde Ford me ook sponsoren, maar mijn manager Frenk vond dat niet bij mijn imago passen. Te spruitjesachtig, zei hij. Als ik dan toch met een groentesoort vergeleken moest worden, vond hij mij meer rucola. Lekker, pittig en een tikje exclusief. Net als Mini. Frenk heeft sowieso iets met groente. Hij dringt er al een week op aan dat ik naar een casting voor een diepvriesgroentecommercial ga, maar ik weet het niet. Als ik mijn gezicht al ergens aan verbind, denk ik zelf meer in de richting van cosmetica. Of van die ecologische jeans. Hip en maatschappelijk verantwoord tegelijkertijd.

In het dashboard begint een rood benzinepompje te knipperen. Wat een krenten bij Mini, ze hebben niet eens een volle tank meegegeven! Na een paar kilometer kom ik gelukkig een benzinestation tegen. Ik gooi mijn nieuwe liefde vol met v-Power, daar schijn ik nog harder mee te kunnen rijden. Binnen haal ik routineus mijn favoriete bladen uit het tijdschriftenschap en graai een zak winegums uit het snoeprek. Eigenlijk mag dat niet van Frenk, maar vandaag heeft Frenk even pech gehad. Een mens kan tenslotte niet alleen op rucola leven. In de rij voor de kassa snoep ik stiekem alvast wat winegums uit de zak. De dame voor me smoest wat met de caissière. Als ik aan de beurt ben, vraagt de caissière aarzelend: 'Eh, sorry dat ik je lastig val, maar jij bent toch eh... Alex? Van *Hoop & Liefde*?'

Ik weet dat ik nu eigenlijk blasé moet glimlachen, maar ik knik breed lachend. Over een paar weken zal ik er wel aan gewend zijn en vermoeid 'Ja, schiet nou maar op' mompelen.

'Ze is het, hoor!' seint ze aan de smoesdame, die snel een foto van me maakt met haar telefoon. 'Hier, pop, deze krijg je van mij.' Met een knipoog schuift ze de winegums en de tijdschriften naar me toe. 'Je doet het zó leuk als Victoria! Zeg, hoe zit dat nou eigenlijk met A.J.?'

Ik kan nog net een huppel onderdrukken als ik naar buiten loop. Dat mensen plezier beleven aan mijn werk maakt het zó dankbaar. Ik stap in de auto, gooi de bladen en het snoep op de passagiersstoel, draai het sleuteltje om en geef gas. Eens zien hoe hard die Mini kan op v-Power.

Behoorlijk hard, blijkt als ik vertegenwoordiger na vertegenwoordiger inhaal en hard meezing met een inhoudsloze danshit met veel nanananananananana erin. Het volgende nummer dat gedraaid wordt, ken ik niet. Na een dramatisch-druilerig gitaarintro met – Wat is dat? Een doedelzak? – hoor ik:

'My life was empty
Until you walked into my life
You won my heart
And cut it out with a knife.'

Hé, een bekende stem. Ik ga rechtop zitten en zet het volume harder met het knopje op mijn stuur.

'Ooh Alex
Since you went away

I drink too much every day
Ooh Alex
Since you let me go
My life's an all time low.'

Wat!?

Wat is dit?

Met 150 kilometer per uur raas ik de vluchtstrook op. Als ik mijn telefoon wil pakken om Carmen te bellen, denk ik dat mijn hart door de bodem van mijn Mini zakt. Want ik zie nu pas wat er op de cover van de *Privé* staat:

DYLAN WINTER:
'IK ZAL NOOIT MEER GELUKKIG WORDEN.'

En op de *Story* staat een foto van mij, met daaronder:

DE VROUW DIE DYLAN WINTER KAPOT MAAKTE.

Mijn telefoon gaat. Het is Frenk. Ik neem niet op.

YLJAAA

Ik ben zenuwachtig, maar mijn moeder zegt dat ik het kan. We moeten allemaal een stukje voorzingen en dansen en daarna bepaalt de juf wie er in de kerstmusical mee mag doen. Ik doe mijn best om heel gewoon te doen, zodat de andere kinderen niet in de gaten hebben dat ik het eigenlijk heel spannend vind. Ik zou wel Maria willen zijn, die mag veel zingen. En zij is de moeder van het kindje Jezus, dus zij is heel belangrijk. Want zonder Maria zou het kindje Jezus er niet zijn geweest en dan zat de wereld nu vol heidenen. Ik weet niet wat heidenen zijn, maar het klinkt niet zo best. Maar ik zou ook wel engel willen zijn. En dan het liefst aartsengel Gabriël. Dat is de hoofdengel. Die vertelt aan Maria dat ze een kindje krijgt en dat die Jezus zal heten. Eigenlijk is de hoofdengel Gabriël nog belangrijker dan Maria, want als die niet aan Maria verteld had dat ze haar kindje Jezus had moeten noemen, was er nooit een Jezus geweest. Als je engel bent, mag je een hele mooie fladderende jurk aan en vleugels op je rug, van echte veren.

Ik moet wachten tot Annelies klaar is met zingen. Ik vind Annelies niet zo leuk, want zij kan ook heel goed zingen. En zij wil vast ook Maria zijn. Of hoofdengel Gabriël. Mama zegt dat ik Annelies een poepie moet laten ruiken. Maar dat vind ik nogal vies. Aan poep ruiken, dat doe je niet voor je lol. Behalve onze hond. Die snuffelt altijd aan zijn eigen drollen

Eindelijk is Annelies uitgezongen. De juf lacht en zegt dat ze het heel mooi vond en dat ze zeker weet dat ze een mooie rol voor haar zal bewaren. Maar dat zegt ze vast tegen iedereen. Ik concentreer me op de mooie, fladderende witte jurk die ik zal dragen. En de vleugels op mijn rug. Ik denk aan mama, die in de zaal zal zitten. En papa, als hij tenminste tijd heeft. Papa moet altijd heel hard werken. Hij zegt dat dat komt omdat mama hem kaalplukt. Maar dat is helemaal niet zo, dat zie ik heus wel. Papa heeft heel mooi krullend haar, met blonde stukjes erin. Maar mama zal er zeker zijn en heel trots naar mij kijken en heel hard klappen. Mama zegt dat ze ook zangeres had kunnen worden, maar dat papa haar er toen in geluisd heeft. Waarin weet ik niet.

'Alexis?' roept de juf.

Nu moet ik. Ik haal diep adem. En nog maar een keer. Ik probeer niet te letten op mijn hart, dat heel hard bonkt. En mijn handen, die zweten. Ik zing 'Sjok, sjok, sjok liep het ezeltje', zo mooi als ik kan. Daarbij doe ik het dansje waarop ik zo lang heb geoefend. Trots maak ik een buiging en lach naar de juf, want ik vind dat het heel goed ging. De juf lacht niet terug. Ze zegt dat ze een mooie rol voor me zal bewaren.

Annelies wordt hoofdengel Gabriël. Ik word de achterkant van de ezel. Als Annelies naar de wc gaat, zeg ik dat ze aan haar poep moet ruiken.

Hoofdstuk 1

'Kijk, J.P. van der Lugt,' wijst Eef onopvallend van achter haar gin-tonic naar een man aan de bar. We staan in Café Cor, een doodgewoon bruin café met Perzische tafelkleedjes, een biljart en de geur van verschaald bitterballenvet, maar omdat het tussen zes grote reclamebureaus staat, verdringt het reclamevolk de lokale stamgasten.

'Creatief Directeur van CSUC, Reclamebureau van het Jaar,' weet Hester. 'Een van de meest bekroonde reclamecreatieven.'

'En een van de meest behaarde,' lacht Eef.

Ik neem alles aandachtig in me op. Zo lang loop ik nog niet rond in de reclamewereld en ik ken nog niet iedereen. Voordat ik bij VOGH/JJGP terechtkwam, werkte ik bij een uitgever, maar dat was niet zo'n succes. Mijn baas en ik waren het erover eens dat mijn gebrek aan inlevingsvermogen in de doelgroep 55+ niet ten goede kwam aan mijn functioneren als marketingmedewerkster. Gelukkig maken Hester en Eef me snel wegwijs. Op de eerste donderdagmiddagborrel (of DoMiBo, zoals dat hier genoemd wordt) was het meteen raak, vriendschap op het eerste gezicht. We begonnen met praten en zijn nooit gestopt. Hester en Eef zijn mijn kompassen in deze nieuwe wereld. Ze legden me de ongeschreven regels van het spel uit en namen me op sleeptouw toen ik nog niet wist waar ik naar toe moest. Hun gewicht in goud waard, die twee. Hoewel Eef daar niet zo veel mee opschiet, met haar minuscule lichaam. Ze heeft nou eenmaal een enorm snelle stofwisseling, zegt ze zelf.

'Niet onaardig, die J.P.,' oordeelt Hester. 'Maar hij had wel een beetje beter zijn best kunnen doen op zijn kleren. Hij ziet er wat voddig uit.'

'Ho ho,' wijst Eef haar terecht. 'Dat is een blacklabel Jeans Cult-broek. Weet je wel wat een moeite het kost om een broek er zo uit te laten zien? Hij is acht keer gewassen in een machine met rubberen ballen en de gaten zijn erin gemaakt met een tandartsboor. Wat vind jij eigenlijk, Alex?' Voor ik iets heb kunnen zeggen ratelt ze door: 'Ach, sinds jij een vriend hebt, heb je helemaal geen oog meer voor leuke mannen. Kijk nou, een hele kroeg vol leuks en jij hebt het alleen maar over Yljaaa.'

Ik knik en grijns zo trots dat het waarschijnlijk walgelijk is.

'Nog een drankje?' verandert Hester van onderwerp en zwaait naar Sjon, de barman. Sjon doet net alsof hij niets ziet. Hij hangt het oude geloof nog aan dat je netjes aan de bar moet komen bestellen.

'Hester is gewoon jaloers dat zij geen leuke regisseur aan de haak geslagen heeft,' zegt Eef. 'Hoe gaat het eigenlijk met jullie?'

'Ja, goed!' giechel ik. Ik weet niet waarom ik altijd giechelig word als ik over Yljaaa praat. Ik heb hem vier maanden (en negen dagen) geleden ontmoet op een feestje van onze Creatief Directeur Rodzjer. Ik vond hem interessant en spannend en hij mij ook wel, geloof ik. Sindsdien hebben we een semimonogame latrelatie. Yljaaa vindt het prettig om het zo te formuleren, omdat hij anders bang is dat hij last krijgt van bindingsangst. Wat betreft dat lat: daar ben ik het helemaal mee eens, want ik vind zijn appartement nogal ongezellig. Te design en te leeg. Maar wat betreft dat semimonogaam: het is natuurlijk reuze modern, maar erg lekker zit het me niet. 'Hij is wel erg druk de laatste tijd. Vanavond is hij weer de hele avond aan het werk. Sinds *Adformatie* hem uitgeroepen heeft tot het meest veelbelovende regietalent voor de toekomst wordt hij door iedereen gevraagd.'

'En wat schreef *ReclameWeek* nou ook alweer?' vraagt Hester.

'Volstrekt originele belofte,' zegt Eef.

'Wat heb je daar trouwens?' wijst Hester naar mijn schouder.

Trots hou ik mijn nieuwe aanschaf omhoog: een goudkleurige schoudertas. Een aanwinst, vind ik zelf; groot genoeg om al mijn spullen in kwijt te kunnen en het goud geeft iedere outfit een glamoureuze oppepper. Vooral als je het draagt met zwart. Of met jeans, zoals vandaag. Maar Hester en Eef kijken niet al te enthousiast terug.

'Hij glimt,' zegt Eef bedenkelijk.

'Hij is van goud,' trekt Hester een vies gezicht.

'Niet goed?' vraag ik aarzelend.

'De vorm is wel apart,' probeert Eef er nog wat van te maken, 'maar verder is hij een beetje...'

'Ordinair,' fluistert Hester met haar meest charmante glimlach.

'Begrijp ons niet verkeerd,' zegt Eef haastig, 'je ziet er meestal hartstikke leuk uit, hoor, maar deze tas...'

'...is het nét niet,' maakt Hester haar zin gedecideerd af, nog wat breder lachend.

Net niet. Oké.

De moderegels van het micro-universum dat reclame heet, begrijp ik nog niet helemaal. Als creatief mag je er zo wild uitzien als je wil, sterker nog – dat wordt gestimuleerd. Want een creatief met een gestreken overhemd wordt net zo gewantrouwd als een priester in hotpants. Op de accountafdeling mag je er ook wel apart uitzien, als niemand het maar ziet. Subtiel, noemt Eef het. Oog voor details, zegt Hester altijd. Saai, vind ik het soms. Alsof ze bang zijn dat je de wind uit de zeilen van Creatie vangt.

'Hij was vast niet al te duur, toch?' doet Eef haar best om er een halfvol glas van te maken.

Ondertussen wappert Hester nog steeds vergeefs naar Sjon. Hester is de meest ongeduldige vrouw op aarde. Ze neemt niet eens de tijd om haar broek dicht te knopen als ze van het toilet komt; dat doet ze op de terugweg naar haar barkruk of bureaustoel. Een manier om te laten zien dat ze zich ergens thuis voelt, zegt ze zelf.

'Wacht,' zeg ik, 'ik ga wel even wat te drinken halen, want zo wordt het niks.'

Aan de bar wurm ik me, samen met mijn gouden tas, tussen J.P. van der Lugt en een man in een pak en probeer de aandacht van Sjon te krijgen. Tijdens mijn gezwaai branden J.P. van der Lugts ogen in mijn linkerwang. Als ik terugkijk om te kijken wat er te zien valt, slaat hij zijn ogen neer en vist een notitieblokje uit de borstzak van zijn ribfluwelen colbert.

'Sorry, even een brainwave noteren.' Hij krabbelt wat in zijn notitieblok, en kijkt me daarna weer indringend aan. 'Ja, ik ben wel een gelauwerde Creatief Directeur enzo, maar eigenlijk ben ik dichter.'

Ik knik vriendelijk en probeer mijn aandacht weer op Sjon te richten, maar hij praat onverstoorbaar door.

'Ik verdien drie ton in de reclame, maar dat interesseert me niets. Ik geef niets om geld en bezittingen. Deze broek bijvoorbeeld. Gewoon op het Waterlooplein gekocht. Dit jasje ook. Ik ben altijd een heel gewone jongen gebleven, weet je. Daarom vind ik dit ook zo'n mooie kroeg. Geen hippe designtent, maar gewoon onder het normale volk. De echte doelgroep. Zó inspirerend, vind je ook niet? Hoe heet jij eigenlijk?'

'Alex.'

'Alex?'

'Nou ja, eigenlijk Alexis, maar vergeet dat maar meteen,' mompel ik. Mijn moeder was verslaafd aan *Dynasty* toen ze zwanger was van mij en heeft me vernoemd naar haar favoriete karakter.

'Alex, je denkt natuurlijk dat ik zo'n grote reclamehotshot ben. Maar ik ben gewoon een jongen die nog steeds op zoek is naar innerlijke en intellectuele bevrediging.' Hij haalt zijn hand door zijn neo-britpop-kapsel, wat mij de ruimte geeft om snel mijn bestelling door te geven aan Sjon, op wiens radar ik inmiddels verschenen ben. 'Weet je, ik wil alles in mijn leven doen met hart en ziel. Ik wil leven voor...' hij schakelt zijn indringende blik nog een standje hoger, '...schoonheid.'

Waar gaat dit heen? Ik voel me ongemakkelijk en gevleid tegelijkertijd.

'Want waar het uiteindelijk om draait in het leven is passie. Zonder passie kan ik niet leven. En ik weet zeker...' hij laat zijn stem nog wat zakken, '...dat jij ook vol passie zit...'

J.P. van der Lugt komt nog een stapje dichterbij. Hij ruikt naar mos en zweterige seks en everzwijnen. Ik slik en zoek naar Hester en Eef, maar die kan ik niet zien vanachter zijn kamerbrede schouders.

'Mensen met passie trekken elkaar aan als magneten. We zitten op dezelfde golflengte, jij en ik.' Hij buigt zich verder naar me toe. 'Ik wéét dat jij dat ook voelt.'

Mijn broekzak trilt, de telefoon gaat. Gered door de bel.

'Liefste,' hoor ik Yljaaa's rasperige stem aan de andere kant van de lijn. 'Ik ben eindelijk klaar met die casting. Kom je langs? Haal ik even wat sushi, en ik heb nog een lekkere fles sancerre in de koelkast...'

'Sorry, ik moet gaan,' zeg ik. 'Naar mijn vriend. Het meest veelbelovende regietalent voor de toekomst, volgens *Adformatie*.'

Wat een gelul over passie. Alsof Yljaaa niet ook vol passie zit.

Hoofdstuk 2

Haastig parkeer ik mijn fiets in het fietsenrek, roep receptionist Serge gedag, galm door de designhal (een eclectische mix van marmer, hout en roestvrij staal) naar het toilet, fatsoeneer mijn hoofd en stap de vergaderruimte binnen. Officieel heet het de Executive Board Room, bedoeld voor directievergaderingen en besprekingen met Heel Belangrijke Klanten. Die gaan namelijk allemaal plat voor de eigenzinnige combinatie van sloophout, staal, glas en zachte kussens in snijboongroen en modderbruin. Maar af en toe mogen wij er ook vergaderen.

'Ah, goed dat je er bent,' roept Creatief Directeur Rodzjer van Wansbeek vanuit zijn zwarte, leren stoel. Yljaaa is er dol op, maar ik vergeet steeds wie hem ontworpen heeft. Het schijnt een klassieker te zijn. 'We wilden net beginnen.'

Iets met een E.

Eals?

Elton?

Eagle?

Het schiet me zo wel te binnen.

Collega-Accountmanagers Chantal, Mark en Jeroen staren naar hun nagels, krabbelen wat op hun notitieblok of knikken vriendelijk. Ze zijn net zo standaard als hun namen klinken; het type mens waarvan je verwacht dat je ze per twaalf kunt afhalen bij de Makro. Twaalf halen, elf betalen. Eef en Hester kijken me geluidloos giechelend aan. Volgens mij zitten ze pas twee seconden aan tafel . Hester in ieder geval; een halfuur geleden sms'te ze me nog of ik schoon ondergoed voor haar mee wilde nemen, omdat ze net wakker was geworden naast J.P. van der Lugt. Haar shirt is overduidelijk onder een matras vandaan gegrist en een haarborstel bezit J.P. zo te zien niet. Eef ziet er frisser uit; de haren in een hockeystaartje en een Viktor & Rolf-blouse die witter is dan ik hem ooit zal kunnen wassen. Ze is met stip de netste van ons drieën. Hester en ik hopen tegen beter weten in dat het op ons afstraalt. Hoewel Hester wel wegkomt met iets nonchalant bohemienachtigs.

Roos Booijmans, Client Services Director en mijn baas, knikt wat minder vriendelijk. Niet dat ze dat vaak doet, trouwens. Roos kijkt bijna altijd boos. En eerlijk is eerlijk, het staat haar prachtig. Ze heeft er precies het juiste koelblonde hoofd voor, met jukbeenderen waarmee je een brood kunt snijden en ogen als ijspriemen. 'Volgende keer maar weer op tijd? Het was vast allemaal leuk en informeel bij die uitgever, maar VOGH/JJGP is een serieus reclamebureau en we beginnen hier graag op tijd. En begin nou niet weer over een leaseauto, want van fietsen is nog nooit iemand doodgegaan.'

Ik wil iets zeggen over Wim van Est, die tijdens de Tour de France van 1951 een ravijn in fietste, maar in plaats daarvan mompel ik iets verontschuldigends en ga zitten. Ik baal ervan dat ik alweer te laat ben, want ik ben gek op het wekelijkse statusoverleg. Het gaat dan even niet over actielijstjes en statusoverzichten, maar het echte werk komt op de sloophouten tafel. De grote lijnen van de key accounts. Nieuwe campagnes. Ontwikkelingen in de markt. Trends. Nieuwe manieren om crossmedia en *out of the box* te communiceren. De dingen waar het om gáát in de reclame.

'Goed,' Roos strijkt haar gezicht neutraal, 'laten we beginnen met de BPW Bank. Het was een beetje rustig de laatste tijd, maar er staan nu wat grote dingen op stapel. Rodzjer, praat jij ons even bij?'

Rodzjer haalt zijn Bottega Veneta-laarzen van tafel en staat op voor zijn drentel. Als Rodzjer een creatief concept moet toelichten, doet hij altijd een soort slofdrentel, met zijn handen afwisselend op zijn rug en in de lucht. Ik weet nooit zo goed wat ik moet denken van Rodzjer. Het ene moment voert hij een verpletterende eenmansshow op, waarin hij mensen meesleurt in zijn verhaal en ze enthousiast maakt voor mogelijkheden waaraan nog niemand gedacht had. Al haalt hij de 1 meter 75 net niet; zijn aanwezigheid kan enorm zijn. En het andere moment komt er alleen maar diarree uit zijn mond. Maar misschien ligt het aan mij, want ook als zijn verhaal een uur in de wind stinkt, kijken de meeste mensen alsof hij de complete werken van Shakespeare uit zijn hoofd reciteert.

'De BPW Bank,' sloft hij. 'De grootste bank van Nederland, na de Postbank. Een instituut. Maar mán, wat een sáái instituut. Degelijk. Truttig bijna.'

Hij haakt zijn vingers in elkaar en strekt zijn armen, zodat zijn vingers knakken.

'De BPW Bank wil een nieuwe, jongere doelgroep aanspreken. Maar dat lukt natuurlijk nooit met hun huidige *identity*. Die heeft de *brand personality* van een drieënvijftigjarige baliemedewerkster bij parkeerbeheer. Totaal uit de tijd.'

Door de getinte glazen van zijn bril, die het midden houdt tussen een motor- en een lasbril, kijkt hij ernstig de tafel rond.

'Ze moeten een nieuwe koers inslaan. Bankieren is namelijk helemaal niet truttig. Het is eigenlijk heel creatief. Als muziek maken. Daarom willen we muziek de hoofdrol laten spelen in deze campagne. En niet de wollige muziek die de consument van de BPW Bank gewend is. Nee, we moeten ons wenden tot de muziek die onder deze doelgroep populair is. Je zou het nieuwe bankieren ook wel kunnen omschrijven als...'

Geconcentreerd kijkt Rodzjer naar de neuzen van zijn laarzen. Dan haalt hij adem voor de grande finale.

'...rock-'n-roll! We gaan de BPW Bank dus een rock-'n-rollsmoel geven. En hoe kun je dat beter doen dan met een rock-'n-rollsmoel? We hebben een aantal gezichten uitvoerig getest op een representatieve *focus group* en zijn uiteindelijk uitgekomen op...'

Rodzjer last nog een veelzeggende stilte in. Daar is hij gek op. Zijn e-mails zitten daarom ook vol met witregels;

als copywriter vindt hij

dat hij daarmee

zijn woorden

meer kracht bijzet.

Hoewel hij zichzelf liever ziet als allround Creatief.

'...Dylan Winter.'

Een geroezemoes gaat door de ruimte.

'Dat is wel een heel lekker nieuw gezicht!' roept Hester verheugd.

'Kan ik op de BPW Bank werken, in plaats van Alex?' vraagt Eef, Account Manager op Coca-Cola, KPN en Volkswagen. 'Alex heeft toch al een vriend.'

'Ja, dat weten we zo langzamerhand wel, van Yljaaa,' knort Roos.

'Het meest veelbelovende regietalent voor de toekomst, volgens *Adformatie*!' joelt Hester.

'Inderdaad een talentvolle gast,' zegt Rodzjer. 'Ik denk dat hij heel geschikt is voor de regie van deze commercial.'

Ik grijns trots. Als ik Roos' geërgerde blik zie, schakel ik weer terug naar serieus en schrijf een fantasiewoord op mijn notitieblok, maar inwendig maak ik een rondedansje. Ik weet dat het denigrerend is om een parallel te trekken tussen mannen en vissen, maar ik heb toch wel een fantastische vangst gedaan.

Hij sprong er meteen uit op het feest van Rodzjer. Tussen alle Rodzjer-adepten met ongekamd haar, legerbroeken, Bottega Veneta-laarzen (of Scapinokopietjes, voor de wat minder vermogende junioren) en overdreven bloesjes stond hij daar. Rechtovereind, in een slankgesneden pak van Hugo Boss. Geen stropdas, twee knoopjes van zijn overhemd open, een strakke bril fier op de neus. Alsof hij wilde zeggen: 'Hou maar op met creatief doen, schaapjes. Ik doe het niet, ik bén het.'

Toen ik Eef en Hester vroeg wie deze interessante meneer was, wisten ze me vol ontzag te vertellen dat dit Yljaaa was, met drie a's, en dat hij een razendsnelle opmars maakte als commercialregisseur. Vanuit het niets overrompelde hij de Nederlandse reclamebranche met commercials voor Holland Casino (die met die kleurenblinde croupier), Ford (die met die man die in een formule 1-wagen denkt te zitten, maar het blijkt een Ford Mondeo te zijn) en voor Douwe Egberts (die met die Japanners die zich zo thuis voelen in Nederland dat ze hun theeritueel doen met koffie). En nu wilde iedereen met hem werken. Een luxe, die als een aureool om hem heen hing. Een paar gin-tonics later was Hester verdwenen met Rodzjer (een incident waaraan ze liever niet herinnerd wordt) en zwaaide Eef keurig op tijd af; morgen was er immers weer een dag. Ik ga uit principe altijd pas naar huis als de lichten aangaan, dus ik bestelde nog maar een gin-tonic, leunde tegen de muur en staarde naar de Rodzjerklonen, die elkaar probeerden te overtroeven in het Rodzjerdom. Een stukje verder keek Yljaaa naar hetzelfde tafereel, met een glas rode wijn losjes in de hand. Vanuit mijn ooghoeken probeerde ik hem te bekijken zonder dat hij het merkte. Maar dat is een gave die ik niet beheers, al denk ik iedere keer weer van wel. Het duurde dan ook niet lang tot Yljaaa me in de gaten had. Beschaamd probeerde ik een varen te imiteren, maar hij leek het wel amusant te vinden en liep naar me toe.

'Hoi, ik ben Yljaaa.'

Hij had precies de stem die ik verwacht had. Donkerbruin,

soepel en met een rafelig randje. Een stem die filmtrailers in zou kunnen spreken, of discutabele telefoondiensten. Hij leunde naast me tegen de muur en keek met me mee. Samen waren we buitenstaanders.

'Heb jij geen achternaam?' vroeg ik.

'Die doet er niet toe. Een voornaam is genoeg. De achternaam is niets meer dan een burgerlijke uitvinding om aan te geven van welke familie je bent. Ik ben niet van mijn familie. Ik ben van mezelf.'

'En waarom die drie a's?'

Ik krijg altijd erg last van nieuwsgierigheid als ik aangeschoten ben.

'Dat heb ik er zelf van gemaakt. Het geeft net een extra creatieve touch, vind je niet? Eigenlijk heet ik Ylja, maar dat is zo'n doorsneenaam. Er zijn honderden Ylja's. Maar er is maar één Yljaaa. Ik wil dat mijn naam een merk wordt, een begrip.'

Ik knikte. Ylja is niet alleen saai, maar ook onzijdig; je weet ook nooit of je een man of een vrouw zal treffen als je een Ylja gaat ontmoeten. Net als met Alex. Ik zou Ylja kunnen heten en hij Alex. Hoewel hij daar waarschijnlijk Aaalex van zou maken.

'En waarom —'

'Rustig aan, Kuifje,' grinnikte hij. 'Hoe heet jij eigenlijk?'

'Alex,' zei ik, in afwachting van de *Dynasty*-vraag, die daar altijd standaard op volgt. Maar Yljaaa stelde hem niet. In plaats daarvan zei hij iets over de belijning van mijn jurk en hoe goed hij me stond. Een prachtig samenspel van lijn en kleur, vond hij. Later kwam ik erachter dat hij nog nooit van *Dynasty* gehoord had. Soaps interesseerden hem niet. Hij vond ze een belediging voor de cinematografie.

'Ik vind jou wel leuk,' zei hij, om halftwee. 'Maar voordat we daarop verdergaan, zijn er een aantal dingen die ik je over mezelf wil vertellen.'

Zijn gepraat vermengde zich met mijn gin-tonic, het gleed langs me heen. Want de meest gewilde jonge regisseur van dit moment vond me leuk. Mij. Mijn gedachten dwaalden af naar zijn Hugo Boss-pak, en naar hoe het er daaronder uit zou zien. Goed, erg goed, ontdekte ik niet lang daarna.

'Maar. Ergo. Even terug naar Dylan,' houdt Rodzjer me bij de les.

'De lekkerste zanger van Nederland!' roept Eef.

'Mooiste Man van het Jaar volgens *ELLE*!' klapt Hester in haar handen.

'Drie MTV-Awards voor beste rockact, een Edison, de Meest Beschreven Man in de Entertainment Pers en Meest Begeerde Vrijgezel van het Jaar,' vul ik aan. Sorry, mijn hoofd heeft eindeloos veel ruimte voor zinloze feitjes, maar een pin- of postcode gaat er niet in.

'Dames, dames,' probeert Rodzjer de gemoederen te kalmeren. 'Ik begrijp dat Dylan geen onaantrekkelijke man is. Maar het gaat me om zijn personality, die fantastisch aansluit bij de nieuwe brand identity van de BPW Bank. *Picture this*. Op een mooie locatie zien we de muzikant aan het werk. Hij componeert een song zoals een adviseur van de BPW Bank een financieel plan componeert. Documentaireachtig gefilmd. Maar dat is niet alles. De commercial is gelaagd. De lyrics gaan over de vanzelfsprekendheid van je bank in je leven. Puurheid, passie en vanzelfsprekendheid, de drie nieuwe *corporate values* van de BPW Bank, komen op deze manier terug. Dylan belichaamt precies wat de BPW Bank wil worden. Hij is creatief en sympathiek, stoer, maar ook gevoelig. Bankieren moet worden als Dylan Winter. Populair, cool en maatschappelijk *involved*, getuige zijn hit "(We Can Make) A Better World". Want dat schort er nog weleens aan in de hedendaagse reclame.'

O nee, Rodzjers stokpaardje. Iedereen maakt zich op om weer druk op notitieblokken te krassen en naar nagels te staren.

'Een adverteerder met zoveel bereik, met zoveel geld... Reclame is een van de pijlers van onze maatschappij, de drager van de postmoderne cultuur. Massacommunicatie die iedereen bereikt. En wij moeten daarin onze verantwoordelijkheid nemen. Wij kunnen een verschil maken, en de BPW Bank ook. Zijn jullie je daarvan bewust?'

Zijn ogen, die net nog sympathiek-stoned stonden, vonken.

'Oké, bedankt, Rodzjer, voor je toelichting,' kapt Roos hem met een Mona Lisa-lachje af. 'Dan wil ik het nu even hebben over de status bij Coca-Cola. Eveline?'

Beledigd laat Rodzjer zich in zijn stoel zakken. Hij houdt er niet van om onderbroken te worden.

Eames.

Dat was het, Eames.

Terwijl Eef praat over billboards, *packaging redesigns*, het belang van instore marketing en de *storetraffic*-genererende rol van de huis-aan-huisfolder per sms, kan ik bijna niet meer stilzitten op mijn stoel. Voor de BPW Bank hebben we nog niet zoveel gedaan. Wat folders, en een advertentie. Maar nu ga ik een grote campagne doen met een commercial en een casting en een shooting en een bekende Nederlander! En Yljaaa! Ik probeer de ontspanmantra te herinneren die ik bij yoga heb geleerd, maar in plaats daarvan gieren er alleen maar juichende kreten door mijn hoofd. En nog meer uitroeptekens.

Hoofdstuk 3

Ah, Sean Connery is op zijn negenentachtigste voor de zesde keer als meest sexy man ter wereld verkozen. Hij was het eerder in 1966, 1971, 1978, 1982 en 1994. Tja, hij is niet meer de jongste, maar dat Schotse accent blijft onweerstaanbaar. Leeftijd is ook maar een relatief begrip. Ik ben gek op het woord 'relatief'. Het klinkt zo doordacht als je het nonchalant in een zin gebruikt.

'Relatief gezien is het niet zo'n slechte commercial.'

'Budget is ook maar relatief, vind je niet?'

Maar ter zake. Hotelerfgename Nicole Radisson heeft weer halfnaakt op een bar staan dansen, dit keer samen met supermodel Kate Taylor. Feestgangers waren geschokt over de afwezigheid van ondergoed. En Carmen van Doorn, de beste vj van MTV heeft een nieuwe liefde: Bas van N-JOY! Gelukkig maar, want ze is een hele tijd alleen geweest nadat haar relatie met presentator Michael Klaver stukliep. Carmens carrière ging zo hard ging dat ze amper nog tijd had voor Michael en het gerucht ging dat hij jaloers was op haar succes. Goed, eens even kijken welke rode loper-outfits de Fashion Police vandaag de pan inhakt...

'Alex?' komt Roos aangestept. Haar wildgebloemde wikkeljurk fladdert achter haar aan. Bijna iedereen bij VOGH/JJGP verplaatst zich met lichtgewichtstepjes. Eigenlijk kunnen die al jaren niet meer, maar ons kantoor, ook wel bekend als de grootste kantoortuin van Nederland, is gigantisch. Lopen zou te veel tijd kosten. In een vorig leven was dit pand een augurkenfabriek, maar architect Pantini Ricotta heeft het omgetoverd tot een modern, kleurig kantoor met een industrieel tintje. Ik vind het heel bijzonder hoe gezellig hij beton heeft weten te maken. Iedere keer als ik het terugzie in woon- en designbladen ben ik stiekem een beetje trots. Verspreid door de ruimte staan groepjes bureaus. Ogenschijnlijk willekeurig, maar achter de schots en scheve inrichting zit een doordacht plan, gebaseerd op de boeddhistische ruimteleer. Een essentiële filosofie voor een reclamebureau, aldus Ricotta, want recht en hoekig is funest voor een goede creatieve flow. Werk en ontspanning lopen daarom door elkaar; zo is er een gamehoek en staat naast mijn bureau een voetbaltafel. Een uitstekende manier om de banden met Creatie aan te halen. Bovendien zijn er zo weinig mogelijk aparte ruimtes. Om de onderlinge interactie te stimuleren staan er een aantal zithoeken met grote, zachte banken, waar je lekker spontaan kunt sparren en brainen. Ricotta was aanvankelijk van plan om de toiletten ook halfopen te maken, maar ik ben blij dat dat er niet doorgekomen is. De cruciale delen zouden wel verborgen blijven, maar het lijkt me toch niet stimulerend voor de werklust om naar het ingespannen gezicht te kijken van iemand die zijn ontbijt eruit aan het draaien is.

'Aálex?' hoor ik nu dichtbij.

Ik klik snel gossip.com weg, zodat er een spreadsheet met kolommen en kleurtjes op mijn beeldscherm staat, waar ik eigenlijk een beetje bang voor ben. Ik vind mijn werk leuk, hoor, alleen met spreadsheets heb ik niet zoveel affiniteit. Kijk deze nou. Hij is zo georganiseerd, op het neurotische af. Ik heb hem zelf ook niet gemaakt; Roos is het brein achter dit imponerende ding. Zij wil dingen plannen waarvan ik niet eens wist dat ze gepland kunnen worden. Als ze haar stoelgang kon plannen, nam ze die er zeker ook in op.

'Ja, Roos?' Mijn brave hoofd is altijd erg overtuigend.

'Kun jij de statuslijst weer even bijwerken?'

'Ben ik net mee bezig!' zeg ik en wijs naar de spreadsheet.

'Ah, heel goed.' Heel voorzichtig kronkelt er een goedkeurende glimlach rond Roos' mond. Maar niet te zichtbaar natuurlijk. Stel je voor. 'Succes, ik moet nu weg. Ik moet om één uur lunchen met Dylan Winter in The Oyster Lounge,' zegt ze nonchalant, maar net zo hard dat iedereen het kan horen. 'Dagdag!'

Ze strikt haar wikkeljurk strakker, zodat haar rondingen nog wat verder uitpuilen. Waarom moet dat hier? Om mij weer eens met de neus op de feiten te drukken dat mijn bescheiden B-cup maar ondermaats is in vergelijking met haar dubbele D? Ik wil iets scherps roepen, iets waarbij het venijn subtiel tussen de woorden door druppelt, maar ik kan zo snel niets verzinnen. In plaats daarvan echo ik met mijn leukste gezicht: 'Dagdag!'

Shit. Over een halfuur heb ik waarschijnlijk drieëndertig geweldig valse grappen bedacht over borsten en oesters, die ik nooit meer zal kunnen gebruiken. De Oyster Lounge is een paar weken geleden geopend, maar het is zowel Hester als Yljaaa nog niet gelukt om er een tafel te krijgen. En mevrouw zit daar in haar volle glorie oesters te slurpen met Nederlands heetste zanger, terwijl ik hier haar planningsneurose zit te faciliteren. Als ze uit mijn beeld verdwenen is, klik ik gossip.com weer op mijn beeldscherm. Terug naar de echt belangrijke zaken. The Fashion Police. Heerlijk, die valse zelfbenoemde mode-experts die de ene Chaneljurk na de andere Gucci-outfit afbranden. Veel beter dan die zogenaamde modeontwerpers in de *Privé*, die haringparty's en premières van B-films aflopen. Hoewel het soms erg leuk is om een soapie een glamoureus gezicht te zien trekken in een uitverkoopje van vorig jaar. En het Koninklijk Huis, natuurlijk, want die —

Mijn tas rinkelt. Ik gebruik nog steeds mijn gouden tas; ik heb nog geen tijd gehad om een nieuwe te gaan kopen. En ook geen geld, eigenlijk. Ik graaf en vind een haarborstel, vier elastiekjes, een lippenstift zonder dop en een afstandsbediening. Na nog een agenda, een boek, een aantekeningenboekje en een gebutste appel zie ik eindelijk mijn telefoon.

'Met Alex?'

'Dag schoonheid,' bromt Yljaaa in mijn oor. Ik probeer me voor te stellen hoe de mondhoeken in zijn serieuze gezicht ondeugend omhoog buigen als hij aan mij denkt.

'Hoi!' roep ik blij.

'Wat was je aan het doen?'

'Werken, hoezo?'

'Was je niet stiekem je roddelsites aan het lezen?'

'Ook een beetje,' geef ik schoorvoetend toe.

Yljaaa vindt dat ik te veel aandacht besteed aan *low culture*, zoals mijn bladen en sites en *Hoop & Liefde* (de meest verslavende serie ooit) en dat ik de high culture links laat liggen. Maar ja, mijn vader is niet J.C. Elsman, de Grote Nederlandse Schrijver. Mijn vader is Bapao Dries, de grootste bapaobroodjesfabrikant van Nederland. Literatuur interesseert hem weinig, magnetronklare Aziatische snacks des te meer. Yljaaa praat in gezelschap trouwens bijna nooit over zijn vader; hij wil gerespecteerd worden om wat hij zelf kan. Aan mij vertelt hij weleens wat, maar dan moet ik altijd met mijn hand op de *Privé* beloven dat ik het aan niemand vertel. Ik begrijp het wel, ik praat ook liever niet over mijn vader. Mensen vragen dan altijd of ik niet eens een doosje bapao's voor ze mee kan nemen.

'Wat doe je vanavond?' raspt hij.

'Eigenlijk moet ik de was doen, maar dat moest ik gisteren ook al, en eergisteren. Dus eigenlijk niks.'

'Rodzjer en ik gaan naar Galerie PHOOTOO. Zin om mee te gaan? Er is een opening van Liesbeth Vermiljoen, een heel talentvolle en bekende fotografe.'

Ik heb nog nooit van deze mevrouw Vermiljoen gehoord, maar een feestje is natuurlijk altijd gezellig. 'Kan ik Eef en Hester ook meenemen? Ze nemen mij ook altijd overal mee naar toe.'

'Als ze beloven dat ze zich gedragen,' grinnikt Yljaaa. 'Trek je wel Ons Jurkje aan? Met dat leuke avondtasje dat ik je gegeven heb?'

'Eh...'

Ons Jurkje is een Calvin Klein, waarvoor Yljaaa diep in de buidel heeft getast. Het is een fantastische jurk, maar nogal strak en kort. Ik noem hem ook wel de benen-en-billenjurk. Daar ben je je namelijk erg van bewust als je hem draagt. En je omgeving ook.

'Aaah... Je ziet er geweldig uit in die jurk! Doe het nou voor mij! *I only have eyes for you...*' begint hij te zingen.

'Oké,' geef ik toe. Vooruit, het is voor een goed doel. Als er dan toch ogen gevestigd moeten zijn op benen en billen, laten het dan die van mij zijn.

'Tot vanavond, ik kan niet wachten,' doet Yljaaa een Barry White-imitatie.

'Tot vanavond,' giechel ik.

Goed, the Fashion Police. Madonna ziet er waanzinnig uit in een ruimtevaartpak, waarmee ze weer eens een trend heeft gezet. Johnny Depps outfit zou er één van Michael Jackson kunnen zijn. En Nicole Kidman draagt een benen-en-billenjurk van Calvin Klein. Hmmm. Staat haar best leuk, eigenlijk.

Hoofdstuk 4

Als ik om me heen kijk in Galerie PHOOTOO denk ik even dat ik al dronken ben. Of anders in een psychedelische trip zit. Want ik zie dubbel. Ik zie niet één man met een kaalgeschoren hoofd en een hoornen bril, maar tientallen. Het wemelt hier van de kale, hip bebrilde mannen. Rodzjer is de enige die uit de toon valt met zijn lange haar. En met zijn wankele toestand; hij is niet bij de bar weg te slaan. Hij draagt vandaag een Elvis-T-shirt en een groen met zwart gestreepte broek. Bij de aanschaf moet hij vast gedacht hebben dat lengtestrepen zijn benen langer zouden doen lijken.

'Wat denk je, mooi hè?' hoor ik een bekende stem in mijn nek.

Ik kijk om en zie mijn eigen kale man, met strakke, hoornen bril. Gelukkig heeft hij geen zwarte coltrui aan, zoals de helft van de bezoekers van deze fototentoonstelling, maar een van zijn Hugo Boss-pakken. Ik ben helemaal geen pakliefhebber, maar die van Yljaaa spreken erg tot mijn verbeelding.

'Ehm, ja, interessant,' zeg ik. Ik twijfel nog hoe ik zo subtiel mogelijk kan zeggen dat ik het een heel gezellige borrel vind, maar dat ik het idee achter de enorme foto's nog niet helemaal doorheb. Dat ging toch een stuk beter met die tentoonstelling over de ambivalente relatie van de mens met zijn genitaliën. Over die foto's kon geen misverstand bestaan.

'Fantastisch toch, wat je kunt doen met mosselen en garnalen!' Yljaaa gaat voor een van de foto's staan en slaat zijn armen over elkaar. 'Eigenlijk gebruikt ze vruchten uit de zee als metafoor voor het leven.'

'Eh... ja?'

'Kijk.' Yljaaa gaat wat dichter bij me staan en geeft een kusje op mijn oor. Het zal vast niet zo onzinnig zijn als het eruitziet. 'Wij mensen zijn allemaal voortgekomen uit plankton. Ooit waren wij ook kleine zeebeestjes. Net als mossels en garnalen. Een briljante vondst.'

Ik knik. Ik vind het niet erg logisch, maar ik mis vast weer die poëtische dubbele laag, waar Yljaaa het altijd over heeft.

'En ze heeft de mosselen met naald en draad dichtgenaaid, om te laten zien hoe opgesloten het leven soms kan zijn,' vertelt Yljaaa enthousiast. Zijn slanke handen praten mee. 'De pootjes van de garnalen heeft ze aan elkaar vastgemaakt, dat symboliseert dat je soms geen kant uit kunt.'

Ach, vandaar. 'Maar waarom moet dat zo groot?' vraag ik. Ik krijg er pijn van in mijn nek. En muurvullend opgeblazen zijn garnalen eigenlijk best smerig.

'Het uitvergroten van kleine dingen, is dat niet waar het in het leven om gaat?' mijmert Yljaaa.

Ik knik nog maar een keer en pak een garnalenkroketje van een dienblad dat voorbij komt. En nog een.

'Dat is het mooiste dat je van garnalen kunt maken,' zeg ik met volle mond tegen het beeldschone bedieningsmeisje. 'Garnalenkroketjes.'

Ze kijkt me aan alsof ik een pratende mossel ben. Snel gris ik er nog twee van haar dienblad en draai me weer om naar Yljaaa om te zeggen dat het toch juist de kleine dingen zijn die het doen, maar hij staat niet meer op zijn plek. Hij staat vijf meter verderop, naast zijn assistente Sjerrun. Als ik Sjerrun zeg, trekt Yljaaa altijd een Brits gezicht en corrigeert me op zijn BBC-st met [ʃærrʌn], maar ik hou het op Sjerrun. Ik wil dat haar naam zo ordinair, plat en goedkoop mogelijk klinkt. Yljaaa vindt dat we onze semimonogame latrelatie niet moeten ontleden, omdat de liefde niet te beredeneren valt en we ons gewoon moeten overgeven aan de magie. Maar ik vermoed dat Sjerrun een derde wiel aan de tandem is. Iedere keer als ik het wil hebben over hoe rekbaar dat 'semi' eigenlijk is, zegt Yljaaa: 'Jij bent de enige vrouw voor mij!' En dan weet hij me van mijn voorgenomen gesprek af te leiden met zijn lieve praat en zijn schuurpapieren stem en andere trucs waar ik geheid plat voor ga. Terwijl ik woest kauwend mijn garnalenkroketjes verslind, staat Yljaaa naast Sjerrun te oreren over de rol van de zeevrucht in de moderne kunst als zodanig. Sjerrun vindt het zo te zien enorm interessant: 'Het is bijna freudiaans wat ze doet met die vlezige verwijzingen naar vrouwelijke organen!' kirt ze.

Met moeite hou ik mijn garnalenkroketjes binnen. Ik besluit dat ik dit niet langer aan hoef te zien en ga op zoek naar Eef en Hester. Maar na drie stappen word ik gestopt door een zware, dronken arm op mijn schouder.

'Sjeg, heb jij dat nou ook weleens dat je je sjóóóó schuldig voelt over je werk?' toetert Rodzjer in mijn oor. Hij heeft zich zowaar los weten te rukken van de bar. 'Dat je denkt: wat draag ik nou eigenlijk bij aan de wereld? Wat is het allemaal sjinloos en oppervlakkig?'

Goh, eigenlijk nooit. Is dat slecht?

'Ik heb genoten hoor, van de reclame. Ik heb bakken met geld verdiend, prijzen gewonnen, in BMW's en Aston Martins gereden.'

Wankelend doet hij alsof hij het stuur van een sportauto vasthoudt. Hij gaat nu toch niet... Ja hoor. In zijn denkbeeldige auto rijdt hij op topsnelheid door een haarspeldbocht.

'Mooi was dat. Mooi. Mooooooi. Maar waar was ik. O ja, auto's. Drank. Dat ook. Doe ik een stuk minder, tegenwoordig. Cola light met een schijfje sjitroen is ook heel lekker, wist je dat?' Abrupt stopt hij zijn verhaal en kijkt om zich heen. Maar na een paar seconden is hij al vergeten waarnaar hij zocht. Onthutst kijkt hij naar zijn glas. Dan schiet het hem weer te binnen. 'Ober?'

Een te mooie jongen snelt naar ons toe. Ik vermoed dat ze een blik modellen open hebben getrokken om hier met drankjes en garnalenkroketten rond te lopen.

'Sjeg, jongen,' hij slaat zijn andere arm om de ober heen. 'Doe even een rondje cola light voor iedereen.' Hij maakt met beide armen een royaal gebaar door de lucht. 'Voor iedereen!' roept hij gul. 'Met een schijfje sjitroen.' Daarna ploffen zijn armen weer op de schouders van mij en het obermodel. Ik overweeg heel even om te doen alsof ik hem niet ken, maar ik ben bang dat ik daar niet mee wegkom. Daarom blijf ik maar staan. Dan valt Rodzjer in ieder geval niet om.

'Eh...' de oberjongen schraapt zijn keel. 'We hebben babyflesjes Moët, Heineken longnecks, droge witte wijn, vers papayasap, scroppino's, cosmopolitans, mojito's en martini. Maar geen cola light, meneer. En ook geen schijfjes citroen, trouwens.'

'Nou ja,' zucht Rodzjer, opeens tien jaar ouder, 'dan maar zjampagne.'

De oberjongen weet te ontsnappen uit de greep van Rodzjer, die zich weer op mij richt. 'Waar was ik. O ja. Vrouwen. Véél vrouwen. Maar goed, op een gegeven moment heb je het wel gehad. Gedoe, en ze willen steeds méér. Relaties enzo. Weet je?' Hij kijkt me indringend aan, voor zover het zijn doorgelopen oogbollen lukt om een rechte lijn te houden. 'Ik heb opeens sjóóóó'n sjin om eerlijk te zijn! Het moet anders, het leven.' Hij is even stil, vol aandacht voor de neuzen van zijn Goodyear-sneakers, gemaakt van gerecyclede autobanden. Dan tilt hij zijn hoofd weer op en kijkt me zwabberend aan. 'Het roer moet om. Ik moet iets dóén voor de wééreld! Voor de wééreld!'

O God. Lieve Here in de hemel. Hester en Eef. Waar zijn jullie als ik jullie nodig heb? Ik speur om me heen naar een van de drie, maar het eerste dat ik in mijn ooghoeken zie is Yljaaa, die zijn rechterhand op Sjerruns blote rug legt, terwijl hij met zijn linker druk doorpraat. Ik bedenk me.

'Heel goed, Rodzjer, wat interessant,' zeg ik, en sta het toe dat Rodzjer een hand in mijn zij legt en me te dicht tegen zich aan trekt. 'Iets doen voor de wereld. Vertel.'

Hoofdstuk 5

Sinds we bezig zijn met de nieuwe campagne voor de BPW Bank, zit ik vaker aan de sloophouten designtafel in de Executive Board Room dan ooit. We zijn nu bezig met de pre-productiemeeting. Tijdens deze meeting nemen we alles nog een keer door, voor we de productie gaan starten. En daarna volgt natuurlijk de post-productie. Tot voor kort hield ik me voornamelijk bezig met het bijhouden van actie- en statuslijsten en het maken van begrotingen, in afwachting van het Echte Werk. En nu zit ik er tot over mijn oren in.

Ik had niet gedacht dat het zo snel zou gaan. Tijdens mijn sollicitatiegesprek benadrukte Roos een keer of tweeëndertig dat ik onderaan zou moeten beginnen. Dat ik mezelf eerst moest bewijzen. En dat ik niet moest denken dat ik meteen de leukste projecten zou mogen doen. Maar ik had ook blind getekend als ze me verteld had dat ik Senior Koffie Distributeur zou worden, of verantwoordelijk voor het legen van de prullenbakken. Want ik wilde maar één ding: de reclame in. Niet meer aan de zijlijn, maar op de middenstip van een creatieve, spannende wereld. Een nooduitgang uit een leven waarop ik al veel te lang uitgekeken was. Want mijn baan als marketingmedewerker bij de uitgeverij, mijn ex Peter-Paul (Unitmanager Vijftig Plus) en mijn vrienden waren allemaal te saai voor woorden.

En dat terwijl ik anderhalf jaar geleden nog zo blij was dat ik eindelijk iets gevonden had dat bij me paste. Want wat ik daarvoor bij dat internetbureau deed, heb ik nooit helemaal begrepen. En mijn carrière als assistent-makelaar was ook geen doorslaand succes. Toen het nieuwe eraf was, ontdekte ik helaas dat het vak van marketingmedewerker niet bepaald die 'afwisselende, dynamische job' was die de personeelsadverdentie beloofd had. En wat jammer dat niemand me verteld had dat HDT Business Publications & Sponsored Media eigenlijk een façade was voor de Vereniging Van Nederlands Meest Saaie Mensen, die daar zijn hoofdkwartier had ingericht. Mijn god, wat een muisgrijs moeras van verveling.

'Het is juist interessant,' zei Peter-Paul altijd. 'Kijk goed om je heen, want je wordt omringd door een dwarsdoorsnede van de Nederlandse bevolking!'

Voor mij, als marketingmedewerkster, zou dat het grootst mogelijke genot moeten zijn. Maar van zo'n dwarsdoorsnede word je niet vrolijk, neem dat van mij aan. Bij gebrek aan vermaak in mijn eigen omgeving laafde ik me aan mijn favoriete bladen en entertainmentsites. Ik hunkerde naar rode lopers, modeflaters, stukgelopen relaties, pril geluk, huwelijken, scheidingen en liefdesbaby's. De pieken en dalen van bekend Nederland waren de uitschieters in mijn eigen kabbelende leven.

Vlak voordat ik definitief bezweek onder het verlammende doorsneebestaan waarin ik verstrikt was geraakt, wist ik mezelf op het nippertje te vermannen. Door een overdosis verveling was mijn geest mijn lichaam uitgewandeld. Vanaf een afstandje zag ik mezelf zitten, op de chesterfield in het doorzonappartement van Peter-Paul. Peter-Paul, die als kroonprins van HDT Business Publications & Sponsored Media de directie gek maakte, maar mij allang niet meer. Tevreden rekte hij zich uit, pakte de afstandsbediening en zapte naar Eurosport, zonder mij te vragen of ik zin had om ook naar schansspringen te kijken.

Ik keek naar mezelf en vroeg me af wat ik mezelf in godsnaam wijs had gemaakt. Ik was te jong voor dit bejaardenbestaan, dit was nooit de bedoeling geweest. Ik zou me wentelen in al het leuks dat de wereld me te bieden had en me te pletter genieten van iedere spannende kans die mijn pad op rolde. Ervaringen verzamelen alsof het exotische postzegels zijn. Niet in de kneuterige huiskamer van de grootste familie van Nederland, maar op het vipbalkon. Dat was mijn plan. Hoe kon ik zo afgedwaald zijn? Ik was nog geen dertig. Ik moest me suf leven. En daar hielp Peter-Paul me niet bepaald verder mee.

'Heel fijn dat jullie er allemaal zijn,' haalt Roos me uit een nabij verleden, dat alweer lang geleden lijkt. 'Welkom bij het eerste projectoverleg voor de nieuwe BPW Bank-campagne. Die ongetwijfeld een van de meest spraakmakende campagnes van het jaar gaat worden.'

Alle betrokkenen zitten aan tafel: Rodzjer, locatiescout Wout, styliste Julia, Yljaaa (die niet reageert op mijn spannende, lieve en schalkse blikken en geïnteresseerd kijkt naar de onafgewerkte poten van de sloophouten tafel), Sjerrun (een vrouw om zo weinig mogelijk woorden aan vuil te maken), De Klant (eigenlijk heet ze Suzanne, maar wij noemen haar meestal De Klant) en – stiekem erg spannend om met Nederlands heetste zanger aan tafel te zitten – Dylan Winter en zijn manager Frenk. Roos heeft zich in een niet al te veel aan de verbeelding overlatende blouse naast Dylan gewurmd.

Ik had gedacht dat Dylan in het echt tegen zou vallen; dat is meestal zo met bekende types zonder visagist en goed licht en Photoshop. Maar Dylan Winter... hij ziet eruit alsof hij net terugkomt van een houthakkersexpeditie in Canada en onderweg in slaap is gevallen, maar dan sexy. Zijn haar een beetje uitgegroeid (maar zorgvuldig gehighlight), een baardje van twee dagen, overhemd op halfzeven, de Blue Blood-jeans waar ik Yljaaa al een paar weken in probeer te praten en afgetrapte All-stars. Zijn aanwezigheid hangt nadrukkelijk in de ruimte, zo duimendik dat het lijkt alsof je hem kunt vastpakken. Ik moet denken aan een documentaire die ik eens zag over vlinders. Een mannetjesvlinder had wel zin in een partijtje vlindergevoos en stootte erotische lokstoffen uit door met zijn vleugeltjes over elkaar te wrijven. Weinig vlindervrouwen konden weerstand bieden aan de onontkoombare walm van seks die om hem heen hing. Dezelfde uitwerking heeft Dylan Winter. Alles trekt naar hem toe; het licht, ogen, aandacht, borsten. Zelfs de meest overtuigde heteroseksuele mannen in de Executive Board Room kunnen hun ogen niet van Dylan afhouden. Behalve Yljaaa, die Dylan slechts een terloopse blik vanonder zijn gefronste wenkbrauwen waardig gunt.

Voor Dylans manager Frenk is de Schepper wat minder vriendelijk geweest. Misschien was Hij in een jolige bui toen Hij besloot om hem het uiterlijk van een vos te geven, inclusief spitse snuit en scheve ogen. Toen Hij eenmaal op dreef was, besloot Hij om er ook nog maar een set scheve tanden en puntoren bij te doen. Ach ja, alsof het allemaal om het uiterlijk draait. Toch worden mijn ogen automatisch weer naar Dylan getrokken. Dierlijk aantrekkelijk, en daar maakt hij goed gebruik van, als ik mijn bladen mag geloven. Meneer verleidt de ene na de andere bekende en onbekende dame. Even leek het erop dat tv-presentatrice Daphne de Boer hem getemd had; er werd zelfs gespeculeerd over een huwelijk. Maar toen bekend werd dat Dylan in het jaar dat ze samen waren ook van een stuk of zes andere walletjes at, deed Daphne huilend haar beklag bij alle bladen binnen haar bereik; van de *Party* tot de *Bobo*. Helaas voor haar werd ze publiekelijk afgeserveerd als de Huilebalk van het Jaar en liet geen enkele vrouwelijke fan Dylan vallen. Sterker nog: hij kreeg er flink wat mannelijke fans bij, die respect hadden voor de manier waarop hij al die vrouwen behendig combineerde en voor het feit dat hij, afgaande op de getuigenissen van drie minnaressen, keer op keer wist te presteren.

Lokatiescout Wout gaat staan en klapt zijn laptop open.

'Ik neem jullie nog even mee naar de Galápagos-eilanden,' zegt hij en klikt zijn PowerPoint aan. Bij de evaluatie van het concept is besloten dat het het beste tot zijn recht komt op een plek die past bij de persoonlijkheid van Dylan Winter én de nieuwe persoonlijkheid van het merk BPW Bank: warm, ontspannen en met een ruig randje. Zanzibar, Kenia, Patagonië en de Malediven waren ook in de running, maar het werden uiteindelijk de Galápagos-eilanden. Bovendien is het licht daar fantastisch, zeggen Rodzjer en Yljaaa.

'De Galápagos-eilanden zijn ontstaan door een vulkaanuitbarsting en nooit in contact geweest met het vasteland van Ecuador,' vertelt Wout met een National Geographic-stem. Hij drukt op enter en een fantasie-eiland openbaart zich. Man, je zal daar toch naar toe moeten voor je werk. Ik zal in afwezigheid van Roos wel weer druk zijn met statuslijsten, het opnemen van de telefoon en neurotische spreadsheets.

'De flora en fauna van de eilanden hebben zich op geheel eigen wijze ontwikkeld. Je komt er dieren en planten tegen die je nergens ter wereld ziet. De locatie die we op het oog hebben voor de shoot is Bahía Tortuga.' Hij klikt weer een nieuwe foto aan. Ik kijk naar Dylan, die met open mond naar het scherm zit te kijken. 'Je moet eerst een wandeling maken langs metershoge, eeuwenoude cactussen, maar dan kom je op een hagelwit strand met een zee die blauwer is dan Grote Smurf. Er zwemmen de prachtigste vissen rond, die je door het heldere water uitstekend kan zien. En 's nachts kruipen schildpadden het strand op, om eieren te leggen.'

Wout besluit zijn verhaal met een diepe zucht. We zuchten allemaal met hem mee.

'Ja, dit is helemaal waar de nieuwe BPW Bank voor staat,' glimt De Klant. 'Maar begrijp me goed, op een snoepreisje zijn we niet uit. Als Texel of Zuid-Frankrijk bij onze nieuwe positionering hadden gepast, waren we daarnaartoe gegaan.'

'Natuurlijk,' zegt Rodzjer snel. 'De Galápagos-eilanden staan voor de combinatie van puurheid en kracht. Voor denken, voelen en doen. En die schildpaddeneieren representeren de toekomst, waarmee je met een financieel plan ook bezig bent.'

'En vergeet de wilde kracht van de natuur niet,' zegt Roos, met een scheef oog op Dylan. 'Maar even praktisch. We moeten over vier weken gaan schieten, dus er is nog een hoop te organiseren. Noteer jij even, Alex? Vluchten, hotel, vergunningen, crew... en de muziek, natuurlijk. Want Dylan heeft toegezegd een speciaal lied te componeren voor deze campagne, hè Dylan?'

Dylan knikt.

'Ja, Dylan zal zijn talenten inzetten voor deze campagne,' zegt Frenk. 'Dat gaat natuurlijk een toppie plaat worden, waarvan de auteursrechten bij ons liggen. Ik wil voorstellen om de track ook op single uit te brengen, voor een mooi spin-off effect. Hij zal ook te downloaden zijn op de website van de BPW Bank en natuurlijk komt er een ringtone.'

'Fantastisch idee,' zegt Roos tegen Dylans borsthaar. 'Noteer je dat ook even, Alex? Sorry Frenk, daar komen we later nog op terug. Ik moet me even aan de agenda houden, want we lopen uit. Styling. Julia?'

Julia gaat staan en legt een aantal kartonnen omgekeerd voor zich op tafel.

'Op basis van het concept dat Rodzjer me toegelicht heeft, ben ik doorgegaan op de kernwaarden puurheid, passie, en vanzelfsprekendheid. De kleding die Dylan zal dragen in de commercial moet dicht bij zijn persoonlijkheid én die van de BPW Bank liggen, maar tegelijkertijd iets nonchalants uitstralen, om die vanzelfsprekendheid te representeren. Ik heb een moodboard gemaakt van de trends van dit moment...'

Op de voorkant van het bovenste bord staan foto's van mannen op catwalks, in stretchpakken, jeans, mouwloze bloesjes en sarongs.

'Maar als stylist haal je natuurlijk ook je inspiratie van de straat, uit videoclips en van de rode loper.'

Op het volgende bord staan foto's van jongens in wijde, afgezakte broeken en van een rockbandje in identiek zwarte pakken en met eyeliner op. 'Al deze inspiratiebronnen heb ik tegen de merkwaarden van de BPW Bank aan gehouden. Uiteindelijk ben ik uitgekomen op de volgende look.'

Ze draait een derde bord om.

‘Ik noem het Urban Classic Vintage. Een klassiek overhemd, maar dan nonchalant gedragen, met openhangende boord en manchetten. Daarbij een jeans, bijvoorbeeld deze, uit de nieuwe Blue Blood-collectie. En als footwear denk ik aan basic boots of sneakers, maar dan wel afgedragen. Voor dat nonchalante effect, begrijp je?’

‘Heel goed, spijker op z’n kop, hulde!’ zegt Rodzjer.

Dylan knikt, in zijn klassieke overhemd met open boord en manchetten, Blue Blood-broek uit de nieuwste collectie en halfvergane Allstars.

‘Wordt het niet te nonchalant?’ vraagt De Klant. ‘Je moet wel uitkijken met zo’n openhangend hemd. Ik bedoel, we kunnen geen tepels laten zien in onze commercial. Tepels passen niet bij ons merk.’

‘Natuurlijk niet,’ zegt Roos. ‘We nemen voor de zekerheid wel dubbelzijdig plakband mee. Noteer jij dat even, Alex? We moeten door naar Yljaaa. Kun jij je punten nog even doornemen voor wat betreft de regie, Yljaaa?’

‘[ʃærrʊn], wat hebben wij nog op de actielijst staan?’

‘Nou, het zit dus zo,’ snerpt Sjerrun, ‘er zijn nog een paar dingetjes. Ten eerste…’

Het spijt me, maar zodra Sjerrun haar enorme mond opendoet, ben je mij kwijt. Ik verlies mezelf in het tekenen van krullen, vierkantjes en konijnen op mijn notitieblok. Yljaaa reageert nog steeds niet op mijn spannende, lieve en zwoele blikken. Hij praat over camerastandpunten en filters, knikt en laat Sjerrun van alles opschrijven. Wat dat betreft zou ik solidariteit met haar moeten voelen.

Als iedereen na de vergadering naar buiten slentert, sloft of sprint, neemt Roos me apart. ‘Je begrijpt dat jij ook meegaat naar de Galápagos-eilanden. Er zijn zoveel dingen te doen, dat kan ik niet allemaal in mijn eentje. Jij, Yljaaa, de crew, De Klant, Rodzjer, ik… en Dylan,’ zegt ze. Verlekkerd stampt ze weg op haar Marc Jacobsen.

Yljaaa komt als laatste naar buiten.

'Zeg...' bromt hij met zijn fijne stem.

'Ja?' Eindelijk tijd voor spannende, lieve en zwoele blikken. Misschien kunnen we nog even lunchen, samen.

'Wil je de volgende keer niet meer zo kijken? Dat vind ik niet professioneel. Ik ben gek op je, dat weet je. Maar mijn carrière is nu ook heel belangrijk voor me, dat begrijp je toch wel? Ik moet me focussen op mijn creatieve ontwikkeling.'

Ja, natuurlijk begrijp ik dat. Hij is tenslotte het meest veelbelovende talent voor de toekomst.

'Ik moet rennen.' Hij geeft me een kus op mijn voorhoofd. 'Dag schoonheid, ik bel je vanavond.'

'Ik ga ook naar de Galápagos-eilanden!' roep ik naar zijn rug.

Maar hij hoort me niet meer.

Hoofdstuk 6

‘Kijk, Daphne de Boer,’ sist Eef.

Ze strekt haar gestroomlijnde hockeylijfje uit om de zon gedag te zeggen.

‘En aaadem uit,’ zegt de bikram yoga-instructrice. ‘Buig voorover en pak met beide handen je knieholtes vast.’

‘Wat?’ fluister ik. ‘Waar?’

Die knieholtes lukt me nog wel, maar ik hoop niet dat ik nog verder hoef te buigen. Mijn tenen zijn een onbereikbaar gebied, in deze positie.

‘Links voor je.’

Ik buig mijn hoofd langs mijn linkerknie en zie een knokig lijfje in een rode Yoga By Puma-outfit. Haar ruggenwervels prikken vervaarlijk door haar hemdje heen.

‘Tien kilo lichter sinds het drama met Dylan,’ fluistert Hester in mijn rechteroor.

Hester kan haar tenen makkelijk raken. Ze heeft een lichaam als elastiek, met eindeloze benen en minstens zulke lange armen. Als ze haar best doet, kan ze heel elegant zijn, maar meestal ziet ze eruit alsof haar ledematen haar in de weg zitten.

‘Concentreer je op je ademhaling,’ zegt de instructrice, ‘en strek je armen langzaam boven je hoofd.’

‘Over Dylan gesproken,’ zeg ik zacht, ‘ik mag mee naar de shooting op de Galápagos-eilanden.’

‘Wat!?’ zegt Eef.

'Echt?' vraagt Hester, te hard.

'Ga langzaam met je handen naar je tenen. Denk aan je ademhaling. Denk aan de eenheid van lichaam, geest en ziel.'

Ik doe mijn best en concentreer me op mijn tenen (willen is bereiken, las ik eens), maar ik kom maar tot halverwege mijn scheenbeen. Hester kan bijna met haar ellebogen bij de grond en ook Eefs vingertoppen bereiken haar tenen moeiteloos.

'Drie dagen, op een schildpaddenstrand. Blauwe zee, wit strand...' fluister ik.

'Breng je handen tegen elkaar op borsthoogte en trek je linkervoet op tot je knie. En ááádem uit.'

'Het is daar vast net zo warm als hier,' puft Hester.

'Het is niet eerlijk,' bromt Eef. 'Jij gaat met Dylan Winter naar de Galápagos-eilanden en ik ga naar de Veluwe.'

'Met lieve puppy's en dertig blikken Bonzo,' probeer ik haar op te vrolijken.

'Gaat Dylan naar de Galápagos-eilanden?' sist Daphne de Boer. Ze staat nog steeds op één been en met haar handen tegen elkaar voor haar borst, maar haar hoofd heeft ze als een uil naar ons gedraaid.

'Ja, voor een commercial van de BPW Bank,' leg ik uit.

'Kantel het bovenlijf naar voren en beweeg het linkerbeen naar achteren, zodat je tot een horizontale positie komt. Aáádem in, en ááádem uit.'

'De klootzak,' zegt Daphne, met haar hoofd ondersteboven. 'Daar zouden we naartoe gaan met onze huwelijksreis!'

Ik dacht al dat het me ergens bekend van voorkwam. Natuurlijk!

'Til je linkervoet op en buig hem tot op je billen. Aáádem in.'

'De Galápagos-eilanden passen het beste bij de nieuwe merkwaarden van de BPW Bank,' probeer ik Daphne zo vriendelijk mogelijk gerust te fluisteren. 'Het is niks persoonlijks.'

'Niks persoonlijks, niks persoonlijks,' foetert haar rode hoofd. 'Dat zei hij ook over die sletten.'

'Strek je armen en buig ze naar de grond. Eèèn uit.'

'Iedere keer als ik denk dat ik er eindelijk overheen ben, word ik weer met hem geconfronteerd. Zelfs hier. Ik kom hier verdomme voor mijn spirituele balans! Had je niet gewoon je kop kunnen houden?' Tranen wellen op in haar nu donkerrode gezicht.

'Hé, niet zo onaardig tegen mijn vriendin,' bemoeit Eef zich ermee.

'Strek je linkerbeen weer en buig hem verticaal, naar het plafond. En concentreer je op je ademhaling. Ook jullie daar achterin.'

Auw, dit doet pijn. Auw. Auw.

'Het spijt me,' snikt Daphne ondersteboven, 'Maar... hoe heet je eigenlijk?'

'Alex,' puf ik.

'Alex!?'

'Eigenlijk Alexis,' sis ik tussen mijn tanden door.

'Naar Alexis uit *Dynasty*?' Ze stopt direct met snikken.

'Wat wou je nou vertellen?'

'O ja,' snuft Daphne, 'die klootzak. Mijn trouwjurk hangt nog steeds in de kast, weet je. Ik heb hem nog niet weg kunnen doen. Een Vera Wang.'

Haar tranen druppen weer op haar matje. Ook van Yoga By Puma, trouwens.

'Een Vera Wang?' vraagt Hester, vol ontzag.

'Leg nu je hoofd op je matje en breng langzaam ook je rechterbeen naar boven. En adem in.'

Verdomme. Iedereen zwiept zijn benen maar in de lucht alsof het ruitenwissers zijn en ik blijf halverwege steken. Ik heb een fortuin geïnvesteerd in mijn sneldrogende lichtgewicht yoga-outfit, maar ik blijf de sukkel van het klasje. Wat dat betreft is er niets veranderd sinds de lagere school.

'Speciaal voor mij gemaakt,' snottert Daphne. De tranen stromen langs haar voorhoofd. 'Ik doe mijn best om een nieuwe balans te vinden, maar die man heeft mijn leven verwoest. De onbetrouwbare hond!'

'Buig je rechterbeen naar mij toe, in horizontale positie. En adem uit.'

'Devuileklootzakhoerafgelikteflutzangerkuthufter...'

'Nou nou,' zegt Eef.

'Buig ook je linkerbeen naar mij toe en breng beide voeten naar de grond. In stilte. Ook jij, Daphne. In staat van spirituele balans is er geen plaats meer voor woede. Denk aan je mantra.'

Daphne sluit haar ogen. 'Gate gate paragate parasamgate bodhi swaha om ah hum om mani padme hum,' mompelt ze.

'En ááádem uit.'

Hoofdstuk 7

'O, echt! Vind je dat?'

Zo weinig als Roos in het dagelijks leven lacht, zo consequent giechelt ze zich het telefoongesprek met Dylan Winter door. Ritmisch laat ze haar ergonomische bureaustoel op en neer bewegen. Ik neem aan dat ze het niet suggestief bedoelt, maar haar onderbewustzijn laat zich zo wel heel makkelijk kennen. Ze zit ver genoeg van me af om haar stem niet te hoeven temperen, maar dichtbij genoeg om alles goed in mijn oren te wrijven.

'Ach, dat valt toch wel mee?'

Op.

En neer.

En op.

En neer.

'Hou op, ik bloos er helemaal van! Maar genoeg over mij. Hoe gaat het met jou? En met het themalied?'

Binnen een nanoseconde is haar gezicht weer keurig terug in de normale spreadsheetstand.

'Ja, dat begrijp ik. Maar je hebt nog een week, dat weet je? Het moet geschreven en opgenomen zijn vóór we naar de Galápagos-eilanden vliegen.'

Haar gezicht zakt nu van normaal naar zwaar geïrriteerd.

'Je regelt het maar.' Dan herstelt ze zich en draaien haar gezicht en stem bij naar strategisch charmant. 'O, natúúrlijk gaat je dat lukken. Voor iemand met zoveel talent moet dat toch geen probleem zijn? Zet hem op! Dag!'

Ze hangt op en roept, nog steeds in standje strategisch charmant: 'Ááááálexje?'

'Ja?' zeg ik traag. Ááááálexje is nooit goed nieuws. Dan wil ze altijd iets van me. Snoep of tampons of een of ander dom klusje.

'Zou jij even naar de Artist Rehearsal Studio's kunnen gaan om te kijken hoe het met Dylan is? Volgens mij heeft hij even wat mental support nodig. Ik zou zelf willen gaan, hoor, maar ik heb zo meteen board meeting...'

Principieel chagrijnig hijs ik me uit mijn stoel, omdat ik me niet kan herinneren dat er in mijn functieomschrijving 'loopmeisje voor Roos' stond. Roos zal geen gelegenheid voorbij laten gaan om me erop te wijzen dat ik in een andere reclamekaste zit dan zij. Maar aan de andere kant: er zijn ergere dingen dan even langs de Artist Rehearsal Studio's fietsen om een praatje te maken met Dylan Winter. Bijvoorbeeld die keer dat ik de stad in moest om vlaggetjes in hondendrollen te prikken met de tekst: 'Fébrèze, no shit'. Guerrillamarketing, volgens Rodzjer. Of toen ik met twee uitzendkrachten strikken om de beeldschermen van alle BPW Bank-medewerkers moest knopen, vanwege de feestelijke lancering van de nieuwe website. Als het onderaan is waar ik moet beginnen, dan moet dat maar. Ik wil dat dit slaagt, dat ik slaag in de reclame. Ik ben al aan te veel dingen begonnen die de moeite van het afmaken niet waard waren. En ik heb een eindbestemming nodig. Iets dat ik later als ik groot ben nog steeds wil zijn.

Ik trek mijn jas dus maar aan en galm door de hal naar buiten. De plicht roept.

'Als er iemand belt, ben ik even naar Dylan Winter in de Artist Rehearsal Studio's,' zeg ik tegen Serge, die vandaag een met veiligheidsspelden aan elkaar gehouden Armani-overhemd draagt. Ik probeer het nonchalant te melden, maar het komt net iets te snel mijn mond uit.

'Dylan Winter? Schat, wat een baan heb jij! Jij gaat langs bij dat lekkere hapje en ik kom maar niet achter deze receptie vandaan!'

‘Maar het is wel een heel mooie receptie, met al dat glas en die videoprojecties,’ slijm ik het weer recht. ‘En dat rood staat je goed!’

‘Dank je, we doen ons best.’ Giechelend slaat hij zijn ogen neer, alsof hij het receptiehok zelf ontworpen heeft. ‘Veel plezier met het lekkere hapje!’

Op de fiets heb ik een filosofisch moment. Ik bedenk me hoe mooi de grachten zijn in het zonlicht, hoe fijn het eigenlijk is om te fietsen, hoe geweldig wereldvrede zou zijn en hoe leuk het is dat ik op een schakelpunt sta in mijn carrière. De handlezeres van Eef zegt dat ik een heel sterke intuïtie heb. En ik vóél de verandering in de lucht hangen. De campagne voor de BPW Bank gaat een flinke slinger aan mijn carrière geven. Ik glimlach naar de grachten, de woonboten en de bomen, die in de knop staan. Dag lieve eendjes, dag lieve wereld.

De telefoon haalt me bruut uit mijn meditatieve moment. Met een Lingo-beweging steek ik mijn arm in de tas aan mijn stuur en graai naar iets dat voelt als een telefoon. Zwabberend ontwijk ik op het nippertje een tram, maar ik heb hem wel.

‘Met Patries!’ Ah, mijn moeder. Die belt altijd als ik bijna onder een tram kom, of op de wc zit. ‘Wat ben je aan het doen?’

‘Ik moet even langs bij Dylan Winter.’

‘Wáát? Dylan Winter?’ Ik houd mijn telefoon een stukje van mijn oor. ‘Ik weet dat ik er te oud voor ben, maar lieve hemel! Heb je wel wat leuks aan, kind?’

Goede vraag, eigenlijk. Ik bekijk mezelf van borst tot teen en constateer dat ik niet de ultieme outfit aanheb om Nederlands smakelijkste zanger in te ontmoeten. Omdat ik nog steeds de was niet heb gedaan, draag ik een shirt dat een beetje gekrompen is (de kunst van het wassen wordt erg onderschat, vind ik) en een smoezelige spijkerbroek, maar wel mijn lievelingslaarzen van Anna Sui. Mijn bank is nog steeds boos vanwege de aanschaf daarvan; zelf zie ik ze als een diepte-investering. Ik ben Hester en Eef dan ook dankbaar voor hun advies; klassiekers nemen tenslotte alleen maar in waarde toe. Zo heb ik Yljaaa ervan proberen te overtuigen dat hij beter voor een Snoek kon kiezen, maar hij moest zonodig een Lamborghini kopen, uit 1966. Een echte designklassieker, zei hij met een ach-meisje-wat-weet-jij-nou-van-auto's-stem. Genoeg om te weten dat bij 140 kilometer per uur het dashboard eruit knalt, zodat je naar Italië moet voor een origineel notenhouten exemplaar. Hij kost je inderdaad niet meer dan 15.000 euro, maar dat kost hij je vervolgens per jaar ook aan onderhoud. Nee, dan de Snoek. Het is dan wel geen Lambo, maar net zo goed een designklassieker en een stuk onderhoudsvriendelijker. Tja, dat krijg je ervan als je vader naast bapao's ook van auto's houdt.

'Valt wel mee,' zeg ik. Als ik de waarheid vertel over mijn samengeraapte kleding, probeert ze me te dwingen om langs mijn huis te fietsen om de benen-en-billenjurk aan te trekken. Wat wel het enige kledingstuk is dat nog enigszins schoon is, trouwens.

'Nou, mop, zet hem op, hè!'

'Mam, maak je nou niet zo druk. Ik heb een vriend, weet je nog?'

'O ja, brilmans. Doe hem de groeten. Maar mop, neem nou maar van mij aan dat je beter niet op één paard kunt wedden. Toen ik je vader leerde kennen, ging ik ook met Rob de Nijs. Maar die kon zich niet binden. Ik kan je verzekeren dat ik toen blij was dat ik Bapao Dries achter de hand had. Ik mocht er wezen hoor!'

Als mijn moeder het over haar Slanke Periode (1962-1969) gaat hebben, kan het nog lang duren.

'Ik moet ophangen, er komt een tram aan!'

'Kind, ben je aan het bellen op de fiets? Zo gevaarlijk in de stad, met al die trams en die taxichauffeurs! Straks kom je met je wiel in de trambaan terecht en dan —'

Ik druk mijn telefoon uit en probeer terug te komen in mijn meditatieve moment, maar hoe blij ik ook kijk naar de eendjes, de bloemen en de woonboten, het lukt niet meer. Ik geef het op en zet mijn fiets vast aan een regenpijp van de Artist Rehearsal Studio's.

Hoofdstuk 8

De Artist Rehearsal Studio's schijnen een populaire oefenplek te zijn; Dylans manager Frenk heeft uitonderhandeld dat Dylan hier tien dagen mag zitten à €800,- per dag. Thuis heeft hij ook een studiootje, maar daar schijnen momenteel geen goede vibes te hangen. Een studiomedewerker met wollen muts en een skatebroek die zo groot is dat hij er met gemak het *Guinness Book of Records* mee kan halen, leidt me naar de ruimte waar Dylan aan het repeteren is. Hij vraagt of ik hier weleens eerder geweest ben. Ik lieg 'ja', terwijl ik vanuit mijn ooghoeken gluur of hier toevallig nog meer beroemdheden aan het opnemen zijn.

'We zijn er.'

De recordbroek opent de deur van een hok waar Dylan op een gitaar zit te plonken. Een déjà vu. Want ik heb dit al eens eerder gezien. Drieëntachtig keer om precies te zijn, in de videoclip van 'I'm a Sinner (But You Make Me Believe)'. Behalve Dylan en zijn gitaar staan er een piano, een leren bank, een koelkast en een apparaat met veel knopjes. Maar daar is amper plaats voor, tussen de overvloed aan testosteron waarmee de kamer gevuld is. Deelde ik dit hormonenbad een paar dagen geleden nog met zeven anderen, nu ben ik de enige die erin waadt. Ongemakkelijk sta ik wat te staan, terwijl Dylan doorplonkt. Het klinkt nog niet erg als een lied, maar dat zal wel aan mij liggen. Eindelijk kijkt Dylan op van zijn geplonk. Zijn lichtgevend grijze ogen nemen de tijd om me te bekijken.

Van boven
naar beneden.
En weer terug naar boven.
Het doet er niet toe dat ik mijn op één na stomste spijkerbroek aanheb en een gekrompen shirt met een gaatje onder mijn linkeroksel, want onder zijn röntgenblik voel ik me naakt. Spiernaakt en me bewust van ieder adertje, haartje en putje sta ik voor hem. Hij kan zien dat mijn borsten niet groot zijn, maar wel stevig, dat ik al een paar maanden geen zon of zonnebank gezien heb, dat ik geen liefhebber ben van de Brazilian wax en zelf maar wat aanrommel en dat ik niet zoveel weeg, maar ook niet zoveel sport. Gelukkig ziet hij niet dat mijn bh en onderbroek niet bij elkaar passen.

'Hé, het meisje van het reclamebureau,' zegt hij, als zijn ogen eindelijk uitgekeken zijn.

'Hoi,' zeg ik maar. 'Alex was het. Ik kom even kijken hoe het gaat.'

Het licht in zijn ogen dimt. 'Nou, daar kan ik kort over zijn. Kut.'

'Zo erg zal het toch wel niet zijn?' probeer ik de stemming op te kalefateren. Praten, ik moet blijven praten. Als ik praat, voel ik me vast minder bloot. 'Ik bedoel, je bent een van de meest getalenteerde muzikanten van Nederland! Hoeveel Edisons heb je? Vier, ofzo? En hoeveel MTV-awards? Honderd? En *The Truth About Rock 'n Roll* was echt geweldig. Ieder nummer op die plaat was goed!'

Afwachtend kijk ik hem aan, maar in plaats van een glimlach komt er een diepe zucht.

'*The Truth About Rock 'n Roll* is al bijna drie jaar geleden. En weet je hoeveel nummers ik sindsdien heb geschreven?'

'Tachtig?' probeer ik. Ik ben zo iemand die in een bodempje een halfvol glas ziet.

'Twee. En die heb ik weggegooid.'

'Maar je hebt toch nog een liveplaat uitgebracht?'

Zo makkelijk geef ik me niet gewonnen.

'Klopt. En hoeveel nieuwe nummers stonden daarop? Eén. Een cover.' Hij zucht nog een keer vanuit de neuzen van zijn halfvergane Allstars. Ik had nooit gedacht dat muffe gymschoenen zo aantrekkelijk konden zijn.

'Maar je had het best verkopende debuut van een Nederlandse artiest! En je hebt zo'n beetje alle awards gewonnen die er zijn. En *The Truth About Rock 'n Roll* staat na bijna drie jaar nog steeds in de top twintig van bestverkopende albums!'

Komt mijn fotografische geheugen voor nutteloze feitjes toch nog eens van pas.

'Het ging allemaal zó hard,' zucht hij nog maar eens en strijkt een blonde lok haar uit zijn gezicht. 'Van één van de honderd miljoen muzikanten in kleine zaaltjes werd ik opeens één van de bestverkopende acts. Het ene moment kreeg ik de dorpskroeg in Scharrewouderdijk nog niet halfvol en een jaar later stond ik in een uitverkochte Heineken Music Hall. "De grootste rockact van Nederland," riep iedereen. "Internationale allure. Belofte."'

'Precies!' roep ik. Wat is nou het probleem?

'Sindsdien komt er niks meer uit mijn vingers. Niks. Ik ben doodsbang dat ik het niet meer kan overtreffen, dat ik door de mand val. Ik dacht: die commercial is een mooie stok achter de deur om daar eens van af te komen. Maar tot nu toe heb ik nog...' hij wijst op de prullenbak vol papierfrommels, '...niks.' Als een Mona-toetje zit hij achter zijn gitaar. 'Maar wat kwam je ook alweer doen?'

'Kijken of het al een beetje opschiet,' zeg ik overbodig. 'En je opvrolijken!' roep ik er snel achteraan. 'Ik kan slechte moppen vertellen en eh... zang en dans!' Ik maak een paar zenuwachtige hupsjes en realiseer me bij het derde hupsje dat dit voor niemand leuk is. Maar Dylan schiet in de lach.

'Kom even zitten,' grinnikt hij. Hij slaat op de lege plek op de bank naast hem.

Ik ga zitten en houd me krampachtig overeind aan de leuning. Als ik dat niet doe, rol ik namelijk op Dylan, zo ingezakt is de bank. Dylan neemt de tijd om me in zich op te nemen. Hij laat zijn ogen goedkeurend van mijn kruin tot mijn tenen op en neer gaan. Had ik mijn haren maar gewassen. Met antiroos-shampoo. Had ik maar iets aan dat glimmende voorhoofd gedaan. Had ik maar geen gouden tas. En geen Yljaaa.

'Bedankt dat je even komt kijken hoe het met me gaat. Dat stel ik erg op prijs.'

Ik grijns schaapachtig naar zijn knieën en hijs mezelf maar weer rechtop. Hij zet zijn gitaar weg en zakt onderuit op de bank, zijn arm over de bovenkant van de bank, langs mijn hoofd.

'En sorry dat ik zo loop te zeiken. Dat heb jij nergens aan verdiend, eh...'

'Alex,' zeg ik nog maar een keer.

'Alex?' vraagt hij verbaasd. 'Waarom heb jij een jongensnaam?'

'Nou ja, eigenlijk is het Alexis,' mompel ik.

'Van *Dynasty*?' Zijn ogen ploppen bijna tussen zijn jaloersmakend lange wimpers vandaan.

'Jaja, alsof Dylan zo'n normale naam is,' ontschiet me, knorriger dan ik het bedoel.

Geamuseerd kijkt hij me aan. 'Zal ik je eens iets vertellen? Ik heet helemaal geen Dylan, dat is mijn artiestennaam. Naar Bob.'

'Bob? Ross? Marley? De Bouwer?'

'Nee, Bob Dylan,' lacht Dylan.

'O, natuurlijk.' Mijn stomheid is legendarisch.

'Maar eigenlijk heet ik Nico.'

Irritant hard schiet ik in de lach, opgelucht door deze blijk van imperfectie. Goddank knor ik niet. Maar gelukkig vindt Dylan zijn echte naam zelf ook grappig. Samen zitten we te lachen op de bank. Correctie: samen met Nederlands lekkerste rockster zit ik te lachen op de bank. Eindelijk lukt het me om een beetje te ontspannen. Ik wilde dat ik een fototoestel bij me had.

'Nu weet je mijn grootste geheim. Ik zal je daarom helaas moeten vermoorden,' grinnikt hij. 'Of je moet met me trouwen, natuurlijk.'

Ik verschiet van kleur. Want ik moet toegeven dat ik weleens over ons droomhuwelijk gefantaseerd heb. Maar dat heb ik ook gedaan over mijn sprookjesbruiloft met George Clooney en Don Johnson. (Ter verdediging van het laatste fantasiehuwelijk wil ik inbrengen dat het heel lang geleden is en ik verblind was door kalverliefde en mintgroene pakken.) Maar bij de les blijven. Een grapje zal de spanning misschien wel breken.

'Ik vind dat je wat hard van stapel loopt, Dylan,' zeg ik daarom quasizedig. 'Denk je niet dat we elkaar eerst wat beter moeten leren kennen?'

'Oké,' zucht hij theatraal, 'dan doen we het wel rustig aan, als jij dat graag wilt. Maar veel bekende mensen veranderen hun naam, hoor. Rob de Nijs bijvoorbeeld. Die heet eigenlijk Fred Winselmius, wist je dat?'

'Nééé,' gier ik.

'En Daphne. Wist je dat ze eigenlijk Bertina heet?'

'Nééééééé!' gier ik nog harder.

Maar Dylan lacht niet meer. 'Ik had het nooit zo moeten verklooien. Man, wat heb ik dat verpest.'

Ik weet even niet meer wat ik hier voor opbeurends tegenin moet brengen. Ik heb er maanden van gesmuld, maar ik denk niet dat ik hem daarmee opvrolijk. Peinzend staart hij voor zich uit. Ik staar maar een beetje mee.

'Zeg, heb jij eigenlijk een vriend?' vraagt hij dan en schuift nog wat dichterbij. 'Daar bedoel ik niks mee, hoor. Gewoon belangstelling.'

Zijn somberheid is op slag verdwenen, de testosteronspiegel in de studio stijgt razendsnel tot schrikbarende hoogte.

'Ja, je hebt hem laatst ontmoet.' Ik voel zijn adem in mijn nek. Hij ruikt lekker. Ik zou zijn geur willen bottelen en meenemen. 'Yljaaa.'

'Serieus?'

'Ja, het wordt best serieus, eigenlijk. Wist je dat hij het meest veelbelovende regietalent voor de toekomst is?' zeg ik, inmiddels boven op de leuning.

Dylan trekt een wenkbrauw op. 'Echt waar? Is dat jouw vriend? No offense, maar ik had me bij jou heel iemand anders voorgesteld.'

'Hoezo?'

'Nou ja, meer een wat, eh... losser iemand.'

'Yljaaa kan heel los zijn, toevallig.'

'Los?' De wenkbrauw gaat nog een stuk omhoog.

'Ja, je kunt erg met hem lachen.'

'Lachen?' De andere wenkbrauw gaat mee. 'Laat me niet lachen. Sorry, ik maakte maar een grapje. Het is alleen, zo'n leuke meid als jij...'

Dus dit is hoe een geoefende Casanova te werk gaat. Zo plat als een dubbeltje, totaal doorzichtig en tegen mijn zin word ik er doodzenuwachtig van. Het is tijd om te gaan. Als ik nog verder naar rechts opschuif, val ik namelijk van de bank.

'Sorry, maar ik moet maar weer eens gaan. Druk. Planningen en begrotingen, enzo.'

Ik sta op en zoek mijn jas, maar Dylan is me voor en reikt hem me als een volleerde butler aan. Ik wil mijn linkerarm in mijn mouw steken, maar steek mis, tegen zijn biceps. Die erg stevig aanvoelen. De tweede keer moet ik me enorm concentreren om mijn mouw te raken. Hoe moeilijk kan het zijn om een jas aan te trekken?

'Tot snel, hè,' hoor ik Dylan in mijn nek. 'Ik vond het gezellig.'

'Ja,' zeg ik haastig. 'Succes met je lied, hè!'

Hoofdstuk 9

Op de terugweg doe ik opnieuw mijn best om terug te komen in mijn meditatieve moment, maar dat wordt aangeknaagd door een overbodig schuldgevoel. Om het geknaag de kop in te drukken, besluit ik uit te pakken met een spontaan plan. Ik graai weer naar mijn telefoon en herinner me dan dat ik hem in het speciale telefoonvakje van mijn tas heb gestopt. Voortschrijdend inzicht, noemt Roos dat. De eigenschap die een goede Accountmanager onderscheidt van een gemiddelde.

'Dag mijn liefste muze,' neemt Yljaaa op.

'Hoi!' gil ik blij. Kijk ons eens *meant to be* zijn. Muze, wat lief! 'Ik ga vanavond voor je koken! Kaarslicht, risotto, ossobucco, tiramisu...' (Traiteur zoeken, noteer ik in mijn hoofd) '...alles erop en eraan!'

'Dat is heel lief, maar ik moet vanavond werken. De montage van die Martinicommercial is nog steeds niet goed. En dan moeten we ook nog de postproductie in... dat wordt weer nachtwerk, vrees ik.'

'Alweer?' Ik doe mijn best om de beteuterdheid niet te veel door te laten klinken.

'Het spijt me, liefste, maar ik heb geen keus. Dat snáp je verdomme toch wel? Ik sta onder enorme druk! Jézus, snap dat dan!'

'Ja, je carrière is nu even heel belangrijk voor je,' vul ik alvast voor hem in. Als Yljaaa het weer eens op zijn smalle heupen krijgt, kun je hem maar het beste gewoon laten begaan. Meestal is het net zo snel voorbij als dat het gekomen is. Hij kan nou eenmaal een beetje temperamentvol zijn.

'Sorry dat ik zo uit mijn slof schiet,' zucht hij.

Zie je wel?

'Maar de druk is echt enorm. Iedereen zit aan me te trekken. Iedereen wil iets van me. Je hebt geen idee hoe zwaar het is om op dit niveau te werken.'

Ik parkeer mijn beteuterdheid maar even. Natuurlijk heeft hij het zwaar. En hij heeft mijn steun nu hard nodig.

'Iel?' snerpt een bekende stem op de achtergrond. 'Zal ik de Moët vast koud zetten?'

Even is het stil. Dan schaaplacht Yljaaa: 'Tja, je moet die editors toch een beetje in de watten leggen, hè. Je weet hoe dat gaat... anders doen ze niets meer voor je. Sorry schat, maar ik moet snel verder. Ik maak het snel goed, oké? Dag, mijn liefste!'

Voor ik iets terug heb kunnen zeggen, hoor ik het monotone getuut al in mijn oor.

Hoofdstuk 10

Iedere donderdagmiddag is een zwarte middag voor de stamgasten van Café Cor, als de creatieve elite van Advertising Alley binnenkomt voor de staatsgreep die wij de donderdagmiddagborrel noemen. Zij gaan nog wat steviger op hun barkrukken zitten, om er geen twijfel over te laten bestaan dat het toch echt hun barkrukken zijn. En wij doen ons best om zo luidruchtig mogelijk te laten horen dat dit een openbare gelegenheid is en dat wij het volle recht hebben om hier bier, witte wijn en gin-tonics te drinken. De grimmigheid van deze stammenoorlog maakt het hier stiekem leuker dan een hippe tent als DRINCK of The Foodoir.

Ik sta aan de bar te zwaaien naar Sjon, maar die heeft alleen maar oog voor het decolleté van Roos, een eindje verderop aan de bar. En daar kan ik niet tegenop, wat ik ook oppush. Ik heb snel een enorme gin-tonic nodig om weer helder te kunnen denken.

'Ik begrijp niet dat je je druk maakt om zo'n onschuldige flirt,' zegt Hester. 'Ik bedoel, we hebben het hier over de lekkerste zanger van Nederland!'

'Dat doet er niet toe,' vindt Eef. 'Het is toch heel onprofessioneel?'

'Kom, kom, niet zo ouderwets,' bemoeit J.P. van der Lugt zich ermee. Hij draait zijn trouwring recht en slaat zijn harige arm om Hester heen, die geen kik geeft. Hester vindt het volstrekt vanzelfsprekend dat mannen de behoefte hebben om een arm om haar heen te slaan.

'Alleen pinguïns zijn monogaam. En wat voor leven hebben die beesten? Ze waggelen een paar maanden over een ijsschots om een ei te leggen, dan gaat de mannetjespinguïn er een paar maanden op broeden, de vrouwtjespinguïn waggelt om de tijd te doden maar weer een week of wat terug naar het water om een visje te eten en dan waggelt ze weer terug. En als ze pech hebben, wordt hun jong opgegeten door een walrus. Lijkt dat je wat?'

'Hoe weet jij dat allemaal?' vraag ik verbaasd.

'National Geographic.'

'Maar Yljaaa dan?' vraagt Eef. Eindelijk heeft Sjon zijn ogen los weten te rukken van Roos' jurk en lukt het me om mijn bestelling door te seinen. Een gin-tonic. Ik ben toe aan een enorme gin-tonic.

'Yljaaa?' gnuift Hester. 'Met zijn semimonogame latrelatie?'

J.P. van der Lugt balt zijn vuist, slaat er twee keer mee tegen zijn borst, heft hem omhoog en zegt: 'Respect! Geweldig idee. Ik wou dat mijn vrouw daar ook aan wilde. Cool van je, dat je dat doet.'

'Nou ja...' Ik neem een enorme teug van mijn gin-tonic. Kom hoofd, helder.

'Ja, wat doe jij eigenlijk aan die semimonogame latrelatie?' vraagt Hester.

'Heel eerlijk? Hopen dat er niks gebeurt en me kapot ergeren aan Sjerrun. En ik probeer ruimdenkend te zijn. Maar dat vind ik niet altijd even makkelijk.'

'Ben jij een pinguïn?' vraagt J.P. van der Lugt geschokt.

'Wat is er nou mis met pinguïns?' roept Eef.

'Weet je wat jij moet doen? Momentje.'

Hester gooit zout op haar hand, likt het er met een verleidelijke lik af, slaat haar tequila achterover, mept het glas op de bar en bijt gulzig in een stuk citroen, dat J.P. van der Lugt haar aanreikt.

‘Zo.’ Het citroensap druipt uit haar linkermondhoek. ‘Wat jij dus moet doen is je steentje bijdragen aan die semimonogame latrelatie. Want dat komt van twee kanten, nietwaar?’

‘Zo is het,’ gromt J.P. van der Lugt. Hij likt het citroensap uit Hesters mondhoek. ‘Je wilt toch geen pinguïn zijn?’

Met twee dappere slokken drink ik de rest van mijn gin-tonic op. ‘Nee, ik ben geen pinguïn.’

‘Je bent een vrouw!’ zegt Eef, vol ongeloof dat we dat nu pas inzien.

‘Met gevoelens!’ vul ik aan.

‘En behoeftes!’ roept Hester. ‘Heel goed!’

‘En dorst! Sjon, nog een keer hetzelfde!’

J.P. van der Lugt wil zich weer met zijn tong op Hester storten, maar ze duwt hem weg en kijkt mij streng aan. ‘Jij. Dan heb je én het meest veelbelovende regietalent van de toekomst, én je kunt het met Nederlands heetste zanger doen. En dan loop je nog te zeuren. Man, wat een mazzel heb jij.’

‘Ho ho, met een van de meest bekroonde reclamecreatieven van de afgelopen tien jaar is ook niets mis,’ bromt J.P. van der Lugt gepikeerd. Hester sust hem met een kledderige tongzoen. Ugh.

‘Trouwens,’ zegt ze na bijna een volle minuut soppig tonggeworstel, waar Eef en ik sprakeloos naar staan te kijken, ‘Dylan is de ideale onenightstand. Ik bedoel, na één avond hoor je toch niks meer van hem. Bindingsangst op beentjes, die man.’

J.P. van der Lugt legt zijn hand op mijn schouder, kijkt me serieus aan en zegt: ‘Je bent een leuke meid. Luister naar je hart. Wees geen pinguïn.’

‘Waar hebben jullie het over?’ hoor ik Roos boven mijn hoofd, die zich ongevraagd bij ons gezelschap heeft gevoegd. Het is niet te geloven hoe lang die vrouw is. Ze zegt dat ze model had kunnen worden, maar dat ze ervoor gekozen heeft om met haar hersenen carrière te maken. Ik moet toegeven dat er weinig mis is met haar hersenen, maar toch gebruikt ze verdacht vaak andere lichaamsdelen om te krijgen wat ze wil. En wat maakt het ook uit; een vaste relatie heeft ze toch niet. Behalve met haar werk.

'O, over werk,' improviseer ik snel. Roos hoeft niets te weten over mijn *close encounter* met het nieuwe gezicht van de BPW Bank.

'Ja, ik was net aan het vertellen over creativiteit en inspiratie,' zegt J.P. van der Lugt.

'Goed hoor, dames, wat een betrokkenheid,' zegt Roos met een voor haar doen royaal knikje. 'Maar vertel eens, wat vinden jullie van Dylan?'

'Leuk hoor,' zegt Eef.

'Goeie muzikant,' zeg ik en neem een enorme teug gin-tonic. En nog maar een.

'Ik zat te denken...' Roos kijkt ons afwachtend aan, '...wat denk je dat hij van mij vindt?'

Hoe professioneel ze ook is, haar behoefte om haar liefdesleven te bespreken kan ze niet onderdrukken. Waarschijnlijk omdat ze geen vriendinnen meer over heeft om het mee te bespreken.

'Vast heel aardig,' zeg ik, en maak mijn glas leeg. Nog een gin-tonic. Ik moet er nog een hebben.

'Natuurlijk,' beaamt Eef.

Roos steekt een Marlboro Menthol op en inhaleert diep. 'Heb je weleens meegemaakt dat er een enorme spanning hangt? Dat je de seks bij wijze van spreken in plakjes uit de lucht kunt snijden?' Langzaam blaast ze uit, de rook kringelt door ons haar. 'Dat je wéét dat het gaat gebeuren?'

'All the time,' grijnst J.P. van der Lugt.

'Nee, nooit meegemaakt,' piep ik. 'Sjon, mag ik nog een keer hetzelfde?'

Hoofdstuk 11

De gin-tonics maakten me in de loop van de avond erg dapper. Hester had Eef ervan overtuigd dat het heel belangrijk is om groots en meeslepend te leven. En dat je daarom alle avonturen moet aangrijpen, net als Amber-Louise uit *Hoop & Liefde*. En die kwam nogal wat avonturen tegen. Het begon allemaal toen ze een affaire kreeg met Raoul en daarna met zijn broer A.J. Raoul trok dat niet en schoot A.J. neer. Helaas hield A.J. daar een dwarslaesie aan over. Amber-Louise is best lang bij hem gebleven, maar hij kon haar alleen maar liefde bieden met zijn hart. Jammer genoeg is Amber-Louise iemand die meer nodig heeft dan geestelijke affectie, dus wendde ze zich tot dokter Jacques en later tot de succesvolle zakenman Mick, met wie ze uiteindelijk in het huwelijk trad. Maar nu blijkt dat Mick een duister geheim heeft, net nu A.J. weer lijkt te genezen van zijn dwarslaesie...

Sorry, ik dwaal af. Na nog een gin-tonic was Eef helemaal om en riep ze met gebalde vuist dingen over liefde en passie en dat het leven zo voorbij is, waar J.P. van der Lugt weer een gedicht over wist. Ik weet niet meer hoe het ging, maar ik herinner me wel dat ik het heel ontroerend vond. En dat ik aan het einde van de avond Hester en Eef heb omhelsd en heb gezworen dat ik zal proeven van de zoete smaak van het leven. Maar vandaag voel ik me een stuk minder dapper. Ik denk dat het verstandiger is dat ik me op mijn carrière concentreer, net als

Yljaaa. Veel constructiever. Helaas haalt Roos me voortdurend uit mijn concentratie.

'O nee, dat is veel te veel eer! Wat een charmeur ben je toch!'

Roos is vandaag van plan om haar persoonlijke giechelrecord te breken. Haar bureaustoel beweegt weer lustig op en neer.

'Maar natuurlijk kan dat.' Ze laat haar stem een beetje zakken. 'Alles wat je wilt. Dag!'

Met een besmuikt lachje hangt ze op.

'Ááálexje?'

In een reflex wil ik een belangrijk document op mijn beeldscherm toveren, maar dat is niet nodig. Er staat keurig een zakelijke e-mail van Rodzjer:

Van: rodzjer@vogh-jjgp.nl
Aan: all@vogh-jjgp.nl
Betreft: Koffiepraat
Verzonden: dinsdag 15 maart 03.15

Allen,

Zoals jullie weten probeer ik Ronnie, onze Chief Facility Manager, ervan te overtuigen dat het beter is als we onze Douwe Egberts-machines vervangen door apparaten met Max Havelaar-koffie.

Ja, ik weet dat Douwe Egberts klant van ons is.
En ik weet dat we het een en ander uit te leggen hebben als we afscheid nemen de apparaten die zij gratis bij ons geïnstalleerd hebben.

Maar ik vind dat we naast economische argumenten ook iets anders moeten laten spreken.

Ons hart.

Want stel je eens voor.
Stel je eens voor dat je een koffieboer bent in Latijns-Amerika.
Dat je je helemaal kapot werkt. En er iemand anders met de winst vandoor gaat.
Stel je eens voor dat je kinderen huilen omdat ze honger hebben, maar dat je ze niets kan geven.
Denk daar eens over na tijdens je volgende kopje koffie.

We kunnen de problemen in de wereld niet oplossen. Maar samen kunnen we wel een steentje bijdragen. Ik ben daarom een handtekeningenactie gestart. Als je hart op de goede plaats zit, kom dan langs en teken de petitielijst.

Met betrokken groet,

Rodzjer
Creative Director

The contents of this message are solely meant for the recipient. If you pass this information on to competitors or press, our lawyers at our U.S. headquarters will find you and sue you hard.

'Aáááłexje? Kun je even naar de Artist Rehearsal Studio's gaan? Dylan vraagt of je iets voor hem kunt doen.'

Mijn hart slaat een slag over. Ik wil daar niet heen. Ik wil daar wel heen. Ik weet niet wat ik wil. Ik wil een coltrui aan.

'Nu. Direct. Het was dringend, zei hij.'

'Oké, ik ga wel even.' Ik sta zo expressieloos mogelijk op en trek mijn jas aan. Gelukkig, mijn hoofd blijft gewoon lichtroze.

'Groetjes aan Dyl, hè!'

Dyl. Gaan we afkorten? Is dat een nieuwe trend? Iel? Dyl?

'Laat me raden, je bent weer even naar dat lekkere hapje?' gilt Serge als ik door de hal galm. Serge is vandaag gehuld in een doorschijnend gaatjesshirt, dat interessant uitzicht biedt op zijn tepelpiercing. Knikkend met hoofd en knieën draai ik de draaideur door.

Onderweg naar de Artist Rehearsal Studio's probeer ik weer meditatief te fietsen, maar de rustige muziek in de oortjes van mijn koptelefoon wordt overstemd door mijn kolkende hoofd, dat vol is met gedachten die het niet met elkaar eens zijn. In de chaos graaf ik naar de yogamantra, maar verder dan wat fonetische klanken kom ik niet. Ik moet de tekst eens fonetisch laten opschrijven, zodat ik hem altijd bij me heb om tot mijn Eiland van Rust te komen. Of misschien moet ik zelf een mantra verzinnen. Dat schijnt Tina Turner ook gedaan te hebben. En kijk waar dat haar gebracht heeft.

Bij de Artist Rehearsal Studio's doet de recordbroek weer open.

'Hé, het meisje van het reclamebureau.'

Gelukkig vraagt hij niet naar mijn naam. Zwijgend loop ik achter hem aan en speur vanuit mijn ooghoeken naar beroemdheden. Ik zie alleen de cast van *Sesamstraat* een lied inzingen, dat ongetwijfeld over samenwerken of over het alfabet gaat. Een mager resultaat. De recordbroek opent de deur naar Dylans studio, die weer plonkend op de bank zit.

'Haai!' Zijn gezicht breekt open in een lach als in zijn clip van 'Come Ride With Me', door MTV-kijkers uitgeroepen tot Hottest Video Of The Year.

Weer die lichtgevend grijze ogen die door me heen kijken. Volle, uitnodigende lippen. Ik haai terug en begin ratelend te *smalltalken* over zijn lied, muziek in zijn algemeenheid en inspiratie in het bijzonder. Dylan zegt niets en bekijkt me geamuseerd. Zenuwachtig ratel ik door over de BPW-campagne, de Galápagos-eilanden, het weer, aankomende gemeenteraadsverkiezingen en de Amerikaanse buitenlandpolitiek en val dan stil. Ik weet niks meer. En hij blijft me maar aankijken. In paniek kijk ik terug. Eindelijk doet hij zijn mond open.

'Ik vind jou bijzonder.' Hij staat op en gaat tegenover me

staan. 'Ik bedoel, je bent anders. Jij bent niet zo'n vrouw die met haar borsten naar voren loopt om de aandacht van mannen te krijgen, volgens mij. Ik denk niet dat jij zo'n berekenend type bent.'

Dit helpt niet. Hiervan raak ik nog meer in paniek.

'Je bent grappig, licht. Je huppelde hier zo ontwapenend door de studio heen, eergisteren. Het is lang geleden dat ik een vrouw ontmoet heb die me aan het lachen maakt.'

Hij slikt. Slikt nog een keer.

'Die me niet meteen het gevoel geeft dat ze iets van me wil, omdat ik toevallig Dylan Winter ben. Sorry, vind je het vervelend als ik dat zeg?'

'Nee hoor,' piep ik. In mijn hoofd murmel ik iets dat de yogamantra zou kunnen zijn (het gaat om het idee) en probeer het over een zakelijker boeg te gooien. 'Hoe gaat het met het lied, eigenlijk?'

'Niet zo goed... Ik dacht dat het zou helpen als ik jou even zou zien. Ik hoopte dat jij me misschien kon... inspireren.'

Hij haalt zijn hand door zijn haar en kijkt me verhit aan. Vanaf de zakelijke boeg kan ik u melden dat het hier nog niet zo goed gaat. Ik kan namelijk alleen nog maar naar zijn ogen kijken, als een konijn naar de lampen van een vrachtwagen. Ik wil weglopen, maar het lukt niet. Al mijn lichaamsgewicht is naar mijn benen gezakt. De studio wordt wazig, kleuren en objecten beginnen door elkaar te lopen. Ik voel zijn stem dingen zeggen, maar ze dringen niet meer tot me door. Ik hoor zijn geur, een bedwelmende mix van man, hout en Obsession van Calvin Klein. Ik ruik zijn hand een streng haar achter mijn oor strijken. Als hij zich van me losmaakt om de deur dicht te doen (je weet het maar nooit met die jongens van *Sesamstraat*), kom ik weer een beetje bij zinnen. In een nanoseconde gooi ik alle dooddoeners binnen mijn bereik op mezelf af.

Wat maakt het uit.

Ik leef maar één keer.

Ik ben jong.

En ook best wild.
Ik moet doen wat mijn gevoel me ingeeft.
Ik ben een vrouw.
Ik heb óók behoeftes.
Het is de natuur.
En de belangrijkste: Hester heeft gelijk. Welke vrouw is er nou zo gek om Dylan Winter, de lekkerste man van Nederland, af te wijzen als hij zichzelf op een presenteerblaadje aanbiedt? Bovendien: voor een evenwichtige semi-open relatie zijn twee mensen nodig. Ik moet daar ook mijn bijdrage aan leveren! Wie weet hoe dat mijn leven verrijkt.

'Geef je gewoon over aan het moment,' hoor ik in mijn nek.

O ja, die was ik nog vergeten. Ik draai me om met de hartslag van een speedsnuiver, die detoneert met de aanzwellende violen in mijn hoofd. De paar seconden die zijn mond op weg is naar de mijne, duren dagen. Ik aarzel of ik moet weglopen, of toch niet. Of toch wel. Maar de vermanende vinger van Hester houdt me op mijn plaats. En als ik al weg had willen lopen, was dat niet gelukt, met 56,7 kilo geconcentreerd in mijn voeten.

Als zijn lippen eindelijk arriveren op de plaats van bestemming, glijdt de spanning van me af. In deze tornado van tong, handen en oprukkende feromonen is daar geen ruimte meer voor. Het moment sleurt me met zich mee. Mijn hoofd wordt licht, ik word licht. Samen met Dylan raak ik los van de wereld. In elkaar verstrengeld zweven we door de studio. We zijn twee astronauten, die steeds verder verwijderd raken van de aarde.

Een roffelend geklop op de deur smijt ons weer terug. Hoe lang zijn we weggeweest? Een minuut? Twee uur? Een week? Verdwaasd kijken we om ons heen, alsof we wakker worden uit een droom en nog niet precies weten waar de werkelijkheid begint. Snel fatsoeneer ik mijn haar en trek mijn shirt omlaag.

'Ik moet gaan,' mompel ik gehaast. 'Ik had allang moeten gaan, ik ben hartstikke druk, er is nog van alles dat ik moet doen...'

Dylan knoopt ontspannen zijn overhemd dicht, zijn ogen

houdt hij op mij gericht. 'Ik vond het fijn dat je even langskwam,' glimlacht hij. 'Echt.'

Het roffelende geklop herhaalt zich, nu luider. Dylan haalt zijn hand door zijn haar, geeft me een razendsnelle laatste kus en loopt naar de deur om hem zwierig te openen. Aan de andere kant staat een man van middelbare leeftijd. Op zijn net iets te strakke T-shirt speelt Elmo viool.

'Hoi!' zegt hij opgewekt. 'Grover heeft een beetje last van zijn keel. Ik vroeg me af of jij misschien iets verzachtends hebt?'

Hoofdstuk 12

Op de fiets terug naar kantoor sms ik Hester met een pinguïn-update. Als ik met een schijnheilig gezicht de enorme kantoortuin binnenstep, reageert ze met een vette knipoog vanachter haar gloednieuwe Apple. Ik weet niet wat ze daarvoor gedaan heeft en bij wie, want de rest van ons heeft Dells die met plakband aan elkaar hangen. De directie vond het belangrijker om eerst te investeren in nieuwe neonletters op het dak.

'Zo, hard gefietst?' zegt Roos. 'Je hebt zo'n gezond blosje op de wangen! Zie je wel dat een leaseauto nergens voor nodig is.'

'Inderdaad,' grijns ik, 'van fietsen is nog nooit iemand doodgegaan.'

Er rinkelt iets in mijn tas. Ik check het telefoonvakje, maar dat is leeg. Opgejaagd graai ik rond, maar kom alleen maar troep tegen. Om het proces wat te versnellen, gooi ik de tas maar leeg op mijn bureau. Ah, daar is-ie.

'Met Alex!' gil ik, hysterisch vrolijk.

'Dag liefste,' hoor ik Yljaaa. Jezus, Yljaaa. Die was ik even vergeten.

'Hallo.' Ik corrigeer mezelf snel en klink alweer alsof ik de hele middag begrotingen heb zitten maken. Zie je wel dat ik ook uitstekend semi-open kan zijn!

'Ik hoef niet te werken vanavond. Laat het me goedmaken voor gisteren. Het spijt me dat ik zo tegen je uitviel.'

Excuses aanvaard.

'Zal ik voor je koken? Ik zat te denken aan Japans. Wat lekkere sashimi'tjes en daarna een tartaar van zeebaars en gamba's met een granité van zoetzure komkommers, en daarbij een gemengde salade van kreeft en aardappel, met een gelei van rode biet en kalfszwezerik, gelakt met een beetje Pedro Ximénez, met een heerlijke fles Chevalier Montrachet, die ik toevallig nog heb staan...'

'Is dat niet te veel moeite?' vraag ik.

'Lieverd, maak je niet druk, dat draai ik zo even in elkaar. Gewoon wat simpels. Tot straks! Kusje!'

'Dag! Kusje!' roep ik terug.

Tevreden hang ik op. Dit semi-open gedoe is geweldig. Ik leid een cool, modern leven in de grote stad. Amber-Louise uit *Hoop & Liefde* is een stoffige slak in vergelijking met mij.

Hoofdstuk 13

Onze relatie is dan misschien semimonogaam en lat, maar ik heb wel de pincode van het alarmsysteem van Yljaaa's huis. Zo ver *committen* we ons dan weer wel. Met het latgedeelte van onze relatie heb ik weinig moeite. Onze interieursmaken liggen zo ver uit elkaar dat het ons met nog geen tien interieurstylisten zou lukken om samen een huis in te richten. Mijn smaak is meer smakeloos, in de zin dat ik geen idee heb hoe je een huis een beetje leuk inricht. Bezoek zegt nog weleens beleefd dat ik mijn uit de kluiten gewassen zolderkamer zo'n leuk *bohemian* sfeertje heb weten te geven en wat een aardig contrast dat is met de overdaad aan schotelantennes in mijn straat, maar het komt er eigenlijk op neer dat er zonder voorbedachten rade her en der wat spullen staan. Yljaaa's smaak daarentegen is meer smetteloos, in de zin dat alles zwart is en strak en dat overal over is nagedacht. Zijn enorme appartement in een gerenoveerde kerk midden in het centrum heeft geen inrichting. Neen, het heeft een interieurconcept, dat volgens Yljaaa draait 'om het avontuur van ruimte, lijn en design'. Ik denk dat onze relatie uiteindelijk stuk zou lopen op Het Beeld. Yljaaa heeft een beeld van een Amerikaanse kunstenaar, die volgens hem héél groot gaat worden. Dat zal allemaal wel, maar feit blijft dat een kabouter met een enorme erectie in de woonkamer niet prettig is om naar te kijken.

'Dag lieverd!' roep ik onwennig alsof er niks aan de hand is.

'In de keuken!' hoor ik tussen pangerammel door.

Ik loop langs de Philip Starck-kapstok naar de woonkamer met opgewonden kabouter en volg de geuren uit het kookparadijs. Ondanks de overdaad aan RVS word ik overvallen door een plotseling gevoel van huiselijkheid. Yljaaa staat aan zijn kookeiland shiitakes te snijden, overhemdsmouwen opgestroopt, een theedoek over zijn schouder. Zijn heupen bewegen mee op de brazil-electro-lounge die uit het plafond komt. Yljaaa vindt dat boxen het hele interieurconcept verpesten. Daarom heeft hij ze overal in laten bouwen. Hij gooit de shiitakes met een geroutineerde beweging in een wok en doet er een scheut witte wijn bij.

'Dag schoonheid.' Met een brede glimlach draait hij zich om om me te kussen, op dezelfde plek die een paar uur geleden ruw aangevallen is door Dylan. Mijn lippen zijn twee keer zo dik als normaal en de huid rondom mijn mond voelt alsof die bewerkt is met een schuursponsje door een schoonmaakster *on speed*. Yljaaa staakt zijn tocht naar mijn mond halverwege, legt zijn handen op mijn schouders en houdt me van zich af.

'Er is iets met je,' fronst hij.

Mijn semimonogame latrelatie flitst aan me voorbij en mijn maag draait zich om. Wat een amateurbedriegster ben ik. De eerste minuut val ik direct door de mand.

'Je ziet er goed uit. Stralend! Het werk doet je goed, hè? Ik had wel gedacht dat je zou oppeppen van een leuke uitdaging.'

De pijn in mijn buik maakt plaats voor juichende mannetjes, die zich klaarmaken voor een triomfantelijke polonaise. Ik ben geslaagd! Ik kan het! Zou de mogelijkheid dat ik ook iets semimonogaams zou kunnen doen überhaupt wel in Yljaaa's hoofd opkomen? Als ik binnen kom lopen met een 'I ♥ Dylan'-tatoeage over mijn hele bovenarm, denkt hij waarschijnlijk dat ik in de *ELLE* gelezen heb dat dat dé trend is voor komende zomer.

'Ja, het is heel leuk om mijn tanden te zetten in zo'n uitdaging,' zeg ik. De mannetjes in mijn buik maken inmiddels een victoriedansje. Met hun vuistjes draaien ze synchrone rondjes voor hun buik. 'Ik ben eindelijk bezig met iets waar ik mijn eigen toegevoegde waarde ook zie, begrijp je wat ik bedoel? Ik heb te veel waardeloze banen gehad, waarvan ik dacht dat ze het misschien wel waren. Die uitgever, bijvoorbeeld. Hoe heb ik ooit kunnen denken dat dat leuk was? Business Publications & Sponsored Media, wat dacht ik nou? Maar die BPW Bank-commercial wordt helemaal fantastisch. Ik vind het zo gaaf dat ik meemag naar de Galápagos-eilanden!'

Yljaaa knikt enthousiast. Ontspannen ga ik op het aanrecht zitten (Yljaaa fronst even, maar hij is in een goede bui) en vertel over de review van vanochtend, waarbij ik een essentiële opmerking maakte over de setting van de commercial. Ik had gezegd dat ik de ruisende branding heel mooi vond als symbool voor het ontspannen gevoel dat je krijgt als je je financiële zaken goed geregeld hebt, maar ik zag nog niets dat de hypotheken representeerde. Rodzjer heeft de rekwisietenstudio daarom direct opdracht gegeven om zo'n houten strandhuisje op poten te maken.

Yljaaa luistert geïnteresseerd, zegt iets over een camerafilter om de zee nog blauwer te maken en doet ondertussen onbegrijpelijke dingen met pannen, vis en een soort samoeraizwaarden. De mannetjes komen weer tot rust; een ontspannen gevoel kruipt vanuit mijn buik naar mijn hoofd. Het is één-één.

'Madame?' knipmest Yljaaa. 'Het diner wordt opgediend in de living.'

Hij serveert het eten bij kaarslicht. Het smaakt goddelijk.

'Volgens mij kun je zo aan de slag bij de Oyster Lounge,' grap ik.

'Ik zal morgen weer eens kijken of ik daar een tafel kan krijgen,' smakt Yljaaa (maar dat mag in de Aziatische keuken). 'Ik baal ervan dat het me nog steeds niet gelukt is.'

'Terwijl je toch niet zomaar iemand bent!' roep ik verontwaardigd. Ik baal er ook van dat het hem nog steeds niet gelukt is. Ik ben razend benieuwd.

'Pwecies!' Yljaaa slikt en lacht zijn kaarsrechte tanden bloot. Liefdevol peuter ik een stukje zeewier tussen zijn voortanden vandaan. 'Even wat anders, hoe is het eigenlijk met je vader?'

Yljaaa heeft mijn vader één keer ontmoet en vindt hem buitengewoon interessant. Interessanter dan ik, ben ik bang.

'Wel goed, geloof ik. Ik heb hem al een tijdje niet gezien. Ik moet hem weer eens bellen.'

'Moet je doen, ik vind jouw vader zo boeiend! Echt een held uit de heffe des volks,' zwaait hij met zijn armen. 'Een selfmade man, die zich helemaal op eigen kracht omhooggewerkt heeft. Puur op karakter, met slimheid van de straat. De held van het gepeupel, een voorbeeld voor het proletariaat. Schitterend,' besluit hij, met stralende ogen.

'Ja ja, dat zal allemaal wel,' mompel ik. 'Maar zo interessant is hij nou ook weer niet, hoor. Een workaholic met een op hol geslagen agenda, die naar bapao's ruikt. Maar goed, ik zal hem weer eens bellen. Als hij een kwartiertje voor me heeft.'

'Natuurlijk heeft hij tijd voor jou. Hij zou gek zijn als hij geen tijd vrij zou maken voor zo'n bijzondere dochter.' Yljaaa streelt over mijn wang, waarmee hij zo te voelen een streep sojasaus achterlaat. 'Ik ben trots op je, weet je dat?'

Leuk dat hij het zegt, want eigenlijk had ik geen idee.

'Nou ja, ik vind het nou eenmaal niet zo makkelijk om over mijn gevoelens te praten. Bij ons thuis was "hartelijk gefeliciteerd met je verjaardag" al een behoorlijk emotioneel betoog.'

Ik ga er even goed voor zitten, want zo vaak komt het niet voor dat Yljaaa iets over zichzelf vertelt.

'Mijn vader wilde wel praten, hoor, maar dan alleen over literatuur of poëzie. Of over de zin en onzin van het existentialisme. Dus ik las me een breuk om hem bij te houden. Alle klassiekers uit de boekenkast. En ik spitte het NRC uit om de nieuwste boeken het eerst gelezen te hebben. Anders ging hij de kroeg in voor een goed gesprek. Ik moest het als veertienjarige opnemen tegen Harry Mulisch en Ramses fucking Shaffy! Niet te geloven, toch?'

Hij pakt zijn servet en doet alsof hij zijn mond afveegt, maar die zit opeens verdacht dicht bij zijn oog.

'En mijn moeder praatte over van alles, behalve over de dingen die er echt toe deden. Ze overlaadde me met zorgen over de boterhammen die ik meenam naar school en het beleg dat ik daarop wilde, routes die ik alleen zou moeten fietsen, het tijdstip dat ik naar bed ging, de puistjes op mijn gezicht en de steunzool die ik nodig had. Maar als het maar een beetje persoonlijk werd, haakte ze af. Het was dus óf het existentialisme, óf de nieuwste bundel van Igor Wolsjavoski, óf vruchtenhagelslag. En weet je wat nou zo ironisch is? Ik dacht dat het zou helpen als ik zijn achternaam zou afzweren. Als niet iedereen zou vragen naar de grote J.C. Elsman. Als niet iedereen zou vragen of ik de kleine jongen ben in *Schuld en schaduw*. Als ik gewaardeerd zou worden om wie ík ben, wat ík doe. En kijk nu naar me. De vadermoord is gepleegd, zou Freud zeggen. Maar ben ik bevrijd? Ik weet het niet. Ik hoor hem nog steeds zeggen: "Reclame. Dat is voor kunstenaars die het in de echte wereld niet redden."'

Hij knippert hard met zijn ogen. Wat een lieverd is het toch eigenlijk, achter die veelbelovende façade.

'Bij ons ging het vooral over bapaobroodjes,' probeer ik hem op te vrolijken. 'En heel af en toe over loempia's. Of over mijn moeders seksleven met Rob de Nijs. Ook niet heel emotioneel stimulerend.'

Het helpt, een voorzichtig lachje komt achter zijn servet vandaan. 'Sorry dat ik me een beetje laat gaan. Ik weet dat ik soms wat licht ontvlambaar ben. Mijn coach zegt ook dat ik moet leren om mijn temperament in bedwang te houden. O ja, hij zei dat jij me daar een beetje mee kan helpen. Als ik mijn beheersing verlies, zou jij iets kunnen zeggen als: "Yljaaa! Je temperament!" Als een soort teken.'

Ik knik ijverig.

'Maar weet je, jij bent een van de weinige mensen bij wie ik... nou ja, mezelf kan zijn. Je bent zó anders dan ik. En dat is juist zo leuk. Jouw totale desinteresse in cultuur vind ik lief en irritant tegelijkertijd, begrijp je wat ik bedoel? En dat lieve accent van je... die imperfectie moet je koesteren, dat maakt je juist zo bijzonder.'

Verdomme, kun je dat nog steeds horen? Ik heb zo mijn best gedaan om die vette L af te slanken, de medeklinkers af te meten en zo mijn afkomst te bannen uit mijn stem. Ik wil neutraal klinken, zodat ik net zo goed uit Hilversum zou kunnen komen, of Den Haag, of Assen desnoods.

'O, voor ik het vergeet, ik heb nog iets voor je.'

Yljaaa loopt naar de gang en haalt er een groot pak vandaan. Hoe is het mogelijk dat ik dat niet gezien heb? Normaal gesproken heb ik een feilloze radar voor cadeaus. Zo te zien heeft het glanzende papier al aardig wat mogen kosten, dus ik ben heel benieuwd wat eronder zit. Inpakken vind ik maar een overbodig ritueel; een plastic tasje is meer dan genoeg. Papier verwijder ik nooit voorzichtig, zodat het nog een keer gebruikt kan worden. Ik ruk het aan flarden, om zo snel mogelijk tot de kern te komen. Als de helft van het papier eraf is, zie ik al wat het is. Een donkerbruine, leren schoudertas. De afwerking maakt meteen duidelijk dat dit geen Hemaatje is.

'Een tas!' roep ik overbodig.

'Ja, mooi hè! Het is de Diana Bag van Hermès. Het kost wat, maar dan heb je ook een klassieker in wording. Een tas voor je leven.' Tevreden bekijkt Yljaaa zijn eigen cadeau.

Dat grote slot erop vind ik wat apart, maar het ruige leer is fantastisch. En ik heb zo het idee dat deze tas de goedkeuring van Hester en Eef wel kan wegdragen.

'Geweldig!' roep ik dus enthousiast. Ik hang de tas over mijn arm en paradeer een rondje met mijn meest overdreven catwalkpas. Dankbaar buig ik naar Yljaaa toe voor een kus, hij antwoordt met zijn tong.

'Fijn dat je er blij mee bent,' zegt hij, als hij mijn mond even een adempauze gunt. 'Hoef je ook niet meer met dat gouden ding rond te lopen.'

In bed voel ik Yljaaa's hand op mijn linkerborst. Yljaaa doet het nooit op de bank. Of op de vloer. Of op het kookeiland. De bank is om op te zitten. En het kookeiland is om shiitakes op te snijden. Seks heb je in bed, vindt Yljaaa. Daar is een bed voor. Voor seks en om te slapen. En dan ook in die volgorde. Dus is het nu tijd voor seks.

De tongzoen is vaak de eerste aankondiging. Yljaaa kust zelfverzekerd, meeslepend. Ik wilde dat hij dit niet alleen bewaarde voor in bed. Maar zoenen zonder reden vindt hij frustrerend; dat leidt alleen maar tot dingen die op dat moment toch niet kunnen, zegt hij. Voor de dagelijkse kus zijn lippen voldoende, maar als hij meer van plan is, komt zijn tong in actie. Daarna zakt zijn linkerhand dus meestal naar mijn linkerborst, gevolgd door zijn rechterhand, die dan afdwaalt naar de binnenkant van mijn dij. Als we gedoucht hebben, dwarrelen zijn lippen weleens via mijn buik omlaag, maar anders stuurt hij zijn vingers, zoals vandaag. Ze masseren, eerst teder, maar al snel ruwer. Gelukkig. Ik hou niet van poezelig gefoezel; ik hoef niet gespaard te worden. Net als zijn vingers de juiste plek gevonden hebben, verdwijnen ze. Ik probeer ze terug te leiden, om door te gaan, doorgaan, alsjeblieft, ga door, maar Yljaaa en zijn handen zijn al verder. Ze trekken zijn boxershort uit en maken daarna zachte meters over mijn lichaam. Van mijn borsten naar mijn nek, van mijn wang naar mijn dij, van mijn zij naar mijn billen. Slanke handen, met lange, beweeglijke vingers. Ze blijven hangen op mijn heupen, zoeken grip en ondersteunen hem als hij op me schuift en zonder aan te kondigen in me glijdt, met een oerzucht die diep uit zijn longen omhoog gestuwd wordt.

Oké.

Zo ver zijn we dus al.

Ik wankel tussen beledigd en verrast; ik kan het niet uitstaan als dingen niet met mij overlegd worden, maar tegelijkertijd vind ik stiekem niets lekkerder dan overweldigd worden door een onverwachte overdaad aan mannelijkheid. Hoe mannelijker de man, hoe vrouwelijker ik me voel, zoiets. Aarzelend slaat de schaal door naar verrast. Ik probeer me mee te laten voeren met het ritme dat Yljaaa met gesloten ogen aangeeft; niet te snel, niet te langzaam, niet te ruw. Precies goed. Precies volgens het boekje, zoals altijd. Yljaaa is een harde werker. Hij schiet niet uit, doet me geen pijn, is precies groot genoeg. Niets te klagen. Mijn heupen bewegen mee met Yljaaa, mee, mee, mee, maar mijn hoofd zit overvol gedachten, die afdwalen naar dingen die niet in dit bed thuishoren, zoals de was, mijn nieuwe tas en de vraag of hij wel bij mijn jas past, de Oyster Lounge, de BPW Bank, vanmiddag. De studio.

Dylan Winter.

Een hand glijdt tintelend langs mijn wang, mijn huid is plotseling statisch. Boven me zwoegt Yljaaa. Zwetend en nog steeds met zijn ogen dicht, alsof ik er niet werkelijk ben. Ik kan niet naar hem kijken, want het is zijn hand niet. Ik voel de warmte van Dylan naast me, zijn adem op mijn huid. Met zijn lippen geeft hij elektrische stootjes. Zijn handen ontdekken mijn lichaam, laten me vrij. Nu pas merk ik hoe volgestapeld mijn lichaam is met geilheid, die staat te dringen om losgelaten te worden. Ik geef me over, eindelijk, terwijl Yljaaa in me stoot, stoot, stoot, steeds harder stoot en sidderend op me neerzakt.

Oké.

Zo ver zijn we dus al.

'Dat was lekker,' hijglacht hij. Hij drukt een bezwete kus op mijn voorhoofd en siddert na. Ik knik en voel hem langzaam uit me glijden.

'Echt heel lekker,' gaapt hij en knipt het lampje uit. 'Jij vond het toch ook fijn, lieverd?'

'Heel fijn,' glimlach ik in het donker.

'Gelukkig.' Yljaaa rolt tevreden tegen me aan en slaat zijn armen om me heen.

'Slaap lekker, lieve Alex,' bromt hij zachtjes in mijn oor.

'Slaap lekker,' echo ik, maar ik ben klaarwakker. Met wijdopen ogen staar ik naar de muur.

'Dacht je dat we al klaar waren?' fluistert Dylan, nog steeds vlakbij. Achter me hoor ik Yljaaa's slaapademhaling; voor me pakt Dylan mijn hand en leidt hem omlaag. Samen maken we af wat Yljaaa vergeten is.

Hoofdstuk 14

Ik had niet gedacht dat je in de reclame zo hard zou moeten werken. En dat er zoveel komt kijken bij het opnemen van een commercial. Toen ik hier solliciteerde had ik eigenlijk gehoopt dat ik ook bezig zou zijn met het bedenken van strategieën en creatieve brainstorms, maar daar mag ik me niet mee bemoeien. Dat doen Strategie en Creatie. Ik ben Account. En Account regelt. En hoe. Ik ben er nog niet achter welke pillen en prikken er nodig zijn voor de Galápagos-eilanden, Dylan heeft zijn lied nog lang niet af, de opnamestudio wil weten of Dylan het lied dinsdag of woensdag in komt zingen, het hotel wil de honeymoon suite niet afstaan aan Dylan en De Klant belde net om te vragen of het hotel ook wel steak en friet serveert, want ze lust geen rijst en vis en andere gekke exotische dingen. En er is ook iets met beeldrechten waar ik geen zak van begrijp. Ik heb verdomme helemaal geen tijd meer om te tafelvoetballen met Creatie! Maar ik ben nu wel eindelijk bezig met iets Groots. En Roos is heel tevreden over mijn aanpak. Ze zegt dat ik bewezen heb dat ik bereid ben om hard te werken en dat ze me daarom een cruciale rol in deze campagne geeft. Dit is mijn kans om te laten zien wat ik kan, om me te profileren binnen VOGH/JJGP. En ik begin eindelijk het nut van actielijsten te begrijpen. Zonder mijn nieuwe vriend Excel zou ik reddeloos verloren zijn.

'Boe,' hoor ik achter me.

Rodzjer heeft de rare gewoonte om mensen van achteren te

besluipen en ze aan het schrikken te maken. Een meter of tien van je bureau zet hij zich af op zijn stepje en rolt dan heel zachtjes naar je toe.

'Dag Rodzjer.' Ik draai me om op mijn supersonische bureaustoel. Ik moet me altijd beheersen om niet als een gek rondjes te gaan draaien, net zo lang tot ik misselijk word.

'Zeg, nog even over de storyboards voor de commercial...'

'Die we over vier dagen definitief aan moeten leveren,' maak ik zijn zin af. Ik zit helemaal in de regelmodus. Heerlijk.

'Ja, leuk dat je daarover begint, want ik zat te denken: misschien moeten we het helemaal anders aanpakken.'

Ik verslik me in mijn brandnetelthee. Is goed voor een zuivere huid, zegt Hester. Ze zit tot over haar oren in een pitch voor Pickwick.

'Anders?'

'Nou ja, weet je wat het is? Het gaat nu zo over geld.'

Ik hoop niet dat hij nog heel veel wil zeggen, want die walm van knoflook, bier en jenever die samen met zijn gepraat naar buiten komt, is niet aangenaam.

'Het is een commercial voor een bánk, Rodzjer.'

Hij wiebelt van de ene Bottega Veneta-laars op de andere. 'Ja, dat weet ik, maar hoeveel mediabudget hebben we ook alweer?'

'Twee miljoen,' zeg ik.

'Dat is veel.'

'Sterker nog,' doe ik er een opgewekt schepje bovenop, 'dat is meer dan het bruto nationaal product van Burundi.'

Rodzjer kijkt verschrikt. Hij klampt zich vast aan zijn haar en fabriceert zorgvuldig een nieuwe staart. Dat lijkt hem tot rust te brengen. Als de staart na drie pogingen naar zijn zin is, zet hij zijn bril nog wat rechter op zijn neus, slikt en zegt zachtjes: 'Luister. Wij kunnen samen iets doen voor de wereld. Jij en ik.'

O ja, de wééérel d. Wat is dit toch voor fase? Rodzjer is een van de meest bekroonde reclamecreatieven van Nederland. Hij maakte legendarische campagnes voor Cup-a-Soup, Volkswagen en Heineken. Jonge creatieven oefenen op net zo'n slofdrentel als Rodzjer en laten hun haar groeien, in de hoop dat ze het ooit ook zo mooi gedachteloos in een elastiekje kunnen samenbinden. Ze vechten om hier stage te mogen lopen. En de legendarische Rodzjer zelf heeft het over de wéééreld. Ik begrijp het niet zo goed. Als je wat wil doen aan de wereld, zijn er vast meer dan genoeg vacatures bij de puttengraafdienst in Afrika of bij Indiase kindertehuizen. En er zijn honderden goede doelen waar Rodzjer de helft van zijn driedubbelmodale salaris op kan storten. Ik volg zijn filantropische gedachtekronkels niet. Want wat voor creatieve slinger je er ook aan probeert te geven, ons werk in de reclame voedt geen hongerige monden, maakt geen einde aan oorlogen en geneest geen ziektes. Maar je weet het nooit met Rodzjer. Hij heeft zijn eigen tachtig-twintig-regel, zegt Roos; tachtig procent van wat hij zegt is pure flauwekul, maar twintig procent is briljant. Voor hetzelfde geld blijkt dit wéééreld-gebazel zijn meest geniale gedachte van het jaar te zijn.

'Twee miljoen,' herhaalt Rodzjer peinzend. 'Het is toch zonde als dat alleen maar over zoiets oppervlakkigs als geld en hypotheken gaat?'

'Wat zou je dan willen doen?'

'Nou, ik had een paar ideeën. Ik dacht dat de BPW Bank misschien 25 procent van haar marketingbudget aan Afrika kon geven.'

'Dat dacht je.'

'Of anders kunnen we misschien iets doen met het lied. Ik weet dat ik dit helemaal niet aan jou moet vertellen. Ik bedoel, jij bent Account, maar laat dat vakje even los. Gewoon even sparren. Stap uit die box. We zouden het bijvoorbeeld zo kunnen doen...' Hij gaat rechtop staan en kucht nerveus. 'Picture this. Dylan zit op het strand op de Galápagos-eilanden. Hij tokkelt op zijn gitaar. Dat blijft gewoon hetzelfde. Maar dan ga ik hem een beetje helpen met de tekst. Ik dacht zoiets als...'

Hij twijfelt even welke laars het beste staat, kiest voor de linker en begint bibberend te zingen:

'Imagine all those people
Hungry and aloo-hoone
No food, no savings
No mortgage and no hoo-hoome
Imagine all those people
No money on the baaa-ha-ha-hank

You may say I'm a dreamer
But I'm telling this to you
Save your money for the hungry-hy-hy
That's what I will doo-hooo...'

Tevreden gaat hij op beide laarzen staan en kijkt me afwachtend aan. Als Accountmanager moet ik de kwaliteit van het proces bewaken. En daarvoor moet ik eerlijk zijn, maar wel met respect voor mijn collega.

'Rodzj, ik waardeer je enorm als Creatief Directeur, maar ik denk niet dat De Klant hier blij van wordt.'

Rodzjers mond valt open. 'Maar kun je niet je best doen?'

'De Klant heeft het script al goedgekeurd, dus ik denk niet dat we het nog om kunnen gooien. Daar hebben we geen tijd meer voor. Het spijt me, maar ik moet het proces bewaken, Rodzjer.'

'Account ook altijd... Proces! Proces! Procedures! Altijd weer die procedures! Wie heeft er tegenwoordig nog oog voor creativiteit? Voor de boodschap? Wie maakt zich nou nog druk over waar het écht om gaat? Ik had meer van jou verwacht, Alex! Waarom bespreek ik dit ook eigenlijk met Account? Account interesseert zich totaal niet voor de inhoud! Proces! Procedures! Báh!'

Hij draait zich om op zijn hakken, stapt op zijn step en rolt weg, sneller dan zijn schaduw. Ik draai me maar weer terug naar mijn beeldscherm. Om te ontspannen tijdens al dat geregel beloon ik mezelf met een rondje roddels. Op gossip.com lees ik welke sterren lid zijn van welke sektes, op roddelweek.nl zie ik weer wat dramatische modemislukkingen en op story.nl lees ik dat Daphne de Boer ingestort is in een yogastudio. Te hard gewerkt, vertelde een intieme bron.

Ik mag ook wel uitkijken met dat werkschema van me. Ik lijk mijn vader wel. Hij zegt altijd dat hard werken de enige weg is naar succes. Het beste voorbeeld daarvan vindt hij zichzelf; hij is immers Bapao Dries. Op zijn zeventiende begonnen met een kraampje op de Purmerendse markt en veertig jaar later de grootste bapaobroodjesproducent van Nederland. Toen ik vijftien was, wilde hij me voor zes gulden twintig per uur achter de lopende bapao-band zetten. Kon ik alvast wennen aan hard werken. Goed voor mijn vorming. Gelukkig woonde ik bij mijn moeder en vond zij paardrijden en niks doen veel beter voor mijn vorming. Maar goed, kijk mij nou bij VOGH/JJGP. Accountmanager, met fraaie vooruitzichten om gepromoot of headgehunt te worden. Tevreden rek ik me uit. Misschien moet ik hem toch maar weer eens bellen. Mijn tas piept twee keer. Ik heb er zowaar weer aan gedacht om mijn telefoon in het telefoonvakje te stoppen. Met een brede glimlach lees ik het berichtje:

DAG SCHOONHEID, VANAVOND ETEN BIJ DE OYSTER LOUNGE?

Hoofdstuk 15

Het zal niet lang meer duren voor ik overmand word door blinde paniek. Ik heb mijn was namelijk nog steeds niet gedaan en na een analyse van mijn kledingkast moest ik concluderen dat ik alleen maar vieze dingen aan kan trekken naar de Oyster Lounge, of kledingstukken waarvan Eef en Hester subtiel duidelijk hebben gemaakt dat het misschien een goed idee is dat ik ze niet meer aantrek. Dat is een klap die ik even moet verwerken, want in gedachten heb ik al allerlei geweldige outfits aangehad als ik eindelijk de Oyster Lounge binnenloop. Mijn huis was al niet bijster netjes, maar nu ziet het eruit alsof mijn kledingkast zojuist een striptease heeft weggegeven. Kledingstukken met opvallend grote vlekken liggen op de grond, over meubels en onder mijn bed. Van de rest ga ik na of ze niet al te erg stinken. Na tien snuffelsessies sta ik voor de spiegel in mijn met deodorant behandelde buttlifting Royal Denim-jeans (heeft me een vermogen gekost, maar doet zijn liftende werk aardig) en een top die ik te lijf gegaan ben met Envy van Gucci.

Hmm.

Aardig, maar niet wereldschokkend, denk ik, terwijl de tijd steeds harder begint te dringen. Dan valt mijn oog op Yljaaa's favoriet: de benen-en-billenjurk. Ach, wat maakt het uit. Als er dan toch naar benen en billen gekeken moet worden, laten het dan die van mij zijn.

Als ik aankom bij de Oyster Lounge, is hij er al. Hij ziet er verrassend uit in een zwart pak met een vintage Beatles T-shirt eronder. Normaal gesproken zou ik het tweedehands noemen, maar daarvoor heeft dit T-shirt waarschijnlijk veel te veel geld gekost.

'Dag schoonheid.' Hij bekijkt me van gewassen kruin tot open tenen. 'Adembenemend, dit. Adembenemend.' Hij kijkt me verbluft aan en zegt nog een keer: 'Adembenemend.'

Ik weet niet goed wat ik nu moet doen. Nonchalant gaan zitten alsof er niks gebeurd is? Een kus geven? Of drie? Maar hij is me voor. Hij pakt mijn hoofd tussen zijn handen en kust me zo meeslepend dat *Gone with the Wind* verbleekt tot een laffe kinderfilm. Ik moet de neiging onderdrukken om me achterover te laten vallen in zijn armen, met mijn knie elegant opgetrokken. Dat zou een beetje overdreven zijn. En bovendien iets te onthullend in de benen-en-billenjurk.

'Adembenemend, dit,' hijg ik verbluft. 'Adembenemend.'

Hij glimt een lach die nog verwarrender is dan die op de hoes van *The Truth about Rock 'n Roll*.

'Meneer Winter?' haalt een intimiderend mooie vrouw me uit mijn platenhoesmoment. 'U had niet gereserveerd, hè. Maar natuurlijk hebben we een tafel voor u. Gaat u mee?'

We lopen achter haar wiegende achterwerk aan. Ik kijk vanuit mijn ooghoeken of Dylan vol aandacht is voor haar Dieselbillen, en doe in gedachten een high five met mezelf als ik zie dat hij naar die van mij gluurt. Lang leve de benen-en-billenjurk.

Pas als we aan tafel zitten, kom ik eraan toe om eens goed om me heen te kijken. Interior designer John Stoel heeft een geweldige prestatie geleverd. Al had ik niet anders verwacht na zijn spraakmakende werk voor Club Oriental en MOVE. De ruimte is ingericht met een verrassende combinatie van oud ijzer, rubber, plexiglas en goud. Aan het plafond hangen gigantische kroonluchters, die, als je goed kijkt, uit champagneflutes blijken te bestaan. Voor de ramen hangen zware fluwelen gordijnen. En aan de plexiglazen tafels zitten mooie mensen ontspannen te praten en oesters te eten. Kijk, daar houd ik nou van. Niet dat ik iets tegen lelijke mensen heb, maar ik kan ervan genieten als mensen een beetje hun best doen voor ze de deur uitgaan. Halfverscholen achter een pilaar zie ik het Paul Smith-colbert van Henk-Jan Kramer, Creatief Directeur van WWW/PMS, in gesprek met iemand die ik net niet kan zien. En naast ons zit —

O, God.

Ik hou met moeite een belachelijk gilletje in. Carmen van Doorn van MTV! Als ik iemand uit zou mogen kiezen om in te reïncarneren, zou het Carmen zijn. Zij moet de meest gelukkige persoon in de wereld zijn, want ze heeft alles. Een intimiderend perfect lichaam dat nog helemaal echt is ook, een sensationeel gezicht met een mediterraan tintje, volle lippen en eeuwig lonkende ogen, een baan waar de glamour vanaf druipt, toegang tot een eindeloze database aan bekende vrienden en een aantal buitengewoon smakelijke exen. Waarvan ik trouwens niet zeker weet of Dylan er één is. Ze is de onbetwiste lieveling van de media; iedere talkshow wil haar als gast, ieder blad wil haar op de cover en iedere paparazzo wil een exclusieve foto maken van alles wat ze doet. Geen editie van *Playboy* verkocht ooit zo goed als die met haar onder het nietje. Ze staat op, zodat ik haar jurk kan zien; een strak, strapless geval, dat haar rondingen omhelst. Rondingen die ik ook ooit zou willen hebben, later als ik groot ben.

'Carmen!' roept Dylan. 'Jij hier?'

'Dyllie!' Ze springt bijna boven op hem en geeft hem drie zoenen, die erg dicht bij zijn mond terechtkomen. 'Schat! Wat leuk om jou weer te zien! De laatste keer was...'

'De afterparty van U2?' probeert Dylan.

Carmen schudt nee, haar hoogglanzende, donkerbruine haar schudt mee.

'De première van Kill Hard IV?'

Carmen blijft schudden.

'De MTV-awards?'

Carmens hoofd schudt enthousiast de andere kant op. 'O, mán! Wat was dat leuk! Weet je nog dat Jennifer zo dronken was dat ze die award voor jou in haar handtas had gestopt en hem niet meer terug wilde geven?'

Jennifer? Jennifer Walvaart? Die Amber-Louise speelt in *Hoop & Liefde*?

'Ik heb hem nog steeds niet terug,' grijnst Dylan. 'O, sorry,' zegt hij tegen mij. 'Alex, dit is Carmen, van MTV. Carmen, dit is Alex. Een heel bijzondere vrouw.'

Glimmend geef ik haar een hand. Dat Carmen van MTV was wist ik, maar dat ik een heel bijzondere vrouw ben nog niet.

'Wat een geweldige jurk!' roept ze. 'Ralph Lauren?'

'Nee, Calvin Klein,' zeg ik nonchalant, alsof mijn kast ermee vol hangt. Ik moet me bedwingen om niet te giechelen als een puber en haar te vertellen hoe leuk ik het vind om haar te ontmoeten en dat ze in het echt nog mooier is dan op tv.

'Alex, zei je?' fronst ze dan. 'Wat een bijzondere naam?'

'Nou ja, eigenlijk is het Alexis,' mompel ik.

'Van *Dynasty*!' roept Dylan enthousiast. 'Carmen hier is vernoemd naar de opera van Bizet.'

Ik knik en vermoed dat die opera dan waarschijnlijk *Carmen* heet, of dat er op zijn minst een persoon in voorkomt met die naam. Yljaaa zou dit natuurlijk direct weten en er spontaan een aria uit voorneuriën. Maar Dylan blijkt ook over een portie parate *high culture*-kennis te beschikken.

'*L'amour est un oiseau rebelle, que nul ne peut apprivoiser...*' zingt hij, met een theatraal geheven arm. '*Et c'est bien en vain qu'on l'apelle, c'est lui qu'on vient de nous refuser...*'

Met een zwierige blaaskus dankt Carmen voor de serenade en richt zich weer op haar mystery guest, die er trouwens verdacht weinig uitziet als haar nieuwe liefde, Bas van N-JOY. Dylan gaat ook weer zitten en glimt me aan, de huid rond zijn ogen kreukelt mee. Zijn grijze ogen stralen exclusief naar mij. 'Wacht maar wat voor serenade ik voor jou in petto heb,' knipoogt hij.

De laatste restjes onzekerheid en zenuwen verdampen. Misschien word ik wel de volgende Leila, of Michelle, of Angie, of Uptown Girl! Als ik eerder had geweten hoe leuk zo'n semimonogame latrelatie is, had ik er al veel eerder aan meegedaan. Dylan mag dan wel een Casanova zijn, maar ik mag er ook best zijn op de Schaal van Avontuur. Kijk mij hier eens zitten met Nederlands Meest Begeerde Vrijgezel (volgens *Viva*, dan).

'Pardon?' wordt er boven ons hoofd gekucht. 'Uw amuse, een crouton met oesterpaté, afgemaakt met champagnevinaigrette.'

Tegelijkertijd steken we de minuscule hapjes in onze mond. Synchrooneten. Binnenkort als demonstratiesport op de Olympische Spelen.

'Wist je dat oesters vol zitten met afrodisiaca?' grap ik. Ik schrik van mijn eigen joligheid.

'Dan moet ik maar stoppen met eten,' grijnst Dylan. 'Nee, serieus. Ik heb veel aan je gedacht vandaag.'

Heel even vraag ik me af hoe vaak hij dit al tegen iemand heeft gezegd, maar besluit dan dat het me niets interesseert. Bovendien voel ik me gevleid, oprecht of niet.

'Ik weet niet wat het is; ik ken je natuurlijk nog nauwelijks. Maar ik voel me op mijn gemak bij je. De meeste vrouwen zijn zo beroemdheidsgeil, weet je.'

'Echt waar?' vraag ik, zo verontwaardigd mogelijk.

'Begrijp me niet verkeerd, ik ben niet vies van een beetje aandacht. Maar ik ben echt nog wel meer dan Dylan Winter, Nederlands grootste rockster.'

Terwijl ik overvol begrip zit te knikken, voel ik zijn hand langs mijn been glijden. Het is mooi dat hij meer is dan Nederlands heetste rockster, maar eerlijk gezegd interesseert me dat me vrij weinig zolang hij zulke dingen met zijn handen doet.

We slurpen oesters, eten exotische vissoorten waarvan ik de namen niet kan onthouden en praten over hem. En mij. Achter de gladde babbels blijkt een onderhoudende prater te zitten, vol interessante verhalen over een leven waarover ik alleen maar kan fantaseren. Ieder woord dat we uitspreken is gedoopt in een heet gepeperde saus, die ervoor zorgt dat ze stuk voor stuk dubbelzinnig uit onze monden komen. Of op zijn minst associaties oproepen die oorspronkelijk niet voor ze bedoeld zijn. Zo ben ik zelden in de war geraakt van het woord 'vork', tot ik er eentje tussen Dylans lippen zag verdwijnen.

En dat terwijl ik vanmiddag bijna gesmoord werd in een benauwende faalangstaanval, toen ik Dylan googlede en stuitte op een artikel over zijn legendarische libido. En het aantal vrouwen dat hij aan zijn kerfstok had geregen. Begrijp me niet verkeerd, ik vind mezelf niet verkeerd in bed. Op een schaal van één tot tien schaal ik mezelf absoluut boven de zeven. En met Yljaaa heb ik natuurlijk ook seks, maar hij is niet iemand die je als verrassing op de keukentafel gooit voor een partijtje brute keukentafelseks. En als ik de verhalen moet geloven, is dat Dylans specialiteit. Naast toiletseks, achterbankseks, kleedkamerseks en andere erotische acrobatiek. Maar nu ben ik één grote erogene zone en vind alles zinnenprikkelend, tot de rubberen tafelpoot aan toe. Mijn hart klopt niet meer in mijn keel, maar is omlaag gezakt naar een plek die mijn hele denken overheerst. Dylan kriebelt me in mijn nek, precies op het juiste plekje. En hij had binnen een kwartier al ontdekt dat mijn nek het op één na gevoeligste deel van mijn lichaam is. Voor iedere andere man in mijn leven heb ik daar een Post-it op moeten plakken.

We delen een chocolademousse. Het oudste romantische cliché van de wereld, op de balkonserenade na. Ik kan mezelf nog amper in de hand kan houden als Dylan zijn lippen aflikt. Dit is té erg.

'Wist je dat chocola volzit met afrodisiaca?' grapt hij.

'Dan kan ik maar beter stoppen met eten,' geilgrap ik terug.

Aan Dylans ogen te zien heb ik in zijn hoofd allang geen kleren meer aan.

'Mag ik de rekening?' houdt hij met zijn ene hand de wiegende Dieselbillen aan, terwijl hij met zijn andere mijn linkerknie bereikt. Ik schuif mijn stoel nog maar wat verder aan. Voor één keer ben ik heel gelukkig met de geringe lengte van de benen-en-billenjurk.

Buiten missen we bijna de taxi, omdat we verstrikt raken in een tongzoen, waarin we allebei de weg kwijtraken. Op de achterbank zitten we zedig naast elkaar te luisteren naar het kabbelende gebabbel van de taxichauffeur, die vertelt hoe geweldig Bon Jovi is en dat Dylan vooral niet moet denken dat hij ooit zo goed wordt. Dylan antwoordt vriendelijk dat hij Bon Jovi een kutband vindt; met alle respect, trouwens, en ik concentreer me op mijn nagels. Als ik dat niet doe, verlies ik namelijk het laatste restje zelfbeheersing, sjor ik mijn benen-en-billenjurk op en kruip ik op Dylans schoot, zonder dat het me nog iets interesseert dat we in de achteruitkijkspiegel begluurd worden door een taxichauffeur met een officieel lidmaatschap van de Bon Jovi-fanclub.

In de gang van Dylans grachtenhuis pakken we het spel moeiteloos weer op. We strompelen zoenend en graaiend tegen muren en kastjes aan, struikelen over elkaar heen. Ik sjor aan Dylans riem, hij trekt zijn shirt uit.

Mijn god.

Er is niéts gephotoshopt aan de achterkant van het cd-boekje van *The Truth About Rock 'n Roll*. Voordat ik aan zijn broek kan beginnen, zet hij me klem tegen de muur en verdwijnt het weinige ondergoed dat ik aanheb. Nu begrijp ik wat Roos bedoelt, met dat seks-in-plakjes-uit-de-lucht-snijden. Wat nou, plakje. Ik wil geen plakje, ik wil alles nu onbeheerst naar binnen schrokken, zonder iets te bewaren. Maar in plaats daarvan doe ik alsof ik tegenstribbel, bevrijd ik me uit zijn greep en ren zijn woonkamer binnen. Dylan rent lachend achter me aan, grijpt me bij mijn middel en gooit me over zijn schouder. Mijn jurk bedekt been noch bil meer. Uitgelaten gillend laat ik me naar een bank tillen. Dylan legt me neer en kijkt naar me met fluwelen ogen. Hij kust me niet, hij raakt me niet aan maar kijkt. En blijft kijken. Mijn lichaam schreeuwt om het zijne, maar hij blijft daar maar zitten en kijkt naar me. Hij kijkt naar me alsof ik het mooiste ben wat hij ooit gezien heeft. Wat ik me niet kan voorstellen, maar het idee staat me aan. Hij bestudeert mijn ogen, streelt mijn oogleden, mijn gebrek aan jukbeenderen, mijn mond, mijn haar. Dan springt hij op.

'Ik weet het!' roept hij. 'Ik weet het!'

Hij pakt zijn gitaar, graait een notitieblok van de grond en begint als een bezetene te plonken en te pennen. Ik voel me verloren op de bank, met mijn feromonenfestival en mijn opgesjorde jurk. '*You... you... money... you...*' murmelt hij. '*Money... honey... you...*'

Dan krijgt hij mij weer in de gaten. 'Sorry schoonheid,' kuslacht hij, 'de inspiratie roept.'

Hij staat op om een dekentje over me heen te leggen en kust mijn haar en mijn voorhoofd. Daarna buigt hij zich weer geconcentreerd over zijn gitaar. Nu ik lig voel ik de vermoeidheid en drank me bekruipen. Ik zak weg in een onrustige slaap en droom hitsig over Dylan, champagne, oesters en een magische gitaar.

Hoofdstuk 16

Ik hoop vandaag op een rustige werkdag. Daar ben ik namelijk helemaal voor in de stemming; rozig, mijn hoofd vol watten en een beetje vaag van de hoeveelheid drank van gisteren. Het is een glimlachdag. Ik kan niet stoppen met glimlachen, hoewel ik vind dat ik me cool moet gedragen als praktiserende helft van een semimonogame latrelatie. Maar iedere keer dringt die glimlach zich toch weer op. Mijn collega's hebben helaas collectief besloten om me mijn rustige glimlachdag af te pakken voor ik er goed en wel aan heb kunnen beginnen.

'En, leuke avond gehad gisteren?' roept Serge vanuit zijn rode receptiekubus.

'Ja hoor,' reageer ik verbaasd. Normaal gesproken is Serge drukker met zijn nagelriemen dan met de agenda's van zijn collega's.

Als ik bij mijn bureau aankom, bekijkt Roos aandachtig hoe ik mijn jas uittrek, hoe ik mijn tas neerzet op de grond, hoe ik mijn computer aanzet en hoe ik op mijn bureaustoel ga zitten. Ik grijns vriendelijk terug. Met een kwade ruk staat ze op uit haar stoel.

'Ben jij met Dylan uit geweest?' Ik schrik van de scherpte van haar stem.

'Hoezo?' zeg ik, zo onschuldig mogelijk.

Ze zegt niets, maar houdt de Privé-pagina van *De Telegraaf* omhoog. Ik lees:

NA HET DAPHNE-DRAMA
NIEUWE LIEFDE VOOR DYLAN WINTER?

Onder de kop zie ik een enorme kleurenfoto van mij en Dylan in the Oyster Lounge. Ik loop naar Roos' bureau om de foto van dichterbij te bekijken. Ik zit heel bevallig te zitten in mijn benen-en-billenjurk, waarvan je gelukkig alleen de bovenkant ziet. En Dylan strijkt net een lok haar uit mijn gezicht. Maar hoe komen ze aan die foto? Ik heb helemaal geen fotograaf gezien!

'Wat is dit? Wat moet ik me hierbij voorstellen? Wat heeft dit te betekenen?' onderwerpt Roos me aan een kruisverhoor. De bouwlamp in mijn gezicht ontbreekt er nog maar net aan.

'Ik, eh... Dylan wilde nog wat dingen bespreken en...'

'Ja ja. Je moet het natuurlijk zelf weten, maar dit zou ik dus nóóit doen, werk en privé door elkaar halen. Als ik het bed in was gedoken met iedere aantrekkelijke acteur in een commercial, was ik nóóit gekomen waar ik nu ben. Maar ja, het is maar net hoe ambitieus je bent, hè. Ik snap trouwens niet wat je in hem ziet. Die man is de grootste slet van Nederland.'

Ik blijf koppig doen alsof mijn neus bloedt. 'We hebben het gehad over de faciliteiten die ik voor hem moet regelen. De kleding, de catering, dat soort dingen. En we hebben de scripts nog even doorgenomen. Dat is alles.'

Roos doet haar mond open om wat terug te zeggen, maar ze wordt onderbroken door mijn telefoon. Blij met deze afleiding duik ik in mijn tas. Na koortsachtig gespit herinner ik me dat hij in mijn jaszak zit.

'Dag lieverd!' neem ik op. Yljaaa leest de wakkerste krant van Nederland toch niet. Te low culture.

'Lieverd?' zegt Yljaaa. 'Lieverd? LIEVERD? Wat heeft dat woord nou nog voor betekenis?'

'Hoezo?' Het bloed gutst inmiddels uit mijn neus.

'Hoezo!? HOEZO!? Waarom doe je dit?'

'Wat?'

'Die foto, DIE FOTO!' gilt hij.

Sinds wanneer leest Yljaaa De Telegraaf?

'Waarom? Ik wil het weten! IK WIL HET WETEN!'

Ik heb Yljaaa nog nooit horen gillen. Zijn stem word er schril en meisjesachtig van. En waarom herhaalt hij alles?

'Yljaaa, je temperament!' Hij vroeg me laatst zelf om een seintje te geven als hij zijn beheersing verliest. Ik blijf kalm. Dit zal net zo snel overwaaien als het gekomen is, zoals altijd. 'Ik begrijp trouwens niet waar je zo moeilijk over doet. Semimonogaam, toch?'

Roos' opgetrokken wenkbrauwen kijken me aan. Ik besluit dat ze niet alles over mijn moderne liefdesleven hoeft te weten en step naar de brainstormkamer van Creatie. Ondertussen blijft Yljaaa doorgillen. 'Temperament? TEMPERAMENT? En óf ik het recht heb om mijn beheersing te verliezen! Ik doe het tenminste DISCREET! Met RESPECT VOOR JOU! Ik zorg er tenminste voor dat [ʃærrʌn] en ik niet op de voorpagina van de *ADFORMATIE* belanden!'

Sjerrun. Zie je wel? Godverdomme! 'Sjerrun. Hoe lang al? HOE LANG AL?' schiet ik zelf ook in de herhaling.

Even is het stil aan de andere kant van de lijn. 'Dat DOET er niet toe! Waar het om gaat is wat JIJ me hebt aangedaan! Je hebt me KAPOTGEMAAKT! Dit doet PIJN! En ik sta voor LUL! Dit is FUNEST voor mijn reputatie! FUNEST! En weet je wat nog het ergste is?' Hij slikt een snik weg. 'Je had onze jurk aan. ONZE JURK!'

'Het spijt me,' probeer ik nog. 'Ik had geen idee dat je het zo op zou vatten!'

'Wat een AFGANG! Ik had nooit gedacht dat jij mij dit aan zou doen. Ik dacht dat je me steunde.'

'Ja, maar ik—'

'Luister. LUISTER! Wat ik nu ga zeggen, doe ik met pijn in het hart, maar het moet. Het MOET. Ik ben geen voorstander van het verbreken van relaties per telefoon, maar ik hoop dat je begrijpt dat we zo niet door kunnen gaan. Daarvoor is nu te veel gebeurd. TE VEEL!'

Ik hoor hem diep ademhalen. En nog een keer.

'Ik zal schappelijk zijn, ik stel daarom voor dat we gewoon netjes zakelijk met elkaar om blijven gaan. Ik ben de beroerdste niet. Het was een mooie tijd, Alex. Ik hield echt van je. Echt. ECHT!'

Verdwaasd luister ik naar de kiestoon. Na drie minuten dringt het tot me door dat dat een ontzettend irritant geluid is en druk ik mijn telefoon uit. Zo heb je een semimonogame latrelatie en zo is het voorbij. Voor ik tot me door kan laten dringen wat er net gebeurd is, gaat de telefoon alweer.

'Met mij!' tettert het.

Ah, mijn moeder. Die belt bij voorkeur als ik bijna onder een tram kom of net gedumpt ben door het meest veelbelovende regietalent voor de toekomst.

'Hoi mam,' zucht ik.

'Pop, wat sta je er goed op!'

Natuurlijk. *De Telegraaf* is het enige dat mijn moeder leest, op de achterkant van pakjes haarverf na. En dan alleen de Privé-pagina.

'Mam, kan ik je later terugbellen? Het komt nu even niet zo goed uit.'

'Hoezo komt het even niet zo goed uit? Het gebeurt niet iedere dag dat mijn dochter in *De Telegraaf* staat! Fantastisch! Mijn dochter in *De Telegraaf*! Vertel!'

'Nou, om te beginnen heeft Yljaaa het net uitgemaakt.'

Zo, dat zal haar de mond wel snoeren. Het is inderdaad even stil aan de andere kant van de telefoon.

'Yljaaa..?' (Stilte, waarin ik iets bruinigs onder mijn nagel vandaan peuter, de tijdschriften op een stapeltje leg, een vlecht maak in mijn haar, de vlecht er weer uithaal en een tekening van een depressief konijn maak op het whiteboard.) '...O, brilmans! Pop, ik heb nooit begrepen wat je met hem deed. Zo'n saaie man. En zo kaal! Wees maar blij dat je van hem af bent. Maar vertel eens over Dylan. Goed gedaan, hoor! Hoe is hij in bed? Vast een beest! Rob de Nijs was ook zo'n tijger. Ik weet nog goed dat we...'

Mijn moeders erotische *trip down memory lane* wordt onderbroken door het geluid van een wisselgesprek. Ik neem het maar aan. Wie het ook is, het is hoe dan ook interessanter dan haar slaapkameravonturen met Rob de Nijs.

'Met Serge! Ik heb hier Suzanne van de BPW Bank aan de balie staan. Kom je haar halen?'

O ja. Statusoverleg met de BPW Bank. Daar ben ik nu echt aan toe. Ik druk de telefoon uit en bedenk me dat ik mijn moeder daarmee ook wegdruk. Ach, dat heeft ze waarschijnlijk niet eens in de gaten. Als ik bij Serges rode designdomein kom, zit De Klant weggedoken in de grote, rode bank, verdiept in de *Tip Culinair*. Serge, vandaag gekleed in een weinig verhullend Dolce & Gabbana-hemd met spaghettibandjes, knipoogt opzichtig, maar ik begrijp niet wat hij bedoelt. Terwijl De Klant opgewekt babbelt over een artikel dat ze in *de Volkskrant* gelezen heeft (één zorg minder), bereid ik me mentaal voor op het statusoverleg. Roos zal wel denken dat ik nu instort, maar ik zal haar eens laten zien hoe professioneel ik ben.

Het rondetafelgezelschap dunt zich uit. Locatiescout Wout en styliste Julia hebben hun werk gedaan; we gaan nu verder met de harde kern: De Klant, Roos, Rodzjer (die er voor zijn doen redelijk fris uitziet vandaag), ik en —

'Yljaaa heeft zich net ziek gemeld,' zegt Roos, met een vuile blik naar mij. 'Ik zou niet weten waarom.'

Ik zou het ook niet weten. 'Misschien een griepje,' zeg ik. 'Ik stel voor dat we beginnen met de storyboards voor de commercial. Daar hebben we nog geen definitief akkoord op, zie ik.'

'Als ik héél even in mag breken,' steekt Rodzjer zijn linkerwijsvinger op, 'zou ik het nog graag even over de locatie willen hebben. Ik ben nog wat dieper in Bahía Tortuga gedoken. Nou ja, niet letterlijk, dat komt over twee weken wel.' Grinnikend om deze dijenkletser trakteert hij zijn haar op een nieuwe staart. 'Nee, even serieus. Wist je dat op het strand waar wij gaan filmen de Galápagos-schildpadden wonen? Dit zijn de grootste schildpadden ter wereld, omdat ze geen dierlijke vijanden hebben op de Galápagos-eilanden.'

'Hoe weet je dat?' vraagt De Klant verbaasd.

'National Geographic,' zegt Rodzjer. 'Het echte gevaar komt van een andere vijand: de mens, die ze ziet al een soort Supersized McTurtles. En die wil zwemmen en feesten op het strand waar zij wonen. Op het strand waar zij, door de onrust, steeds minder eieren leggen. En zij zich dus steeds minder voortplanten. Daardoor worden ze een bedreigde diersoort. Op het strand, waar wij vier dagen lang gaan filmen, met een crew van zes man, licht, stroomgeneratoren, een cateringwagen en een trailer.'

Rodzjer heeft lang op deze indringende blik geoefend. Dat zie ik meteen.

'Luister, Suzanne, ik heb een idee. Ik begrijp dat de locatie fantastisch past bij de nieuwe waarden van de BPW Bank. Dus ik snap dat je liever niet verkast naar Terschelling. Maar je moet íets terugdoen. Ik dacht er daarom aan om een nieuwe stichting op te richten: The BPW Bank Turtle Fund. Niet oubollig hoor, dit kunnen we als een cool brand in de markt zetten. Helemaal als Dylan onze spokesperson wil zijn. Oké, het kost wat, maar het levert je zóveel op. Publiciteit, het is gewéldig voor je imago... en het belangrijkste: je doet goed. En dat voelt goed.'

Rodzjer komt op gang en grijpt de hand van De Klant.

'Vertel eens, Suzanne, vraag jij je weleens af wat je nou eigenlijk bijdraagt aan de wereld?'

Ah, daar is-ie weer. De wéééreld.

'Nou, eh...' begint De Klant. Maar Rodzjer dendert al weer door. 'Wat gaat er door je heen als je naar het nieuws kijkt? Denk je dan weleens: waarom ben ik eigenlijk Head of Marketing & Communications bij een bank? Wordt de wereld daar beter van? Waarom heb ik een marketingbudget van twintig miljoen euro als er kinderen doodgaan van de honger? Waarom maak ik iets triviaals als reclame als ik ook, weet ik veel, putten kan graven? Waarom is de wereld zo fúcking onbegrijpelijk? Waarom? Weet jij het, Suzanne?'

'Eh, ik heb geen idee, Rodzjer,' stamelt De Klant. 'Maar ik vind je idee aardig. Ik zie de brand exposure wel die dat op kan leveren. Alleen zie ik nog niet helemaal hoe Stichting Red De Schildpadden bijdraagt aan onze target.'

Rodzjer maakt zich op om eens uitgebreid te gaan uitleggen hoe dat allemaal zit, maar hij wordt afgekapt door Roos, die zegt dat we daar nog op terugkomen en doorgaat met de begroting. Ik doe mijn best om me te concentreren op Roos' zakelijke gekwaak, maar mijn hoofd wordt gepijnigd door belangrijker levensvraagstukken.

Over Pijn.

En Verdriet.

Of eigenlijk het gebrek daaraan. Ik bedoel, nu zou het toch allemaal wel een beetje doorgedrongen moeten zijn. Ik zou creperend van de pijn met mijn gebroken hart over de vloer moeten rollen. Of om de minuut een hysterische huilbui bedwingen, omdat dat zo raar staat in een statusoverleg met De Klant. In plaats daarvan voel ik me wezenloos. Afwezig. Een beetje beduusd, misschien. Maar mijn hart lijkt nog intact. Ik heb in ieder geval nog weinig levensbedreigende pijnscheuten gevoeld in die regio. In gedachten concentreer ik me op Yljaaa's gezicht. Zijn ogen. Zijn mond. De vorm van zijn schedel. Dat zal vast van alles bij me losmaken.

'ALEX?'

'Oh, sorry,' schrik ik op.

'We vroegen ons af hoe het met het lied gaat,' vraagt De Klant. 'Want als ik heel eerlijk ben, worden we wel een beetje zenuwachtig.'

'Daar heb ik Alex op gezet,' zegt Roos. 'Die heeft zich daar vol enthousiasme op gestort. Toch, Alex?'

Ik geloof dat ik iets essentieels vergeten ben: mijn leidinggevende op de hoogte houden van de stand van zaken. Even improviseren. 'Dylan is op een interessante route. Je moet begrijpen dat hij het heel moeilijk heeft gehad met het enorme succes van *The Truth About Rock 'n Roll* en het vinden van nieuwe inspiratie en...'

'Maar is het af?' breekt De Klant mijn freestyle gezwets af.

'Ja, is het af?' echoot Roos. 'De studio is overmorgen geboekt, weet je nog?'

Wie heeft bedacht dat duidelijkheid een groot goed is? Wat een ontzettend overschat concept.

'Nou ja, nog niet helemaal...' mompel ik.

Net als ik denk dat Roos me wil bespringen om mijn ogen uit hun kassen te wippen met haar Mont Blanc, wordt er op de deur geklopt.

Het glimmende hoofd van Serge verschijnt. 'Er is bezoek.'

De deur gaat verder open. Mijn bloedcirculatie stopt als ik zie wie het is.

'Goed nieuws,' zegt Dylan.

Mijn hoofd wordt warm. Warmer. Nog warmer. In enkele seconden zal mijn hoofd uit elkaar barsten, dat kan niet anders. Wat een troep moet dat geven.

'Het lied is af.'

Hoofdstuk 17

'Een luistersessie,' zegt Roos, 'we moeten direct een luistersessie beleggen. Kunnen we het meteen goedkeuren. We hebben geen tijd te verliezen.'

Niemand slaat acht op mijn brievenbusrode hoofd (PMS 032, zou Chef Drukwerk Bas van Zanten zeggen), mijn zompige oksels en mijn beukende hart, dat in Zwolle nog te horen moet zijn. Of op Dylans moddervette knipoog.

De Klant pakt haar telefoon. 'Als we direct gaan goedkeuren, moet ik Marque bellen. Over dingen die zo essentieel zijn voor onze nieuwe brand essence, mag ik niet alleen beslissen.'

Binnen tien minuten is Baas Marque gearriveerd, is de tafel aan de kant geschoven en zijn de stoelen herschikt tot een soort tribune. De hormonen gieren door mijn lijf en de zenuwen door de ruimte. Niet alleen omdat iedereen nieuwsgierig is naar het lied, maar stiekem ook omdat heel VOGH/JJGP het vreselijk spannend vindt om Nederlands heetste rockster in huis te hebben, al gedragen ze zich alsof Madonna hier wekelijks schoonmaakt. Naast mij zit Roos, die ter ere van Dylans komst haar borsten heeft herschikt tot een decolleté waar Baas Marque erg zenuwachtig van wordt. Competitief als ze is interesseert het haar geen lor dat Dylan, toch behoorlijk publiekelijk, een oog op mij heeft laten vallen en steekt ze haar borsten onverstoorbaar in andermans zaken. Triomfantelijk zie ik dat Dylan haar dappere poging geen blik waardig keurt, maar mij des te meer, wat mijn hormonen nog verder op tilt doet slaan. Het luisterpubliek bestaat verder uit Rodzjer, manager Frenk en onze Managing Director Martijn Westerman, die zowaar ook in het land is, tussen een congres in Rome en een bezoek aan onze head office in Chicago door. Hester, Eef, Serge en een handvol stagiaires heb ik met moeite buiten kunnen houden. Yljaaa en Sjerrun zijn ook gebeld, maar ze konden absoluut niet komen. Die griep, hè.

Als Dylan plaatsneemt op de kruk, verstomt het geroezemoes. Hij ziet er heerlijk uit in een Rolling Stones 1979 Tour T-shirt en een verwassen ribbroek, waarin zijn billen geweldig uitkomen. Nooit geweten dat ik een billenvrouw ben.

Hij kucht. 'Zoals jullie weten viel het me niet makkelijk om een themalied te schrijven voor de commercial. Inspiratie is een heel grillig iets, dat zich niet laat afdwingen. Maar op het moment dat ik het écht niet meer zag zitten, ontmoette ik mijn muze. Totaal onverwacht. En zij inspireerde me tot het volgende.'

Hij pakt zijn gitaar, wil beginnen, maar besluit dat er toch nog héél even gestemd moet worden. De Klant eet haar laatste restje nagels op, Rodzjer maakt nog maar eens een nieuwe staart, Martijn timmert nerveus op zijn zakcomputer, Baas Marque tapt met zijn linker Van Bommel de Radetzkymars en ik fantaseer over beloftes die nog niet ingelost zijn.

'Met dit lied ben ik terug gegaan naar mijn basis als singer-songwriter. Naar mijn liefde voor grootheden als Lennon en Bob Dylan. Naar de pure passie van zang, gitaar en eerlijke woorden. Het heet "I Don't Care".'

De Klant verslikt zich bijna in haar laatste nagel en de Radetzkymars wordt abrupt gestopt. Na inleidend getokkel begint Dylan te zingen:

'I have a room full of clothes
I have three houses, a Maserati
and a Porsche'

Een Porsche is natuurlijk op het randje. Hoewel er wel een beest van een motor in zit, natuurlijk. Maar een Maserati... Als ik een top drie zou moeten maken van mijn favoriete auto's, zou de Maserati daar absoluut in staan. Wauw. Ik hoop een Quattroporte.

'I have six bank accounts, three mortgages
and a manager, ofcourse'

Frenk grijnst zijn scheve tanden bloot.

'I have a personal trainer, a personality
and Jimi Hendrix's first guitar
I have it all, yes, I'm a star
But recently, I just don't care.

I don't care about money
I don't care about my pension plan
I don't care about investments
All I care about is you.'

Hij haalt zijn hand door zijn haar, lijkt zenuwachtig. 'Oké, dan komt het tweede couplet, maar daar ben ik nog niet helemaal uit. Daarna komt weer het refrein en dan deze bridge:

'They can take away the Porsche
They can take away my band
They can transfer all my money
To the Bahamas or to Switzerland
They can take everything
Everything they want
As long as they don't take you-hou-houou....'

Met een gevoelige uithaal gaat Dylans stem de hoogte in, net als mijn libido. Hij sluit zijn ogen en is even ver weg in gedachten. Dan slaat hij een akkoord aan en gaat verder:

'I don't care about money
I don't care about my pension plan
I don't care about investments
All I care about is you
You
You-ou-ou...'

Een beetje verlegen doet hij een slottokkel. 'Nou, dat was het.'

Heel even is het stil. Dan begint Rodzjer te klappen. Eerst zachtjes, maar steeds harder. Ik klap mee. Roos en Martijn vallen in, dus kunnen De Klant en baas Marque niet achterblijven.

'Geweldig!' roept Rodzjer. 'Geweldig!'

Als Rodzjer opstaat, volgen we gedwee.

'Geweldig!' roept Rodzjer nog maar een keer. 'Bravo!'

Roos bedankt Dylan vanuit het diepst van dat ding onder haar linkerborst, waarvan ik twijfel of het er ook echt zit, en vraagt De Klant en Baas Marque wat ze ervan vinden.

'Allereerst wil ik zeggen dat je fantastisch werk geleverd hebt,' zegt Baas Marque van achteruit zijn keel. 'Chapeau! Echt heel muzikaal. Knap hoor, dat je dat onder zoveel tijdsdruk hebt kunnen schrijven.'

Dylan knikt dankbaar.

'Muzikaal gezien denk ik ook dat je onze *brand values* helemaal te pakken hebt, maar tekstueel zijn we er nog niet helemaal, denk ik. Dat ruige randje zit er hé-le-maal in, maar ik mis de andere brand values, Warm en Ontspannen, nog een beetje. En de relevantie. Het is eh...' hij schraapt zijn keel, in de hoop dat de juiste opmerking met het slijm meekomt, '...het is de bedoeling dat het lied *customer bonding* en *sales generating* is. Begrijp je?'

'Het spijt me,' zegt Dylan, 'maar ik kan niets meer aan de tekst veranderen. Ik sta achter dit lied. Mijn hart en ziel zitten erin.'

Ik val bijna van mijn stoel, Roos en haar borsten kijken me geërgerd aan.

Marque schraapt weer. 'Maar nog heel even over dat *I don't care*. Dat kan ik toch niet helemaal rijmen met het Passion for Finance-offensief dat we onlangs gestart zijn. Wij willen een bank zijn met passie voor bankzaken, aantonen dat *personal finance* niet saai is, maar heel interessant. Terwijl dat *I don't care* toch iets onverschilligs heeft.'

Dylan broedt fronsend op een antwoord, maar Rodzjer is hem enthousiast voor.

'Marque, je moet het gróóter zien,' zegt hij. Zijn handen bewegen mee als die van een volleerd kunstzwemmer. 'Niet alleen met de oogkleppen op kijken naar die values, maar ook naar je totale positie als adverteerder. En de verantwoordelijkheid die dat met zich meebrengt. Jullie zijn... hoe groot zijn jullie ook alweer?'

Ik weet dat Rodzjer dat weet, maar dat hij het alleen vraagt om Baas Marque te vleien. Die dat niet weet.

'De tweede, na de Postbank,' zegt hij trots.

'Marque, ik heb een gewetensvraag voor je.' Rodzjer schurkt nog wat dichter tegen Baas Marque aan en laat zijn hand rusten op zijn schouder. 'Als je zo groot bent als jullie heb je niet alleen een commerciële verantwoordelijkheid, maar ook een maatschappelijke. Heb je daar weleens over nagedacht?'

Roos, De Klant en ik beginnen te zuchten, maar Baas Marque, die inmiddels glimt als het bestek van Oma Almere, kent deze exercitie nog niet.

'Natuurlijk gaat het uiteindelijk om de business, maar met jullie mediadruk kun je dat fantástisch combineren met een relativerende boodschap naar het publiek. Jullie kunnen de Benetton van de financiële wereld worden. Wat zeg ik, de Bono! Het bedrijf dat niet alleen geeft om winst en spreadsheets, maar ook om...'

De wéééreld, vul ik in gedachten alvast in.

'...de mens achter de klant.'

Vooruit, een beetje afwisseling is ook weleens leuk.

'Jullie kunnen misschien niet groter worden dan de Postbank, maar wel gróótser. Door te vertellen dat geld belangrijk is, maar dat er iets is dat nog belangrijker is...'

Rodzjer laat weer een van zijn veelzeggende stiltes vallen.

'...liefde.'

Baas Marque aarzelt, maar de vleierijen van Rodzjer hebben hem positief gestemd. 'Zo had ik er nog niet tegenaan gekeken. Ik zal het intern bespreken met de project board.'

Nadat Roos drie keer heeft benadrukt dat er haast bij is, omdat de studio overmorgen geboekt is, neemt Baas Marque handenschuddend afscheid. De Klant hobbelt achter hem aan. Het blijft een bizarre gewoonte, dat handen schudden, als je elkaar drie keer in de week ziet. Ik bedoel, ga eens na hoeveel bacteriën je dan overdraagt. Zeker met De Klant, die me geen type lijkt dat iedere keer haar handen wast nadat ze naar het toilet is geweest. Baas Marque heeft zijn hand al op de deurknop (over bacteriën gesproken), als hij zich bedenkt en zijn tas openmaakt. Gegeneerd kijkt Dylan naar twee kussenslopen, die Baas Marque tevoorschijn tovert.

'Eh, zou je...?'

'Natuurlijk!' Dylan trekt een vriendelijk gezicht, pakt de wasmachinebestendige stift aan en krabbelt zijn naam op zijn voorhoofden.

'Mijn dochters vermoorden me als ik zonder je handtekening thuiskom,' giechelt Baas Marque. 'Ik loop al een week met die kussenslopen in mijn tas.'

Als ik later de draaideur uit draai (eerst Dylan, een kwartier later ik, drukte Frenk ons op het hart, en geen enkele vraag beantwoorden), word ik verblind door een flits. Mijn zicht komt langzaam terug en er verschijnt een lange man op mijn netvlies, met een indrukwekkende camera in zijn hand. Een paparazzo. Ik heb altijd gedacht dat die er heel anders uitzien. Smoezeliger, met gekke hoedjes en lange regenjassen. Een soort kruising tussen Kermit de Kikker en inspecteur Clouseau. De paparazzo etaleert zijn perfect witte tanden en loopt met uitgestrekte hand naar me toe.

'Martin Matthijsen van *RoddelWeek*,' stelt hij zich voor.

'Alex,' zeg ik maar.

'Alex?' vraagt hij verbaasd.

'Eigenlijk Alexis,' zucht ik.

'Van *Dynasty*?' gilt hij blij. 'Mijn heldin! De coolste bitch aller tijden!'

Ik besluit om dit maar als compliment te interpreteren.

'Leuk je te ontmoeten, Alex. Je hebt geen idee hoe je onze gemoederen bezig hebt gehouden bij *RoddelWeek*, de afgelopen dagen. Wat ont-zét-tend leuk om je eindelijk eens in het echt te zien!'

'Nou, dank je,' giechel ik gevleid.

'Goed, ik zal je niet langer ophouden.' Hij knipoogt en drukt een kaartje in mijn hand. 'Aarzel niet te bellen als je eens verder wilt praten. Ik garandeer je dat je bij mij in een uurtje meer verdient dan in een maand in deze toko.'

Ik bedank Martin Matthijsen vriendelijk, stop het kaartje in mijn zak en loop glimlachend door. Volgende keer wat meer aandacht besteden aan mijn make-up. En ervoor zorgen dat ik van de goede kant word gefotografeerd.

Hoofdstuk 18

'Ik denk dat de klap nog komt,' zeg ik beslist.

De spa-dame drukt mijn laatste nagelriem nog wat verder aan en smeert mijn handen in met een rapid exfoliating handpacking. 'Dan kunnen ze even lekker antioxideren,' legt ze uit.

Ik heb geen idee wat dat is, maar van mij mogen ze zich helemaal laten gaan. Het behandelmeisje pakt een plastic zakje, schuift hem om mijn linkerhand heen en knoopt hem dicht. Daarna doet ze hetzelfde bij mijn rechterhand.

'Dat voert de afvalstoffen extra goed af,' raadt ze mijn gedachten.

'Welke afvalstoffen?'

Het meisje denkt even na. 'De afvalstoffen in je lichaam.'

'O,' zeg ik maar.

'Moet dat dan, zo'n klap?' pakt Hester ons gesprek weer op.

Eef vindt van wel. 'Als je... vijf maanden?' Ik knik. '... bij elkaar bent geweest, heb je gewoon tijd nodig om dat te verwerken. Toch?'

'Dat denk ik wel,' aarzel ik.

'Of...' Hester draait zich naar me om, om haar lippen dartelt een pesterig lachje, '...heeft het te maken met onze grote rockster?'

Gelukkig hoef ik even niet te antwoorden, want de beautydames komen weer in actie.

'Het is nu tijd voor een lekker chakramasker,' zegt de mijne met gedempte stem. 'Ik ga je gezicht nu lekker insmeren met echte Egyptische piramidemodder en groenethee-extracten. Dat trekt via je gezicht je lijf in, zodat je chakra's lekker schoon worden. Lig je lekker?' Ze kwast mijn gezicht vol met een smeersel dat ruikt naar zand en madeliefjes en maakt haar creatie af met twee schijfjes komkommer. 'Goed, dan laten we jullie nu even alleen. Kan jullie masker even lekker intrekken. En kunnen jullie even lekker relaxen.'

'Lekker!' roept Hester.

Zwijgend liggen we naast elkaar te luisteren naar de etnolounge, die door *ZEN – the City Spa* dobbert. Ik doe mijn best om me mee te laten voeren in de wondere wereld van de panfluit, maar ik word afgeleid door de *rapid exfoliating handpacking*, die begint te broeien. Zou dat de bedoeling zijn? Of treedt er een nooit eerder ontdekte chemische reactie op?

'Maar goed,' doorbreekt Hester de panfluitstilte. 'Vertel nou eens. Hoe zit dat nou met Dylan?'

'Och...' mompel ik vanonder mijn komkommerschijven.

'Kom op,' zegt Hester.

'Ja, kom op,' dringt Eef aan.

Alsof het niet genoeg is dat mijn hand er bijna afbrandt, vindt mijn neus het ook nodig om te gaan jeuken.

'Ik zit nog midden in een verwerkingsproces, hoor,' pers ik verbeten tussen mijn kiezen door. Wie ooit bedacht heeft dat dit ontspannend moet zijn, is niet goed bij zijn hoofd. De jeuk aan mijn neus maakt me gek en ik kan er niet aan krabben, omdat allebei mijn handen zijn ingepakt met een rapid exfoliating handpacking en twee plastic zakken.

'Ja ja,' knort Hester.

'Hoe lang moeten we nog?' hijg ik.

'Tien minuten, ofzo,' mompelt Eef, die bijzonder ontspannen klinkt. Hoe moet ik dat uitliggen met deze jeukterreur? De yogamantra. Concentreren. Mijn Eiland van Rust. Jeuk. Jeuk. Jeuk. Neus. Jeuk. Stop. Stop. Jeuk.

'OKÉ!' roep ik. 'JA, DYLAN DOET ME WEL WAT EN YLJAAA

KAN DE BOOM IN MET ZIJN SEMIMONOGAME GEZEIK!'

Ten einde raad ruk ik het plastic zakje van mijn linkerhand (zo goed en kwaad als dat lukt met een beplasticzakte rechterhand) en laat mijn nagels mijn neus verlossen van de kweljeuk.

'Wat!?' roept Eef verontwaardigd.

'Goed zo,' bromt Hester tevreden.

'Dat lucht op...' zucht ik gelukzalig.

Voordat Eef en Hester dieper op deze ontwikkelingen in kunnen gaan, treden de beautyjuffen weer aan.

'Zo, tijd om het masker te verwijderen. Hebben jullie lekker gere? Wat is dát? Wat is er met je handpacking gebeurd?' De plakjes komkommer worden van mijn ogen gerukt.

'Jeuk,' wijs ik verontschuldigend naar mijn neus.

'Jeuk is geen jeuk als je niet wilt dat er jeuk is,' fluistert mijn beautyjuf. 'Jeuk is een state of mind.'

Terwijl ik me weer over probeer te geven aan de panfluit, word ik ontmaskerd en onderworpen aan een nagelriemmassage en een drukpuntbalseming. Bij de regenwoudversie van 'Yesterday' lukt het me eindelijk om te ontspannen.

Twintig minuten later sta ik rozig op om af te rekenen.

'Dat was lief,' hoor ik achter me.

Mijn bloedcirculatie stopt als ik zie wie het is. Mijn hoofd wordt warm. Warmer. Nog warmer. In enkele seconden zal mijn hoofd uit elkaar barsten, dat kan niet anders. Wel lullig, nu ik er net voor honderd euro op heb laten smeren.

'Heel lief,' glimlacht hij, en zegt daarna haastig: 'Het is tegenwoordig heel normaal hoor, om als man een *facial* te nemen!'

DYLAN

Ik playback Madonna niet; ik bén Madonna. De manier waarop ik kauwgom kauw, mijn getoupeerde haar met strik, de oorbel met het kruisje, de blote buik, de legging, de blote schouder... ik bén het gewoon. Uren heb ik naar de videoband gekeken, om iedere beweging, iedere ademhaling en iedere oogknipper te registreren. En nu is ze onder mijn huid gekropen, heeft ze mijn lichaam overgenomen. Zij playbackt de woorden, maakt de bewegingen. Zij is het die een blik uit mijn ogen durft te kijken die ikzelf nog niet durf.

Toen we vanochtend in Novotel Almere aankwamen, moest ik tot mijn grote verdriet vaststellen dat ik niet de enige Madonna ben. Maar dat is juist goed, heb ik bedacht. In die zee van Madonna's springt een echt goede Madonna eruit. Tussen al die halfbakken acts zie je pas echt de passie van mijn optreden. Mijn eigen podiumpersoonlijkheid die door Madonna heen schijnt. Ik begin eigenlijk een beetje medelijden te voelen voor de andere Madonna's. In de hoek zit een iets te dikke Madonna op een Mars te kauwen, tegenover me zit een Madonna met een bril en de Madonna naast de deur mist een voortand. Een stukje verderop zie ik een Madonna met een walkman op haar dansje oefenen. Ik wil niet opscheppen, maar mijn dansje is mijn troef. Kijk, met playbacken alleen kom je uiteindelijk niet zover; dat kan iedereen. Maar je moves, daarmee kun je jezelf onderscheiden. Mijn dansje is mijn geheime wapen.

Ik laat de Madonna's even de Madonna's en ga naar het toilet. Daar pak ik het toilettasje van mijn moeder en onderwerp mijn make-up aan een laatste controle.

Donkere wenkbrauwen? Check.

Zwartomrande ogen? Check.

Fopschoonheidspukkel? Check.

Rode lippen? Check.

Dan ga ik op een toilet zitten, doe de deur dicht en oefen in stilte nog één keer mijn liedje. Ik wil niet dat anderen zien dat ik oefen. Straks denken ze nog dat ik zenuwachtig ben.

Terug in de hal laat ik me neerzakken op een bankje, tussen de Madonna met bril en een Michael Jackson. Ik mag niet op mijn nagels bijten, dat doet Madonna ook niet. Dan zou het niet meer lijken.

'Nummer 187?' vraagt een televisiemeneer.

Dat ben ik. Ik haal diep adem, sta op en loop achter de televisiemeneer aan. Nu moet ik het doen. Bewijzen wat ik kan. Dit is mijn moment.

Twee minuten later sta ik weer buiten. Een van de magerste Madonna's die ze vanmiddag gezien hadden, zei de televisiemeneer. En dan hadden ze het niet over mijn omvang, hahaha. Ik had de uitdrukking van een goudvis, de mimiek van Meneer de Uil en ik danste als een nijlpaard. Hahahahahaha. Ik houd mijn tranen in. Dat zou zonde zijn van mijn make-up. In plaats daarvan probeer ik te glimlachen en wens ik de Madonna met bril succes.

Thuis zegt mijn moeder dat ze geen oog hebben voor talent. En of ze niet even met die televisiemeneer moet gaan praten. Ze vraagt met wie je het tegenwoordig moet doen om op tv te komen. Als ik vertwijfeld zeg dat ik dat niet weet, zegt ze dat het een grapje is. Ik snap hem niet.

Hoofdstuk 19

Ken je die stukjes in een film, waarin de hoofdpersonen in razend tempo het ene na het andere romantische ding doen, glimlachend, knuffelend en in slowmotion, begeleid door een vrolijke jarentachtighit? Zo verloopt de volgende week. We drinken cocktails in de nieuwe lounge van het Sencha Hotel (ontworpen door Mashimoto Hakatori), Dylan stelt me voor aan mensen die ik al tientallen keren op papier gezien heb maar nog nooit in het echt en we eten bij The Foodoir. Alles begint als Dylan me naar zijn huis lokt en mijn hooggespannen verwachtingen zo overtreft, dat ik twee dagen later nog buiten adem ben en spierpijn heb op plekken waarvan ik niet wist dat ik er spieren had. Ik kan aan weinig anders meer denken; zijn lichaam beheerst mijn leven. Dylan is de Jimi Hendrix onder de minnaars; virtuoos, vingervlug en gezegend met een grenzeloos improvisatietalent. Dacht ik bij Yljaaa nog weleens stiekem aan de was of *Hoop & Liefde* of te lange teennagels, bij Dylan is daar geen ruimte voor. Onbesuisd sleept hij me mee in een parallelle wereld vol lust, zweet en lichaamsdelen, waarin ik mezelf volledig verlies. Hij weet precies waar, hoe snel of hoe teder zijn handen moeten zijn, wanneer hij zijn lippen moet gebruiken en wanneer het beter is dat zijn tong afreist. Hij weet wanneer hij wat moet zeggen en – nog belangrijker – wanneer niet. Gepraat in bed wordt erg overschat, vind ik. Als voorspel werkt het uitstekend, maar als er terzake gekomen wordt, moet er gewerkt worden en niet geouwehoerd. Ik geniet zo intens dat het bijna pijn doet. Schaamte, putjes, teennagels en de was bestaan niet meer; zonder na te denken doe ik dingen die ik nooit eerder overwogen heb. Ik weet niet meer waar ik eindig en Dylan begint. Alles past, alles klopt. Mijn borsten in zijn handen, zijn lippen op mijn lippen, mijn hoofd in zijn nek, mijn handen om zijn billen. Hij in mij.

Het is alleen jammer dat Yljaaa de pret probeert te drukken met een onophoudelijke stroom e-mails en sms'jes. Hij vindt dat ik mijn punt nou wel gemaakt heb en dat het tijd is dat ik weer bij hem terugkom. No hard feelings, zegt hij; hij is volwassen genoeg om niet jaloers te doen over mijn escapade. Hij heeft zijn excuses aangeboden voor zijn woede-uitbarsting en is bereid om het lataspect van onze relatie opnieuw in overweging te nemen. Wat betreft het semimonogame kan hij niets beloven; ik wist immers dat zijn creatieve geest niet floreert in het harnas van trouw. Maar hij was wel bereid om mijn semimonogame gedrag door de vingers te zien. En het beeld van de erectiekabouter mag weg, als ik daar echt op sta. Maar het doet me weinig. Wat ook niet helpt is dat hij af en toe zijn volwassen act vergeet en weer losbrandt in staccato-boze driftbuien, via welk medium dan ook. Kijk dit sms'je nou, bijvoorbeeld:

SLAAP JE LEKKER NAAST DIE ROCKSTER, ZONDER SCHULDGEVOEL OVER WAT JE MIJ HEBT AANGEDAAN? EN VERTEL EENS: IS HIJ NET ZO GOED ALS IK?

Veel beter, schat, het spijt me. Oneindig veel beter.

En deze:

GENIET MAAR VAN DIE AFGELIKTE BOTERHAM, WANT VOLGENDE WEEK HEEFT HIJ JE AL WEER INGERUILD VOOR EEN ANDERE SLET

Subtiel, ik kan niet anders zeggen. Smaakvol, ook. En buitengewoon volwassen.

Tussen de bedrijven door laat ik mijn gezicht strategisch zien bij VOGH/JJGP. Ik probeer zoveel mogelijk werk in zo weinig mogelijk tijd te doen, zodat ik me daarna weer kan storten op Dylan. (Of eigenlijk: Dylan zich weer op mij kan laten storten.) Ik weet dat ik van plan was om me helemaal te focussen op mijn carrière, maar dat kan volgende week ook wel. Ik zou het mezelf nooit vergeven als ik me niet helemaal overgaf aan dit moment. Ik weet dat ik Verovering #367 ben. En tot #368 zich aandient, wil ik geen seconde missen van Dylan Winter.

Ik heb mijn eigen bed al in meer dan een week niet meer gezien. Het bed van Dylan, met matrassen van honderd procent struisvogeldons, ligt namelijk veel te lekker. En wie gaat er nou alleen in zijn eigen bed slapen als je ook wakker kan worden naast de lekkerste man van Nederland, die allemaal spannende dingen in je oor fluistert?

'Wát ga je doen?'

'Nou, dit...' Dylan fluistert iets verrassend creatiefs in mijn oor. 'En dit....'

Als ik klaar ga liggen om al dit gezelligs in ontvangst te nemen, gaat de bel.

'Oh, shit, Julia!' roept hij.

'Julia?' vraag ik, niet zo heel erg *amused*. Wie mag dat dan weer wezen?

'Styliste Julia!' Dylan springt uit bed en schiet in een spijkerbroek; een Diesel, dit keer. 'Ze komt iedere twee weken een rek met kleding brengen.'

'Kies je die dan niet zelf uit?' vraag ik verbaasd.

'Ik? Nee, joh. Ik kan totáál niet winkelen, ik kies de raarste dingen uit. Ik zou niet weten waar ik zou zijn zonder Julia.'

Hij trekt een T-shirt over zijn hoofd (gisteren vond ik het nog zo bijzonder dat een man zo'n leuk shirt uitkiest) en sprint de trap af. Ik blijf in bed liggen en zap wat langs ochtendgymnastiek, nieuws en afslankbermuda's op de ingebouwde flatscreen. Dan kleed ik me toch maar aan en ga naar beneden. In de woonkamer staan Dylan en styliste Julia verrukt om een kledingrek heen. Julia kiest er net een rafelig spijkerjack uit als ze mij binnen ziet komen lopen.

'Dus het is waar,' mompelt ze, met ogen als vliegende schotels.

'Ja,' zeg ik maar. 'Leuke kleren,' wijs ik naar het rek.

'Ja, gewéldig, hè!' hervindt Julia zich snel. 'Dylan en ik zijn een beetje aan het experimenteren geweest met zijn look, maar ik denk dat noncho-chic helemaal Dylans ding is, hè, Dylan?'

Dylan knikt tevreden.

'Ik neem iedere twee weken een nieuw rekje mee, want we kunnen natuurlijk niet hebben dat Dylan te vaak in hetzelfde setje wordt gefotografeerd, hè?'

Dylan blijft knikken.

'Waar waren we. O ja, ik heb een paar ge-wél-dige stukken voor je meegenomen uit Kopenhagen. Daar lopen ze toch een beetje voor, hè. Kopenhagen is dé modestad van Europa. Strak, sober, stylish. Fantastisch. Maar goed, design kun je leuk combineren met vintagestukken, zoals deze.'

Ze wijst naar het spijkerjasje.

'Is een originele Levi's, meer dan twintig jaar oud. Ik ben gék op het mixen van design en vintage. Dat maakt de outfit zoveel authentieker. Veel meer een persoonlijke expressie dan gewoon wat kleren bij elkaar, begrijp je? Kijk, ik heb hier een heel leuk broekje van Gucci, die je mooi kunt combineren met dit Hema-bloesje. Hema is zó'n mooi merk. In eerste instantie denk je: gewoontjes. Truttig misschien, zelfs. Maar als je goed kijkt is het topdesign van Hollandse bodem. En Hollands design is hotter dan hot!'

Dylan pakt het broekje en het bloesje aan en knikt nog maar eens.

'O, en ik heb ook een paar héle leuke vintage T-shirtjes voor je gevonden. Kijk deze nou, met Mickey Mouse. Onwijze humor, vind je niet?'

Ze legt het T-shirt boven op het bloesje en het broekje.

'En wat vind je van deze?'

Ze legt een shirt met een uitgestoken Rolling Stones-tong op de stapel, waarvan Dylan erg blij gaat kijken.

'Hélemaal toen en nu tegelijkertijd. Leuk met die jeans, maar ook met het Gucci-broekje. Sneakertje erbij en klaar. O, en voor ik het vergeet: de Fendi Croquette, dé mannentas van nu!'

Dylan kijkt een stuk minder blij.

'Luister, schat, ik weet dat je er een beetje aan moet wennen, maar tassen zijn hélemaal oké voor mannen. Trust me! Mannen hebben er genoeg van om alles mee te slepen in hun broekzakken en gaan massaal voor de tas. En er is een enorme wachtlijst voor deze, en jij bent de eerste die ermee gezien wordt!'

Resoluut zet ze de tas boven op de stapel in Dylans armen en slaakt een tevreden zucht.

'O, ik hou echt van mijn vak. Weet je, als ik naar mensen kijk, zie ik geen kledingstukken, maar innerlijke kracht. En die kracht, dat zelfbeeld, wil ik visualiseren met fashion. Zodat je buitenkant een weerspiegeling is van je ziel, begrijp je? Kleding is een belangrijke reflectie van wie je bent. Tegen Dylan zeg ik ook altijd: volg je gevoel en blijf dicht bij jezelf staan. Dat zegt zóveel meer dan een verzameling labels.'

'Ja, daar ben ik op het moment ook heel erg mee bezig,' knikt Dylan instemmend. Hij legt zijn stapeltje voorzichtig op een stoel. 'Die shirts en dat jasje passen geweldig bij hoe ik me nu voel. Dicht bij mezelf en...' hij knipoogt naar mij, '...gelukkig.'

'Geweldig,' kirt Julia. 'Ik vind het zo heerlijk om te horen dat ik met de outside bij kan dragen aan een happy inside! Trouwens,' wendt ze zich tot mij, 'ik vond die Calvin Klein die je aanhad op die foto in *De Telegraaf* wáán-zin-nig! Die basic glamour is echt iets voor jou.'

Ik besluit dat het niet relevant is om te vertellen dat Yljaaa hem uitgezocht heeft en dank voor het compliment.

'Ik zie jou nog weleens uitgroeien tot een stijlicoon, serieus.

Maar dit,' ze prikt naar mijn trui, 'is niet helemaal jouw kleur.' Haar hoge stem klinkt plechtig, alsof ze op het punt staat om de beginselen van de kwantummechanica uit te leggen. 'Het geheim van goede keuzes is weten wat jouw kleur is. Dan geeft kleding je dat beetje extra. Ik zeg altijd maar zo: *colour is your secret weapon.*'

Ze haalt er een aantal gekleurde lappen uit haar tas, die ze over mijn schouders legt. Een voor een houdt ze ze tegen mijn gezicht: kritisch bekijkt ze iedere combinatie.

'Herfst,' mompelt ze uiteindelijk. 'Dat dacht ik al. Je bent een herfsttype.'

Hoofdstuk 20

Uitgelaten rollen we de taxi uit. Grappig is dat. Je gaat met de tram naar het feest, vlak voor de deur word je opgepikt door een limousine die je er voor een stuk rode vloerbedekking en een bataljon fotografen weer uitzet en op de terugweg moet je het zelf maar uitzoeken. Ik heb altijd gedacht dat een paar limousines meer of minder er niet toe doen. Dylan doet zijn best om de sleutel recht in het slot te steken, maar hij steekt ernaast. Geconcentreerd gluurt hij naar het slot voor een nieuwe aanval; de sleutel stevig in de aanslag. Hij komt dichterbij, nog dichterbij, zou het hem lukken? Zou hij de sleutel in het slot krijgen? Jáááá, hij raakt! Hij raakt! Met een charmante zwier wil hij de deur openmaken, maar die geeft meer mee dan hij denkt, waardoor hij de gang in struikelt.

'Welkommmm,' proest hij, 'welkom in mijn nederige stulpje!'

Overdreven dankbaar loop ik voor hem uit naar binnen, de woonkamer in. Daar laat ik me neerzakken op het hoogpolige tapijt voor de haard. Het is niet een bijzonder nuttige haard, want hij is dicht gemetseld, maar het is wel romantisch om er op een kleed voor te liggen. En hij past perfect in het sober-ruige interieur van Dylan, met een betonnen vloer, wilde schilderijen, kasten van ongelakt hout en een milieuvriendelijke bank van hennep.

'Ik vond het zo leuk dat je mee was.' Dylan komt binnenlopen met een fles wijn en twee glazen. Als je begonnen bent met drinken, moet je doorgaan, vind ik, en niet opeens overgaan op laffe glaasjes water. Ik ben blij dat we wat dat betreft op één lijn zitten.

'Ik ook,' zeg ik in een gelukkige roes van feest, drank en Dylan. 'Ik vond het geweldig.'

Het kost me moeite om het niet al te opgewonden mijn mond uit te laten komen, want in gedachten probeer ik te bepalen op welke plaats het feest van Dylans platenmaatschappij, ter ere van een nieuwe artiest waar ik nog nooit van gehoord had (vrij uitzonderlijk in mijn geval), in gaat nemen in de ranglijst van Meest Geweldige Avonden Ooit. Ik dacht dat reclamefeestjes leuk waren, maar in vergelijking met dit feest was de laatste VOGH/JJGP Christmas Party in DRINCK ongeveer zo leuk als de verjaardagspartijtjes van mijn moeder, met glaasjes moezel en augurken gerold in plakjes boterhamworst. Alles in dit feest schreeuwde: Beter! Groter! Mooier! Leuker! Meer! Carmen was er en begroette me als een oude vriendin. Ik hield weer net een belachelijk gilletje in en omhelsde haar alsof ik dagelijks vj's van MTV omhelsde, maar herinnerde mezelf eraan om me op de toiletten in mijn arm te knijpen. (Wat ik vergeten ben, omdat ik daar Carmen aantrof, met haar neus boven de Colombiaanse kabouterpost.) En Dylan stelde me voor aan een aantal goede vrienden; Robbie, de bassist uit zijn band, een vrolijke, ietwat verlopen krullenbol; Thomas, de drummer, die Dylan in stijlvolheid lijkt te willen overtreffen met zijn hippe mutsje; Maarten, een middelbareschoolvriend die iets in de im- en export deed en – mijn champagne kwam er via mijn neus weer uit – Max Wezeling, die A.J. speelt in *Hoop & Liefde*.

'Hé, je kunt weer lopen,' zeiden mijn zenuwen.

'Ja, ik spéél namelijk dat ik een dwarslaesie heb,' antwoordde A.J., die dus Max heette.

Het kwam me erg goed uit dat ik daarna bijna omvergelopen werd door een jongen meteen blad champagne.

Een man als Dylan heb je nooit alleen; dat was me al snel duidelijk. Voortdurend zwermden er vrouwen om hem heen. Het is natuurlijk leuk als de man met wie je bent begeerd wordt; indirect is dat een compliment voor je fantastische smaak. Of de geweldige prestatie die je geleverd hebt door deze man te veroveren. Maar moeten het er zoveel zijn? Sommigen stelde hij voor als ex. Prima, dan wist ik direct wat de verhouding was en hoefde ik me daar niet meer druk om te maken. Over de vrouwen die Dylan me niet als ex voorstelde, maakte ik me meer zorgen. Want hoe zat dat? Hadden ze het wel ooit gedaan, of niet? Of waren ze het misschien nog van plan? En als ze het al gedaan hadden, beviel dat dan zo goed dat het voor herhaling vatbaar was? Zorgen.

Maar die zorgen waren snel vergeten als Dylan me aan iemand anders voorstelde. Want het was onmiskenbaar trots die doorklonk in zijn stem.

'Alex, dit is Zusenzo. Zusenzo is gitarist/ presentator/ talent scout/ zanger van band X. Zusenzo, dit is Alex. Alex werkt bij VOGH/JJGP, het reclamebureau van de BPW Bank, en is een heel bijzondere vrouw.'

De reactie was in alle gevallen hetzelfde. Onbeschaamd nieuwsgierig werd ik van boven naar beneden bestudeerd en daarna riep Zusenzo enthousiast: 'Oh, dus jíj bent Alex! Wat leuk om je eindelijk te ontmoeten! Dylan heeft me al zoveel over je verteld!'

En daarna: 'Je bent wel, eh, ánders, hè?'

Ik had verwacht dat ik me geïntimideerd zou voelen door alle Zusenzo's met hun interessante namen, levens en salarissen. Maar ze gaven me een welkom gevoel; een gevoel dat ik net zo interessant was als zij. Ze deden hun best om me te betrekken bij de gesprekken en complimenteerden me met mijn outfit, die een stuk minder prijzig was dan die van hen, maar toch best geslaagd, al zeg ik het zelf. Bekende mensen zijn ook aardig. Weer een vooroordeel uit de weg geruimd.

Dylan heeft, ondanks de verminderde toestand van zijn motoriek, eindelijk de kurk van de fles gekregen en geeft me een glas wijn aan. We proosten op een geslaagde avond, ons, de haard die niet werkt en de sleutel die Dylan in het slot heeft gekregen.

'Wat een leven heb jij...' zucht ik en laat me wegzakken in het roomwitte vloerkleed, dat door de drank voelt als een zacht dek van een dobberend schip.

'Nou, ik zou best eens een dagje met jou willen ruilen,' mijmert Dylan. 'Gewoon weer onbekend zijn, anoniem. Rond kunnen lopen, zonder dat mensen naar je kijken.'

'Meen je dat nou?' vraag ik verbaasd. 'Jij leidt het leven waarover ik fantaseer!'

'Ik leid het leven waarover ikzelf fantaseer,' grinnikt hij. 'Maar nu ik het beleef, zijn veel dingen toch anders dan ik had gedacht.'

Hij heeft vast koorts. Ofhij is dronkener dan ik dacht. Anders zou hij niet zo raaskallen.

'Dit zijn mijn vijftien minuten, mijn fifteen minutes of fame. Andy Warhol had gelijk, iedereen heeft recht op zijn eigen vijftien minuten.'

Dylan rekt zich uit naar de dicht gemetselde haard, als een tevreden kat. Andy Warhol, dat is toch die man van die Marilyn Monroe-kleurplaten? Mijn moeder heeft ook zo'n schilderij, maar dan met haar eigen hoofd.

'Begrijp me niet verkeerd: het is leuk, hoor,' gaat hij verder. 'En de aandacht is vleiend. En ja, er hebben opeens een stuk meer vrouwen aandacht voor je. Dat is ook vleiend. Maar als je er middenin zit, ontdek je dat het een lege huls is, roem. Dat je niet in de gaten hebt wat écht belangrijk voor je is. Weet je, ik ben moe van het jagen, van het veroveren. Van iedere keer een nieuwe naam, een nieuw lichaam. De lol is eraf.'

Zonder waarschuwing word ik besprongen door een angstige paniek; het comfortabele gevoel vlucht met de staart tussen de benen. Dylan neemt een aanloop om afscheid te nemen. Dit was het. Het is tijd om verder te gaan naar #368. De volgende keer ben ik de ex die voorgesteld wordt.

'Dat is toch met alles zo,' dek ik mezelf in. 'Als je het eenmaal hebt, is de glans er een beetje af. Maar we hebben het toch leuk gehad?'

'Gehad?' Ernstig pakt hij mijn hand. Zijn mondhoeken krinkelen onwennig, alsof hij in zijn leven nog niet vaak serieus heeft hoeven kijken. 'Weet je, ik dacht dat ik van Daphne hield, maar dat vrije geesten als ik zich gewoon niet zo goed kunnen binden. Maar nu realiseer ik me dat dat een flauw excuus is om vreemd te kunnen blijven gaan, omdat je gewoon niet genoeg van iemand houdt. Nu weet ik dat andere vrouwen er niet meer toe doen als de juiste vrouw voorbijkomt. Alex, bij jou voel ik iets dat ik nog niet ken. Ik wist niet dat ik het miste, omdat ik het nog nooit heb meegemaakt.'

Normaal gesproken ben ik geen fan van lange speeches, maar ik heb het gevoel dat deze een heel prettige kant op gaat. De paniek zwaait af en wenkt de comfortabele ploeg terug.

'Ik ben toe aan iets anders... en...' Dylan schuift nog wat verder naar me toe. Hoe ongemakkelijk ik me daar twee weken geleden bij voelde, zo hard schreeuwt mijn lichaam nu om het zijne, '...ik denk dat jij dat misschien wel bent...'

Mijn god.

'Ik meen het, Alex. Wat ik zing in het lied voor de BPW Bank, dat meen ik. Ik ben als een blok voor je gevallen. Direct. Er is nog maar één vrouw die ik wil. Ik ben er klaar voor.'

Ik slik.

Ik weet niet wat ik hierop moet zeggen.

'Eh...'

Dat is nog niet zo sterk. Maar ik ben bang dat alles wat ik zeg hopeloos onbenullig klinkt na deze poëtische eenakter.

Hoofdstuk 21

Ik ben het niet met Roos eens. Het is geen kwestie van slecht plannen of te weinig toewijding, maar van prioriteiten stellen. In het bejaardentehuis zal ik er geen spijt van hebben dat ik te weinig neurotische spreadsheets ingevuld heb, maar wel dat ik niet genoten heb van iedere millimeter van Nederlands lekkerste zanger. Ik zou mezelf voor mijn grijze kop slaan als ik daar zou krassen over die knappe meneer die wel wat zag in oma, maar waar oma niet genoeg tijd voor had, omdat ze héél erg druk was met spreadsheets. Iedereen bij VOGH/JJGP doet alsof het de normaalste zaak van de wereld is om wat te hebben met Nederlands heetste rockster (stel je voor dat ze uit de band zouden springen), maar dit is de ervaring van mijn leven. Zo dicht in de buurt van het onversneden glamourleven ben ik nog nooit geweest. Vol overgave wentel ik me in andermans glans. Deuren die voor me gesloten waren openen zich moeiteloos. Ik wandel rond in mijn bladen; mensen over wie ik lees lopen vrij om me heen. Ik kan met ze praten, een drankje van ze aannemen, ze aanraken als ik dat wil. Gefascineerd bekijk ik hoe zelfverzekerd iedereen zich voortbeweegt van tv-show naar borrel, van studio naar restaurant, van interview naar fotograaf, piekfijn gemanicuurd en gemake-upt en altijd zorgvuldig in de kleren gestoken door stylisten, metamorfosegoeroes of kledingsponsors. In hun schijnsel voel ik me tot leven komen.

Als motie van wantrouwen heeft Roos de leiding van de Pre-

Departure Meeting overgenomen, 'omdat ze nou eenmaal een veel beter overzicht over de situatie heeft dan ik'.

Ze doet maar.

Als een kwade genius heeft ze Dylan naast Yljaaa gezet, die zich niet meer ziek gemeld heeft, maar er niet al te best uitziet. Zelf heeft ze zich, samen met haar borsten, aan de andere kant van Dylan neergezet. Ik kan niet anders dan bewondering opbrengen voor haar doorzettingsvermogen. Zelf zit ik tussen Frenk en Rodzjer in, die gisteren zo te ruiken weer iets te kwistig met de knoflook en de Beerenburg is geweest. De Klant zit aan het hoofd van de tafel, zoals het De Klant betaamt. Het kost me moeite om mijn aandacht bij het gesprek te houden, dat volgens mij over Rodzjers schildpaddenstichting gaat. De Klant weet nog niet zeker of ze er wat mee wil gaan doen, maar Rodzjer heeft alvast een rekeningnummer geopend en een logo laten maken, met meteen ook maar een complete huisstijl erbij, dat hij zojuist op kartonnen heeft gepresenteerd. Aan Roos gezicht te zien zal het lot van de Galápagos-schildpad haar een zorg zijn. Ongeduldig kijkt ze op haar horloge, in de hoop dat Rodzjer op zal houden met praten. Dat doet hij niet.

'Goed,' onderbreekt ze hem ten slotte, 'zullen we ons eerst even richten op de écht belangrijke dingen? We vertrekken morgen en hebben nog een hoop te doen. Yljaaa, heb jij nog wat?'

Yljaaa hijst zichzelf omhoog vanuit zijn persoonlijke poel van ellende. 'Luister, ik wil me niet bemoeien met de *operations* van VOGH/JJGP. En Alex,' hij wendt zich tot mij, 'je weet hoezeer ik jou respecteer, als mens en vakgenoot. Maar ik vraag me af of het een goed idee is dat Alex meegaat naar de Galápagos-eilanden. Voor een soepele productie lijkt het me handig dat het team zo klein mogelijk is. Ik laat [ʃærrʌn] ook thuis.'

'Daar zeg je wat...' mompelt Roos.

'Ik vind het niet oké dat je Alex zo aanvalt, Yl,' bemoeit Rodzjer zich ermee. 'Je moet als professional je persoonlijke gevoelens los kunnen koppelen van het artistieke doel. Probeer het out of the box te kijken. Alex zorgt er op haar eigen manier voor dat Dylan het beste uit zichzelf haalt. En dat is uiteindelijk waar het ons allemaal om gaat, toch?'

Goh, zo had ik het zelf nog niet eens bekeken. Natuurlijk!

'Creativiteit is iets moois, maar ook iets heel lastigs. Dat moet jij als creatief talent beamen, Yljaaa. Soms komt het vanzelf, maar soms heb je iets of iemand nodig die je inspireert, stimuleert. Die nieuwe creatieve bronnen in je aanboort, waarvan je niet wist dat je ze in je had. Het kan me niet schelen wat Alex doet, als Dylan maar blijft presteren. Ze gaat mee. Daar sta ik op, als Creatief Directeur. End of discussion.'

'Vooruit,' geeft Roos toe. Zo resultaatgericht is ze dan ook wel weer.

Maar Yljaaa was nog niet klaar. 'Verder vind ik het als regisseur moeilijk om een integere film te maken met een man over wie dit soort dingen verschijnen.'

Hij houdt een Story omhoog met op de cover:

WORDT VROUWENVERSLAVING EEN PROBLEEM?
ZOVEELSTE NIEUWE LIEFDE VOOR DYLAN

En in *FHM* staat een foto van Dylan en mij, met daarboven de kop:

JUBILEUM!
DYLAN SCOORT TWEEHONDERDSTE BABE

'Hoe kan ik puurheid en authenticiteit weergeven met zulke berichten?' roept hij. 'Dat maakt het voor mij als regisseur toch onmogelijk om iets goeds te maken?'

Dylan zit al in de starthouding om op te springen en te vertellen dat het allemaal echt niet zo leuk is als het lijkt en dat Yljaaa geen idee heeft hoe het is om te leven met die zware druk van de pers op zijn schouders, maar met een feilloos gevoel voor timing zegt Frenk dat het hoog tijd is voor de primeur van vandaag: 'De single is af. Gemixt, geremixt en al, zodat hij gelanceerd kan worden op de eerste dag dat de commercial uitgezonden wordt.'

Dylan laat zich weer in zijn stoel zakken, Yljaaa tekent nukkig een snor op Dylan's foto op de cover van *Story* en Rodzjer kijkt innig tevreden naar de speakers van het ingebouwde multi media corporate presentation system, die uit de vergadertafel naar boven komen. 'Helemaal crossmedia,' glimt hij.

Hoofdstuk 22

In tegenstelling tot Yljaaa koppelt Dylan 'bed' niet noodzakelijkerwijs aan 'seks'. Dat geldt overigens wel voor 'bank', 'andere bank', 'vloer', 'muur', 'toilet in horecagelegenheid', 'jacuzzi' en 'studio', zodat er in bed nog weleens tijd overblijft voor andere bezigheden, zoals lezen. In de *Adformatie* lees ik hoe Yljaaa's nieuwste Martinicommercial afgeslacht wordt. Ik schrik ervan dat ik ervan schrik. Maar het is ook zo ongebruikelijk. Alles dat Yljaaa tot nu toe gemaakt heeft, was een doorslaand succes. Er waren niet genoeg superlatieven om hem de reclamehemel in te prijzen. Maar volgens het panel van vakjournalisten is deze commercial totáál uit de tijd. Te strak, te stijlvol.

'De stijl van de post-MTV-generatie is toch wat *edgier*, wat ongepolijster,' geeft J.P. van der Lugt zijn vakkundige mening. 'Yljaaa maakt het te mooi. Maar het leven is niet mooi. Het leven heeft ook vieze, rauwe randjes en donkere hoekjes. En dat wil de consument zien. Hij wil eerlijke dingen voorgeschoteld krijgen.'

Ik vraag me af sinds wanneer reclame eerlijk is, maar ook Henk-Jan Kramer moet heel eerlijk zeggen dat hij een stukje zeitgeist mist in Yljaaa's laatste werk. Yljaaa kennende heeft hij zich vanavond vast gestort op symfonieën van Mahler, het alfabetiseren van zijn boekenkast en het poetsen van zijn schoenen; dat doet hij altijd als hij opgefokt is.

In de *Privé* loopt Daphne de Boer leeg over de verschrikkelijke persoonlijkheid die Dylan eigenlijk is, onthult ze dat hij waardeloos is in bed (tja) en dat ik niets meer ben dan een golddigger, die over zijn rug, of eigenlijk via zijn matras, op zoek is naar aandacht (tja). In de Party lees ik een Onthullende Reportage Over Mijn Leven. Ze zijn inmiddels achter mijn leeftijd, ze hebben ontdekt dat ik bij VOGH/JJGP werk en dat ik meewerk aan de BPW Bank-campagne. Een intieme bron vertelt dat hij het al zo verdacht vond dat ik zo vaak bij Dylan op bezoek moest, dat ik mijn ex Yljaaa, een aanstormend regietalent, rücksichtslos gedumpt heb (pardon?), dat mijn vader in de bapao's zit en dat ik hem amper zie (ja, maar probeer er maar eens door te komen bij zijn secretaresse) en dat ik putten heb op mijn linkerdij (pardon?).

In de *Story* schrik ik van mezelf, onopgemaakt, in een oude spijkerbroek en met een boodschappentas. Een zelfbenoemde topontwerper, waarvan ik nog nooit gehoord heb, maakt mijn outfit, mijn make-up, mijn haar en mij met de grond gelijk. 'Veel te nonchalant. Als je zo in de aandacht staat, moet je gewoon wat meer aandacht besteden aan je presentatie,' oordeelt hij. 'Wat een slordig meisje.'

En in de *RoddelWeek* tref ik een Exclusief Interview aan met –

'ROB DE NIJS WAS EEN FANTASTISCHE MINNAAR'

– mijn moeder?

Ze heeft haar uiterste best gedaan om appetijtelijk op de foto te komen, zie ik; het haar flink in de peroxide gezet, de lippen stevig bewerkt met lippenpotlood en het lijf geperst in een wonderlijke creatie, die net iets te strak is en net iets te veel kant bevat. Uitgebreid vertelt ze hoe ze geknokt heeft om mij als alleenstaande moeder op te voeden (de fikse alimentatie die ze van mijn vader kreeg, zodat ze nooit heeft hoeven werken, laat ze voor het gemak maar even achterwege), dat ze altijd in me heeft geloofd en dat ze nog steeds bijzonder warme herinneringen heeft aan haar affaire met Rob de Nijs.

Kwaad sneltoets ik haar. Waar is die vrouw mee bezig?

'Met Patries!'

'Mam, wat ís dit?'

'Waar heb je het over, pop?'

'*RoddelWeek*!' gil ik.

'Popje, ik heb toch niks verkeerd gedaan? Ik sta achter je!'

'Maar...'

'Luister, pop. Die meneer van de *RoddelWeek* was speciaal voor mij naar Almere gereden. Dan zou het toch heel onaardig zijn om hem meteen weer naar huis te sturen? En bovendien heb ik je negen maanden meegezeuld, daarmee heb je mijn taille verwoest. Daarna heb ik er meer dan 24 uur over gedaan om je naar buiten te persen. Ik heb je helemaal alleen opgevoed. Nou ja, bijna alleen. Dat heb ik allemaal voor jou gedaan. Dan mag ik nu toch wel een beetje meegenieten?'

Hoewel onlogisch, klinkt het toch zo logisch dat ik even geen idee heb wat ik hier tegenin moet brengen.

'Ik vind het zo leuk dat je tegenwoordig zo léúk bent!' kirt ze verder. 'Begrijp me niet verkeerd, maar je was vroeger een beetje saai. Het leek soms net alsof je je voor me schááámde, ofzo. Maar dat kan ik me toch niet voorstellen. Je schaamt je toch niet voor je eigen moeder? Zeg, kom je nog een keer bij me langs?' springt ze van de hak op de tak. 'Je bent nu natuurlijk heel druk met je eigen dingen, dat begrijp ik, maar vergeet je lieve moeder niet, die helemaal alleen is!'

'Hoezo, je hebt Bernhard toch?' aarzel ik. Mijn moeder wisselt haar minnaars in zo'n rap tempo af, dat het me moeite kost om de juiste naam te koppelen aan de juiste man.

'Pop, het is al een week uit met Bernhard! Hij had er moeite mee dat een vrouw van mijn leeftijd nog zo in contact is met haar seksualiteit, dat had ik je toch verteld? Het hoefde niet meer zo nodig van hem. Nou, dan ben je bij mij aan het verkeerde adres. Patries heeft er nog lang niet genoeg van! Nou heb ik gisteren in het café echt een héél leuk —'

Met een smoes dat ik onder een tunnel doorrij, lukt het me om op te hangen.

'De trút!' roep ik.

'Wat is er, schat?' Dylan scheurt zich met moeite los van *Loving & Giving - The Ten Commandments For Everlasting Love*. 'Ik wil er altijd voor je zijn. Vertel me wat je voelt.'

'Kijk zelf maar.' Ik gooi de *RoddelWeek* op zijn schoot.

'Jee, die moeder van jou is me er eentje,' grinnikt hij. Kwaad kijk ik hem aan. 'Sorry. Weet je, er zit weinig anders op dan gewoon maar aan dit soort dingen te wennen. Het zal altijd gebeuren dat mensen over jouw rug in de aandacht proberen te komen. Ook mensen waarvan je het niet zou verwachten. Dat gebeurt nou eenmaal, als je bekend bent.'

Met open mond kijk ik Dylan aan. Rodzjer heeft gelijk, ik moet loskomen van mijn vaste denkpatronen en meer out of the box denken. Ik sta in acht van de tien bladen; fotografen posten dagelijks bij VOGH/JJGP en alle talkshows bellen Frenk plat, omdat ze ons samen willen hebben. Dat ik dat niet gezien heb. Natuurlijk!

Hoofdstuk 23

Zelfs op Schiphol staan stiekeme fotografen opgesteld achter planten en tijdschriftenstalletjes. Achter een ficus zie ik Martin Matthijsen staan, zo langzamerhand een vertrouwd gezicht. Om nog een onopgemaakt oudespijkerbroekdrama te voorkomen en niet weer met de grond gelijkgemaakt te worden door een valse tweederangs modeontwerper, heb ik vandaag extra aandacht besteed aan mijn kleding. Stijlvol, maar nonchalant. De casual travel-look, adviseerde Julia, in de herfstkleuren bruin en donkergroen, gecombineerd met jeans. Jeans is altijd goed, vertelde ze me, maar dan alleen een écht goede, van een serieus jeansmerk. Jeans is net voetbal, volgens Julia: je hebt amateurjeans, eerstedivisiespijkerbroeken en niet te vergeten de eredivisie. Een amateurspijkerbroek is nimmer serieus te nemen; een modebelediging vermomd in het blauw. Eerstedivisiejeans zijn ijverig. Volstrekt belachelijk zijn ze niet; je ziet dat ze ergens wel iets hebben. Een leuk zakje, bijvoorbeeld, of een aardige pasvorm. Maar hoe hard ze hun best ook doen, ze zullen het nooit halen bij de eredivisie. Eredivisiejeans zijn geen spijkerbroeken, zij overstijgen het genre. Het zijn wonderbroeken. Jeansprofessoren hebben maandenlang diep fronsend vergaderd en geëxperimenteerd, om uiteindelijk kledingstukken te ontwikkelen die benen langer, voller of dunner doen lijken, billen ronder maken, oppushen of halveren, of – in mijn geval – rondingen simuleren. Ik heb daarom mijn creditcard de schok van zijn leven bezorgd en de nieuwste Jeans Republic gekocht. Hij rookt een beetje na, maar niemand is er nog mee gefotografeerd. Verder heb ik een lichte make-up aangebracht, waardoor het lijkt alsof ik niet opgemaakt ben, maar die er wel voor zorgt dat ik niet weer zo'n vlekneus en een glimmend voorhoofd heb. Mij pakken ze niet nog een keer.

Dylan en ik zijn apart aangekomen; een wanhopige laatste poging van Frenk om de pers om de tuin te leiden. Een vrij kansloze poging, want toen we vanochtend samen Dylans huis uit liepen, werden we direct geflitst. Dylan hield zijn handen voor zijn gezicht en dat deed ik ook maar. Het leek me zo raar staan als ik vrolijk lach, terwijl hij zijn best doet om zich te verstoppen. Hij stelde nog voor om voor de verandering, en om de pers om de tuin te leiden, eens bij mij thuis te slapen, maar dat heb ik gelukkig af weten te houden. Mijn huis is niet leuk. Echt niet. Ik ben ook niet zo iemand die mensen uitnodigt om te komen eten. In de eerste plaats heb ik een hekel aan koken en in de tweede plaats is mijn huis niet gezellig. Het is een hol om in afzondering tv te kijken, te slapen en rommel te maken. En niet om bezoek te ontvangen en gezellig te doen. Dat doe ik wel in de kroeg, of bij iemand anders thuis. Dylans huis heeft alle voordelen die mijn huis niet heeft. Het is er ruim, licht, het is geweldig ingericht door een interieurstylist, er is een enorme breedbeeld-tv, een jacuzzi en ik heb mijn eigen stukje in de inloopkledingkast. Nee, ik zie geen enkele reden om af te reizen naar mijn stinkhol in Schotelcity.

In de rij bij de incheckbalie stel ik me zo ver mogelijk bij Yljaaa vandaan op. Ik ga niet naast Dylan staan, dat mag niet van Frenk. In plaats daarvan schuif ik aan bij de mannen van de crew. Pas als ik ze hoor praten over de komende dagen, realiseer ik me hoe spannend ik het vind om op mijn Eerste Grote Buitenlandse Shooting te gaan. De voorpret was een beetje overschaduwd door de orkaan Dylan. Maar ik ga naar de Galápagos-eilanden! Met een Bekende Neder... tja. De crewmannen vinden het echter een stuk minder spannend.

‘Pffff, ik kom net van een shoot op de Himalaya voor Zwitserleven en nu meteen door naar de Galápagos-eilanden,’ zegt cameraman 1. ‘Op een gegeven moment gaan al die exotische locaties op elkaar lijken, vind je ook niet?’

‘Ik heb gehoord dat het best warm is daar,’ zucht cameraman 2.

‘En er zitten ook allemaal beesten,’ zegt cameraman 1 weer.

‘Beesten?’ roept De Klant geschrokken. ‘Wat voor beesten?’ Ze wordt zo bleek als haar bodywarmer. Vorige week vertelde ze nog blasé dat ze al heel wat van de wereld gezien heeft, maar voor een wereldreizigster ziet haar safaripak er net iets te schoon en te nieuw uit.

‘Dat valt wel mee hoor,’ zegt cameraman 2, ‘het standaardwerk. Schorpioenen, enzo.’

In paniek kijkt ze van cameraman 1 naar cameraman 2. Net als cameraman 1 wil beginnen over iets gezelligs als kakkerlakken en bloedzuigers, komt de rij in beweging. We kunnen boarden. Het grote voordeel van mijn operationele verantwoordelijkheid voor dit project is dat ik kon bepalen wie op welke stoel komt te zitten. Ik heb mezelf naast Dylan geplaatst, Roos naast Yljaaa, Rodzjer naast De Klant en de crew naast de crew. In het businessclassgedeelte laten we ons neerzakken op de zachte, leren fauteuils, met genoeg beenruimte voor een giraffe.

‘Wilt u misschien een glas champagne?’ vraagt een stewardess met stralend witte paardentanden. Dit is mijn eerste businessclassvlucht, maar ik weet nu al dat dit heel erg aan mij besteed is. Ik ben ook benieuwd naar het hotel; volgens *Travel & Style* combineert het ‘comfortable luxury with a hippie-esque feel’ en is het ‘a must for people who love to mix glamour with nature’. Dylan pakt mijn hand en lacht een lach die mijn knieën doet veranderen in elleboogjesmacaroni. ‘Drie dagen met jou, zonder paparazzi. Het paradijs,’ zegt hij. ‘Ik kan niet wachten.’

Hoofdstuk 24

Dylan heeft gelijk, het is hier een paradijs. Liever zou ik niet in clichétermen vervallen, maar dat is verdomd moeilijk. Ik bedoel, ik heb het allemaal gedaan, hoor; Thailand, Cancún, Australië... Dat laatste trouwens gefinancierd door mijn vader, toen ik, nadat ik eindelijk mijn eindexamen gehaald had, nog niet precies wist wat ik wilde. Ik geloof dat ik een beetje gedaan heb alsof ik van plan was om daarna in Bapao Dries Ventures te stappen, wat goed was voor de sponsoring, want normaal gesproken is mijn vader niet zo toeschietelijk. Maar toen ik na mijn pretjaar besloot me te storten op achtereenvolgens Psychologie, Rechten, Communicatie en Spaans, stond mijn vader erop dat ik het hele jaar Australië terug zou betalen. Ik moest maar eens ervaren dat je niet alles in het leven zomaar kunt krijgen. Dat ik moest werken als ik iets wilde bereiken. Ik heb moeten beloven dat ik alles in termijnen terug zou betalen zodra ik een beetje begon te verdienen, maar tot nu toe heb ik nog geen cent afgelost. Ik hoop eigenlijk dat hij het vergeten is.

Ter zake. Een paradijs. Absoluut. Maar totaal anders dan alle paradijselijke eilanden waar ik tot nu toe geweest ben. Niks wuivende palmbomen, cocktailtentjes en Bob Marley-muziek. Het strand is glinsterend wit, maar de cactusbomen waaien niet met alle winden mee. En in plaats van topless braadkippen liggen hier zeehondjes te zonnen. In de verte ligt een vulkaan, waarvan ik de naam vergeten ben, in een diepe slaap. Dit onwaarschijnlijke eiland heeft een ongelofelijke invloed. Het is alsof iedereen uit de kolkende stad rechtstreeks de jaren zeventig is ingedonderd. Het is hier love en peace, man. En met de happiness zit het ook wel goed. De Klant fotografeert gelukzalig iedere vierkante meter van het eiland, Rodzjer kijkt rond alsof hij een orgasmatron heeft ingeslikt en het gerucht gaat dat Roos neuriënd gesignaleerd is. Dylan staat te popelen om onze *love cottage* (zoals hij onze hotelkamer steevast noemt) in te wijden.

En zelfs Yljaaa houdt zich best rustig. Ik heb vanochtend een goed gesprek met hem gehad, op het terras van het hotel (onder lichte dwang van Roos, die liefjes meldde dat als mijn aanwezigheid aanleiding bleek te zijn voor gezeik tussen Yljaaa en Dylan, ze me hoogstpersoonlijk op het eerstvolgende vliegtuig naar Schiphol zou zetten). Eerlijk gezegd was ik erg trots op mijn volwassen benadering van de situatie. Ik heb hem herinnerd aan zijn eigen voorstel om netjes zakelijk met elkaar om te gaan. Om dat wat zachter te laten landen, vertelde ik dat ik genoten heb van onze tijd samen, maar dat ik nu iemand ontmoet heb die monogamie inspirerend vindt, en niet beperkend. Dat ik me op mijn gemak voel en niet meer op mijn tenen hoef te lopen. Dat ik hem soms best mis, echt waar, maar dat het beter is zo. En ja, dat ik ook wel weet dat dat een open deur van jewelste is. En of we alsjeblieft normaal tegen elkaar kunnen doen, omdat we nou ook weer niet vijfentwintig jaar getrouwd waren. En dat – toen moest ik bijna overgeven, maar het was voor de goede zaak – vrouwen ongetwijfeld in de rij staan voor het meest veelbelovende regietalent voor de toekomst. Daar klaarde hij van op. Ik denk dat de vernietigende ontvangst van de Martinicommercial een grote klap voor hem is geweest. Een dieptepunt, lijkt mij, maar hij noemt het zelf een leerpunt. Een kennismaking met zijn eigen kwetsbaarheid, of zoiets. Maar ik merk dat hij nerveuzer is dan anders; zijn vanzelfsprekende zelfverzekerdheid vertoont slijtageplekjes. Vastbesloten om zichzelf opnieuw te bewijzen stort hij zich op zijn werk en loopt de hele dag onrustig rond met een handcameraatje, voor een achter-de-schermen-documentaire. Hij zei dat ik toch wist hoe moeilijk hij het vindt om over zijn gevoelens te praten, dat hij geen gemakkelijke dagen achter de rug heeft. Dat hij zijn excuses aanbiedt voor zijn woede-uitbarstingen, dat hij daar tegenwoordig medicijnen voor slikt en er met zijn coach aan werkt. Dat hij hier is om een mooie commercial te maken en niet om mij het leven zuur te maken. En dat ik best weleens gelijk kon hebben, wat betreft die vrouwen in die rij. Daarna hebben we elkaar omhelst, alsof we in een talkshow zaten. Dat fysieke contact durfde ik wel aan, want buiten de slaapkamer associeert Yljaaa dat toch niet met seks.

Vanmiddag is hij met de crew druk bezig om alles op te zetten voor de shooting; hij beraadt zich op de beste manier om de driedimensionale dynamiek van de natuur te vangen in een tweedimensionaal beeld, of zoiets. Wij hoeven nog niks te doen. Maar Rodzjer staat erop dat we, voordat iedereen gaat zwemmen en drinken, een gezamenlijke wandeling maken over het eiland. Niet facultatief. De afgelopen dagen heeft hij zich als een bezetene verdiept in de Galápagos-eilanden en hij beweert dat hij nu meer weet over deze eilanden dan ik over *Hoop & Liefde*. Als een ware akela voert hij de wandelclub aan; Roos, De Klant, Dylan en ik volgen hem gedwee, alsof we op schoolreisje zijn. Maar dan een hele luxe.

'De Galápagos-eilanden zijn een unieke eilandengroep,' doceert hij. 'Wij zijn nu op Santa Cruz. Maar in totaal zijn er dertien Galápagos-eilanden. Omdat ze nogal ver van het bewoonde land af liggen, heeft de natuur zich hier op een heel eigen manier ontwikkeld. Zo zijn bijvoorbeeld de Galápagos-schildpadden de grootste ter wereld geworden. En omdat er bijna geen roofdieren op dit eiland voorkomen, zijn de dieren niet zo bang; ook niet voor mensen. Gelukkig, want daarom kunnen we morgen filmen bij de schildpadden. Die passen namelijk geweldig bij de *brand promise* van de BPW Bank: groot, betrouwbaar en vriendelijk.'

Door een landschap gebeeldhouwd door lava lopen we naar een bos. *Palo santo*, noemt Rodzjer de bomen, met een overdreven Spaanse slis, die daar volgens mij helemaal niet hoort. Ze ruiken naar wierook, die *palos santos*. Ik zweet mijn Jeans Republic uit en mijn elegante sandaaltjes zijn totaal ongeschikt voor deze wandeling, maar ik geniet van de weldadige rust en schoonheid. Veel meer dan ik dacht. Net als Dylan, die moeite heeft om zijn aandacht te verdelen tussen mij en het eiland en niet van plan lijkt om mijn hand ooit nog los te laten.

'Kijk,' wijst Rodzjer met zijn *Lonely Planet*, 'Darwin-vinken. Wist je dat Darwin hier geïnspireerd is voor zijn evolutietheorie?'

'Goh, Rodzjer, als je er ooit uitgegooid wordt bij VOGH/JJGP, kun je altijd nog voor de klas gaan staan,' grap ik. Maar ik moet toegeven dat natuur veel leuker is als je weet wat het is. Die komische vogels blijken blauwvoetgenten te zijn, de minidinosaurussen heten leguanen en die ballon op pootjes is een fregatvogel, die indruk probeert te maken op een vrouwtjesfregatvogel door zijn rode nek op te blazen. Dylan probeert het na te doen, maar blaast in plaats van zijn nek zijn wangen op, wat vooral indruk maakt op mijn lachspieren. Giechelend lopen we achter de groep aan, de duinen in. Op de top stop ik met giechelen; ik heb mijn mond namelijk hard nodig om wagenwijd open te laten vallen. Want we staan oog in oog met de PowerPoint-presentatie van locatiescout Wout. Tientallen clichés staan in mijn keel te dringen om erdoor gelaten te worden, maar ik slik ze door. Geen enkel woord, hoe goed bedoeld ook, doet recht aan wat mijn ogen nu proberen te bevatten. Uitgelaten rennen we het strand op, laten ons neervallen in het witte zand en proberen tot ons door te laten dringen dat dit geen Microsoft-screensaver is, maar de werkelijkheid. Het glinsterende zand. Het idioot blauwe water. De rotsen. De afwezigheid van frietkramen, bananenboten en gettoblasters. En alle dieren, die hier ontspannen rondwandelen of -schuiven, alsof het de Bijenkorf op koopavond is.

'Kijk nou, pinguïns!' roept Dylan. Hij wijst naar een pinguïnpaartje, dat vrolijk naast elkaar naar de zee hobbelt. 'Galápagos-pinguïns zijn zo ongeveer de enige monogame dieren op deze planeet, wist je dat? En ze zijn enorm geëmancipeerd. De vrouw legt het ei en dan gaat het mannetje broeden, zodat het vrouwtje tijd heeft om wat te gaan eten. Natuurlijk zorgt ze er wel voor dat ze terug is als de kleine uit het ei komt. Dan zorgen ze samen voor hun kindje. Ze blijven elkaar ook altijd trouw. Een vrijgezelle pinguïn moet niet denken dat hij zomaar met iedere pinguïn aan de haal kan gaan, dan wordt het knokken. Prachtig, toch?'

'Hoe weet jij dat?' vraagt Rodzjer verbaasd.

'National Geographic,' zegt Dylan.

Zwijgend leg ik mijn hoofd op Dylans schouder en staar met hem mee. Pinguïns, daar is helemaal niets mis mee.

Hoofdstuk 25

Het Royal Tortoise is inderdaad een fantastisch hotel, ik neem de complimenten voor mijn keuze dan ook met bescheiden trots in ontvangst. *Travel & Style* zei niets te veel over die 'comfortable luxury with a hippie-esque feel'. De witte muren en de overdaad aan hout laten het hotel er ogenschijnlijk eenvoudig uitzien, maar daarachter gaat een decadente luxe schuil, met knipmessend personeel, een hypermoderne gym en een belachelijk goede spa, met Galapagese stoombaden, lichaamspackings met plaatselijk zeewier en gezichtsbehandelingen met huisgemaakte natuurproducten. Voor Roos, Rodzjer, Yljaaa, De Klant en de crew heb ik Veranda Rooms geboekt, gegroepeerd om hun eigen privézwembad. Dylan heeft de Royal Suite (en ik dus ook), die eigenlijk geen suite is, maar een vrijstaand huisje; twee keer zo groot als mijn eigen zolderkamerappartement. Een zwembad achter de verandadeuren hebben we niet; daarvoor moeten we uitwijken naar de rest. Maar we hebben wel onze eigen jacuzzi, een spectaculair uitzicht over het vulkanische landschap en het grootste kingsize bed aller tijden.

En laat ik het Royal Tortoise Restaurant niet vergeten. Een sterrentent, waar het water je chronisch in de mond loopt. We hebben net genoten van een *cevice de bar* met een *coeur de boeuf* van zontomaat en basilicum en een mousse van krab en gember en daarna een *filet de sole poché* met een *tarte* van maïs en paprika en een zilte saus van *herbes de Madras* en yoghurt. Toen ik het menu las had ik, op de basilicum en paprika na, geen idee wat ik op mijn bord aan zou gaan treffen. Maar iedereen keek alsof ze het twee keer per week aten, dus ik besloot maar geen vragen te stellen aan het knipmes van dienst. Alleen de Klant durfde het risico niet aan en vroeg om steak met frites. Met ieder glas wijn (vakkundig uitgezocht door Yljaaa) werd de sfeer losser. Er werd gelachen, geklonken en gepraat. Dat vind ik zo leuk aan alcohol; je leert kanten van mensen kennen die je op kantoor nooit zou zien. Buitenstaanders hebben weleens het idee dat wij reclamemensen de hele dag door drinken, maar dat is helaas niet waar. Wij werken enkel en alleen op automatenkoffie, cola light, Fanta, chocolademelk en watercoolerwater. Er zit een groot slot op de drankenkast, dat er pas af mag als er een prijs of een klant gewonnen is. Anders zouden de kosten niet te overzien zijn, zeker omdat Rodzjer met zijn bureaustoel op rolafstand van de koelkast zit. Alcohol wordt onderschat als sociale smeerolie, vind ik. Er wordt altijd zo gereformeerd gereuteld over met mate genieten en meer kapotmaken dan je lief is, maar kijk eens naar de voordelen! Met een drankje in de hand komen mensen met elkaar in gesprek die elkaar boven een kopje koffie nog niet eens recht in de ogen aan willen kijken. Zelfs Yljaaa en Dylan hebben een beleefd gesprekje gevoerd, dat volgens mij over wijn of tafellakens ging.

Nu zitten we na te drinken in The Turtle Bar, wat de stemming nog verder verhoogt. The Turtle Bar is een hotelbar zoals een hotelbar hoort te zijn, met een barman met strikje, een indrukwekkende stellage met sterkedrank en her en der wat eenzame, verlopen types met te veel geld. Barman Juan Manuel maakt verpletterende gin-tonics, waardoor de kruk een beetje wankel onder me staat. Aan de hoek van de bar staat de crew te praten met de crew. Roos blijkt tot mijn grote verrassing een stuk beter te verteren met een rijbewijsonvriendelijk alcoholpromillage. Ze kakelt vrolijk tegen De Klant over de problemen van een moderne carrièrevrouw in het huidige arbeidsklimaat; De Klant knikt instemmend. De Safari-7Up maakt haar dunne lippen, die normaal gesproken stijf op elkaar geklemd zijn, buitengewoon los. Ze vertelt hoe moeilijk het is om je als vrouw staande te houden in de mannenwereld die de BPW Bank is. Dat ze zich door al dat gepraat over voetbal, auto's en verzekeringen steeds verder af voelt drijven van haar vrouwzijn, terwijl dat zo'n mooi, sensueel iets is, dat je moet víéren in plaats van verstoppen.

'Ik weet dat het totaal onfeministisch is om te zeggen,' lispelt ze, 'maar weet je?'

'Wat?' vraagt Roos.

Aarzelend bestudeert De Klant haar Safari-7Up. Dan neemt ze een dappere slok en zegt: 'Ik wou dat ik grotere borsten had. Ik weet zeker dat ik me vrouwelijker zou voelen met grotere borsten. Daar kijken mannen dan misschien wel naar, maar is dat zo erg? Is het zo erg als mannen naar je kijken?' Haar ogen zakken af naar Roos' vrouwelijkheid. 'Sorry als ik wat brutaal ben, maar eh... zijn ze echt?'

Roos acteert niet al te overtuigend dat ze het gênant vindt dat haar voorgevel in het middelpunt van de aandacht staat, maar dat ze zich er, vooruit, vanwege het vrouwzijn van haar nieuwe beste vriendin De Klant, maar even bij neerlegt.

'Voel zelf maar,' giechelt ze. Ze gaat nog wat rechterop staan; De Klant betast ze voorzichtig, alsof ze mango's test op rijpheid.

'Fantastisch!' roept Yljaaa, die met zijn handcameraatje om ze heen zoemt. 'Houd dat vast! Laat je lekker gaan!'

'Misschien wil jij ook even voelen?' vragen Roos' zwalkende ogen aan Dylan. Dylan bedankt vriendelijk.

Ik ben blij dat mijn borsten buiten beschouwing blijven en dat ik veilig tussen Rodzjer en Dylan zit, die elkaar helemaal gevonden hebben in een goed gesprek over de essentie van het leven en de wereld als zodanig. Officieel drinkt hij nog steeds bijna niet, maar bij afwezigheid van het juiste merk cola is Rodzjer maar aan de tequila gegaan. En Dylan heb ik kennis laten maken met mijn vrienden gin en tonic. Scherper maakt het de beschouwingen niet, maar wel gepassioneerder.

'Ik heb gewoon het gevoel dat ik tegenwoordig veel meer vóél, begrijp je wat ik bedoel?' zegt Dylan.

'Ja, helemaal!' antwoorden Rodzjer en zijn handen. '*The story of my life*! Ik was altijd maar bezig met willen. Meer geld, meer prijzen, meer drinken, meer vrouwen, meer, meer, meer. Maar op een dag, toen ik met de zoveelste kater wakker werd, zei ik tegen mezelf: Rodzjer, jongen. Kerel. Is dat nou waar het om draait? Wanneer is het nou een keer genoeg? Waar ben je nou eigenlijk mee bezig?'

Hij laat weer een van zijn bekende stiltes vallen en haalt dan adem voor de grande finale.

'...Wie ís die man in de spiegel eigenlijk, Rodzjer?'

'Precies! Als ik terugkijk op mijn leven, denk ik: waarom? Ik bedoel, al die vrouwen, waarom deed ik dat? Om als jachttrofeeën aan de muur te hangen?'

'Zó herkenbaar!' roept Rodzjer.

Ik denk aan de honderden vrouwen die Dylan zijn hol ingesleept moet hebben; met een grote teug gin-tonic probeer ik ze allemaal weg te spoelen. Als wraak zadelen ze me op met een luidruchtige hik.

'Ik was veel te veel bezig met mezelf. Maar sinds Alex...' Ik laat me gewillig tegen hem aandrukken. '...Sinds ik Alex ken is het anders.'

Ik hikgrijns triomfantelijk. Vanuit mijn ooghoeken controleer ik of Yljaaa me niet toevallig met gekruiste vingers duivelse blikken toewerpt, of zijn agressie koelt op een babyschildpad, maar hij staat geanimeerd te praten met Roos en haar borsten. Die medicijnen werken echt.

'Echt waar,' gaat Dylan verder, 'ik beleef allemaal dingen die ik nog nooit gevoeld heb. Liefde is iets bizars, het verandert alles! Ik voel mooie, overweldigende dingen, ik loop over van de inspiratie en de energie, zie overal schoonheid, hoop. Maar tegelijkertijd maak ik me ook opeens zorgen. Over jou,' hij kust me op mijn haar, 'ik moet er niet aan denken dat jou iets overkomt. Maar ook over het kabinet, zeehondjes, Afrika, dierproeven, het regenwoud, de ozonlaag... Over dingen die altijd langs me heen zijn gegaan. Ik weet niet wat ik ermee aanmoet!'

'Als je je eigen ego opzij kunt zetten, is er opeens plaats voor andere dingen,' knikt Rodzjer begrijpend.

Ik onderbreek al dit belangrijks voor een volgend rondje gintonics, maar vandaag komt geen drankje tussen Dylan en zijn verhaal.

'En dan denk ik: oké, ik maak muziek, mensen kopen dat of komen naar mijn concerten en beleven daar plezier aan. Maar wat draag ik daarmee nou eigenlijk bij aan...' hij hapert, lijkt te twijfelen aan wat hij wil gaan zeggen.

'De wereld?' probeert Rodzjer.

'Precíés!' Dylan kijkt hem aan met stralende ogen, alsof hij zijn verloren gewaande tweelingbroer heeft gevonden, die ook nog eens telepathisch begaafd blijkt te zijn.

'Luister,' Rodzjer legt een vaderlijke hand op Dylans schouder, zodat ik tussen hen ingeklemd zit. Ik hik, maar niemand merkt het op. 'Jij kunt veel meer doen dan je denkt, als icoon van de postmoderne cultuur. En het is heel goed dat jij daarin je verantwoordelijkheid wilt nemen.'

Hij controleert of zijn staart nog goed zit en schraapt zijn keel, plotseling verlegen. 'Eh... ik wil je al een tijdje iets vragen. En ik denk dat dit het juiste moment is. Dylan...'

'Ja?' vraagt Dylan.

Rodzjer slikt en plant zijn hand nog wat steviger op Dylans schouder. 'Eh...'

'Ja?' vraagt Dylan voor de zekerheid nog maar een keer.

Als hij maar geen huwelijksaanzoek gaat doen. Dat is mijn territorium.

'...Dylan, zou je het gezicht willen worden van The BPW Bank Turtle Foundation?'

Opgetogen springt Dylan van zijn kruk af. 'Ambassadeur? Dat lijkt me fantastisch!' roept hij. 'Is dat niet fantastisch?' schudt hij me heen en weer.

'Ja, fantastisch!' roep ik mee. 'Fantastisch!'

'Wauw,' ongelovig schudt hij met zijn hoofd. 'Wauw, wat een eer! Wat een geweldige kans om iets terug te doen. Ik moet het wel eerst met Frenk bespreken. Dit soort beslissingen neem ik altijd in samenspraak met Frenk.'

Hij vist zijn telefoon uit zijn kontzak en loopt bellend het terras op. Rodzjer kwaakt ondertussen onverstoorbaar door over het *Giant Tortoise Breeding & Rearing Program* op het Darwin Center, waar hij vanmiddag naar toe is geweest.

'Wist je dat er in de jaren zeventig nog maar zestien schildpadden waren op dit eiland? Dankzij het Darwin Center zijn er nu meer dan duizend. Fantastisch toch? Echt, die schildpadden zijn zulke mooie beesten, zo intelligent! Je hebt daar bijvoorbeeld Old George, een schildpad die de honderdvijfitg al gepasseerd is. Ongelofelijk, toch? Ga eens na wat die allemaal gezien heeft in zijn leven. Vervuiling, wereldoorlogen, mobiele telefoons, internet, de atoombom, massaconsumptie...'

Eerlijk gezegd denk ik dat George vooral zee en zand en aangespoelde voorwerpen gezien heeft, maar ik wil Rodzjers moment niet verpesten. Ik vermaak me daarom met staren naar Dylan, die bellend loopt te dribbelen. Na een paar rondjes om het zwembad klapt hij zijn telefoon weer in en loopt terug. Hij kijkt een stuk minder opgetogen.

'Frenk wil er nog even over nadenken. Hij weet niet of schildpadden wel goed passen bij mijn imago. Hij zat zelf meer te denken aan iets met weeskinderen. Wat menselijker, zei hij.'

Hoofdstuk 26

Sinds ik Dylan ken, zijn matrassen een grote rol in mijn leven gaan spelen. Ik heb nooit geweten hoe veel mooier alles kan zijn op een goede matras. En wat ik mezelf tekort heb gedaan met dat oude tweepersoonsding van mijn ouders op de grond van mijn zolderkamervloer, smoezelig en uitgeveerd. Welbeschouwd was zijn matras tot nu toe een van de hoogtepunten van mijn relatie met Dylan. Niets ten nadele van Dylan, maar dat ding ligt zo heerlijk dat ik me realiseer dat ik de werkelijke essentie van liggen nog nooit ervaren had. Liggen is niet gewoon liggen, maar een horizontale sensatie voor rug, benen en geest. Maar de gigantische hotelmatras doet Dylans thuiskapok verschrompelen tot een uitgeleefde strozak. Op mijn rug zak ik weg in een donzen wereld van rust; zacht, maar net hard genoeg. Ik moet mijn best doen om contact te houden met de werkelijkheid buiten het kingsize universum, waar Dylan ronddartelt en opgewekt praat over de shooting van vandaag.

'...kroop een enorme schildpad het strand op!' Met juichende ogen staat hij aan het bed.

'Echt waar?' hijs ik mezelf op vanuit matrassenland.

'Het was ongelofelijk! Hij kwam daar heel langzaam aanlopen, met z'n grote schild, steeds dichterbij. Ik kon hem gewoon aanraken. Dat schild, dat twee keer zo oud is als ik. Heftig. Echt heftig.'

'Je lijkt Rodzjer wel,' grap ik.

Maar Dylan gaat op de rand van het bed zitten en pakt mijn hand, bloedserieus. 'Alex, dit was een van de meest intense ervaringen die ik in mijn leven heb gehad. Zo'n schildpad is zo oud, zo wijs... ik had het gevoel dat hij me van alles zou kunnen vertellen, begrijp je wat ik bedoel? Dit was nog veel heftiger dan zwemmen met dolfijnen bij Hawaï. Of mijn bezoek aan Graceland.'

'Wat fantastisch, lieverd,' gaap ik. 'Hoe was de shooting verder? Ging het goed?'

Ik mocht er uiteindelijk toch niet bij zijn. Vlak voor de shooting werd besloten dat het toch beter was als Roos en ik niet op Turtle Beach aanwezig zouden zijn. We hadden een fantastische bijdrage geleverd met het regelen van de vergunningen en de accommodatie (nou ja, Roos had mij de opdracht gegeven en ik heb dat vervolgens braaf gedaan. Even was er paniek, omdat het erop leek dat we niet meer zouden mogen filmen op het schildpaddenstrand, maar tweehonderd dollar en het horloge van Rodzjer later waren we van harte welkom, zo lang als we maar wilden), maar het filmen zelf was een creatief proces, dat we misschien maar liever niet wilden verstoren. Zeker ik niet, hoorde ik tussen de regels door. Ik heb me dus maar vermaakt met het zwembad, een lichaamspacking met plaatselijk zeewier in de Royal Tortoise Spa en een aantal White Tortoises met Roos. White Tortoise is een leuke conceptuele verpakking voor een flink glas met tweederde wodka, eenderde rum, nog maar een scheut wodka en een beetje zeewier. Zeewier is de pijnboompit van het Royal Tortoise Hotel; je krijgt het werkelijk overal bij. Na de tweede White Tortoise constateerde ik tevreden dat mijn theorie over de voordelen van alcohol absoluut hout snijdt. Nuchter is Roos niet te pruimen, maar geef haar een White Turtle en er voltrekken zich wonderen. Ze bleek een heerlijke rollende lach te hebben, die diep vanuit haar buik vandaan komt. Ze beschikte over een fantastisch reservoir aan roddels over het haar van Managing Director Martijn Westerman en het in werkelijkheid niet al te drukke liefdesleven van

Rodzjer. En in een heel eerlijk moment zei ze dat ze het natuurlijk harteloos vond dat ik Yljaaa ingeruild heb voor Dylan, maar dat ik gek was geweest als ik dat niet had gedaan, godverdomme, trut die ik was. Waarop er weer zo'n lach haar buik uit rolde. Bijna had ik zin om haar te omhelzen toen ze, net als ik, al tien jaar verslaafd bleek te zijn aan *Hoop & Liefde*. Ze dacht dat Raoul en A.J. geen werkelijke broers zijn en dat Raoul latente homoseksuele neigingen heeft en in de war is door zijn clandestiene gevoelens voor zijn broer, die dus helemaal niet zo clandestien zijn. Maar dat zal hij, het tempo van *Hoop & Liefde* kennend, over een paar jaar waarschijnlijk pas ontdekken. Verder dacht ze dat Amber-Louise nog steeds diepe gevoelens koestert voor dokter Jacques, die helaas net een kroonluchter op zijn hoofd gekregen heeft en aan geheugenverlies lijdt. Een heel verfrissende kijk op de zaak.

Dylan heeft zijn shooting-outfit inmiddels verruild voor een korte broek en een T-shirt. De korte broek is overduidelijk afkomstig uit zijn stylisteloze periode. Julia zou op zichzelf geen probleem hebben met de jungle look, maar ze had hem wel anders geïnterpreteerd. Ze zou in ieder geval nooit een kaki afritsbroek uitkiezen met een verstevigde cirkel op de bilzone. Ik heb er heel voorzichtig een opmerking over proberen te maken, maar Dylan voelt zich er zo lekker in, zegt hij; zo lekker zichzelf.

'Dit was met stip de makkelijkste commercial die ik ooit heb gedaan,' grijnst hij. 'Eigenlijk heb ik gewoon op het strand gezeten en gezongen en gitaar gespeeld. Hoe moeilijk kan dat zijn? Ik had alleen wel een kater van gisteren. Wat ging die Yljaaa hard met de drank, zeg!'

Ja, laat dat maar aan Yljaaa over. Met Yljaaa weet je zeker dat je nooit met lege handen staat. Als het om drank gaat, dan.

'Weet je, ik blijf het raar vinden dat jij een relatie met hem gehad hebt. Hij is zo zwaar op de hand en jij bent zo licht, zo anders. Wat zag je eigenlijk in hem?'

Hij was Nederlands meest veelbelovende regietalent voor de

toekomst, wil ik Yljaaa verdedigen. Waarom eigenlijk?

'Laat maar, ik heb helemaal geen zin om met jou over je ex te praten,' wuift Dylan het verleden weg. 'Je bent nu met mij, van mij. En ik van jou.'

Met matrasogen buigt hij zich naar me over. Eindelijk. Ik laat mijn linkerhand over zijn billen glijden, mijn rechterhand zakt af van zijn borst naar zijn rits. Ik weet niet wat het is met dit eiland, maar ik kan mijn eigen libido amper bijhouden. Ik doe dingen waarvan ik nooit gedacht had dat ze mogelijk waren en zeg dingen die te belachelijk zouden zijn om in het script van een pornofilm op te nemen, zoals: 'Laat me alle hoeken van de jacuzzi zien, rrrockster!'

Dylan antwoordt niet met zijn gebruikelijke grom, maar gaat op de rand van de matras zitten.

'Wat is er?' vraag ik bezorgd. Heb ik te veel van hem gevergd? Van de legendarische Dylan de Onverzadigbare? Ik ga naast hem zitten en sla een arm om hem heen.

'Ik bedenk me net dat ik mijn ouders vandaag al een jaar niet meer gesproken heb,' verzucht hij zielig, inclusief sip wenkbrauwenboogje. Zijn ouders. Daar heb ik hem nog nooit over gehoord. Persoonlijk lijkt me dat heerlijk rustig, zo'n radiostilte van mensen die je zelf niet uitgekozen hebt. Wat mijn vader betreft ben ik al aardig op weg, maar mijn moeders gekakel achtervolgt me nog als een hongerige zwerfkat.

'Waarom niet?' vraag ik.

'Heb je *Een Goddelijk Gesprek* toen niet gezien?'

En of ik *Een Goddelijk Gesprek* heb gezien! Natuurlijk! De knevelige tv-presentator en religielurker Gerbrand Kousenbroek zat al een jaar te azen op de ouders van Dylan, van wie bekend was dat het gereformeerde mensen waren van het zwartbekousde soort. Een heerlijke contradictie met het woestwilde leven dat Dylan leidde, met vrouwen en rock-'n-roll en een schandaaltje hier en daar. Pa en ma Winter hielden keer op keer de boot af; de Here houdt immers niet zo van het klatergoud van het vierkante kastje. Maar toen het huwelijk met Daphne op het laatste moment niet doorging, omdat Dylan de bruidsmeisjes niet had kunnen weerstaan, konden ze zich niet meer inhouden. Als hij zo zou doorgaan, zou hij de toorn Gods niet kunnen ontlopen. In een gesprek van een uur lurkte Kousenbroek het maximale uit hun gereformeerde mondjes. Ma Winter vertelde dat ze erg veel moeite had met het promiscue gedrag van haar zoon, omdat ze hem opgevoed had met de gedachte om toch vooral zuiver het huwelijk in te stappen. En het waren niet eens leuke vrouwen, mompelde pa Winter. Waar ik het trouwens roerend mee eens was, want Dylan had in het verleden een uitgesproken voorkeur voor het sloerieachtige genre. Aan het einde van het uur predikte pa Winter Bijbelteksten over gouden kalveren, hoogmoed en het alziende oog van de Here en zat ma Winter te bidden voor het zielenheil van haar eerst- en enig geborene. De pers zou de pers niet zijn als ze er niet enthousiast op gesprongen waren. Pa en ma Winter lieten zich nog een paar niet al te vriendelijke uitspraken ontlokken in het *Gereformeerd Dagblad*, die natuurlijk direct opgepikt werden door alle mogelijke roddel-, opinie- en parochiebladen. Met als gevolg dat Dylan zo gekwetst was dat hij hen nooit, maar dan ook echt nooit meer wilde zien.

'Maar nu weet ik dat niet meer zo heel zeker.' Glazig kijkt hij naar het vulkaanlandschap, dat niet tot hem door lijkt te dringen. 'Gerbrand Kousenbroek belde me laatst. Hij wilde graag iets doen. Want hij had het gevoel dat God hem een beetje met de nek aankeek de laatste tijd. Hij had mijn ouders bereid gevonden om hun excuses te maken, live op Nederland 1. En dan zouden we er samen met een priester, in de rol van bemiddelaar annex vredestichter, over kunnen praten. Want God is Vrede, zei hij.'

'Echt waar?' vraag ik. Dat zal ongetwijfeld geweldige tv opleveren, maar los daarvan lijkt het me niet zo'n goed idee. Ik kan me niet voorstellen dat Gerbrand Kousenbroek, de grootste gereformeerde relzoeker van Nederland, werkelijk wil dat Dylan en zijn ouders weer nader tot elkaar komen.

'Natuurlijk doe ik dat niet. Ik heb veel over voor mijn carrière, maar ik ga niet janken op tv. *No way*. Maar het heeft me wel aan het denken gezet. Ben ik te koppig? Of zijn we gewoon te verschillend? Toen ik met ze brak, voelde ik me opgelucht, maar ook alleen, begrijp je? Zonder iemand om altijd op te rekenen. Zonder iemand die er vanzelfsprekend voor me is.' Hij geeft me een lief kusje op mijn haar, dat ik gelukkig vanochtend gewassen heb. 'Sinds ik jou ken, voel ik me niet meer alleen.'

Ik druk me nog verder tegen hem aan, zo stevig als ik kan. Het geluk in mijn hart groeit zo hard dat mijn ribben kraken.

'Je hebt geen idee wat een heerlijk gevoel dat is. Zo volledig, zoveel rust.'

Iemand die dat soort dingen zegt verdient nog een poweromhelzing, maar Dylan stribbelt tegen.

'Hé, denk aan de ster,' zegt hij, met semistreng geheven vinger. 'Weet je wel wat het VOGH/JJGP kost als ik mijn rib breek onder werktijd?'

Nu er weer gelachen kan worden, kan de aandacht wel weer verplaatst worden naar de zone rond de riem, vind ik. Maar Dylan begint net warm te lopen. De afgelopen dagen is hij bezeten van praten. Hij praat met een enthousiasme van een kind dat net zijn stembanden heeft ontdekt en gefascineerd is door het geluid dat hij voort kan brengen. Hij praat over ons. Over zichzelf. Over vroeger. Over dit eiland. Over muziek. Over de toekomst. En natuurlijk over zijn favoriete onderwerp: mij.

'En jij?' Hij gaat er eens even goed voor zitten. 'Vertel jij nou eens wat meer over thuis?'

Ik zucht. Al dat geouwehoer over je ouders en vroeger wordt schromelijk overschat. Bedankt, Oprah en de Nederlandse Vereniging van Psychotherapeuten.

'Waarom vind je het zo moeilijk om daarover te praten?' Dylan schuift tegen me aan en draait een lok van mijn haar om zijn wijsvinger. 'Of vind je het moeilijk om dingen aan mij vertellen, omdat er thuis nooit gepraat werd? De manier waarop je ouders met elkaar omgaan heeft veel meer invloed op de manier waarop je zelf in relaties staat dan je denkt. Je spiegelt vaak onbewust hun gedrag, wist je dat?'

Ik mag het niet hopen. Dan zoek ik mijn heil bij de buurman, de melkboer, de accountant en ieder ander mannelijk object dat voorhanden is, snijdt Dylan op zondag de bapao aan, gaan we uiteindelijk uit elkaar en merkt niemand eigenlijk een verschil, behalve dan dat de post voor Dylan ergens anders naartoe moet worden gestuurd en dat ik niet meer stiekem hoef te doen over de melkboer. Maar ik vind Dylans prille psychologische interesse lief, aandoenlijk bijna. Het gevoelige gegraaf in zielen en verledens is zo'n contrast met zijn robuuste rocksterrenuiterlijk. Daarom bewaar ik mijn geduld en probeer ik zo lief mogelijk te antwoorden.

'Over mijn ouders valt niet zoveel te vertellen. Mijn moeder is een bemoeizieke vrouw met een obsessie voor Rob de Nijs, die vooral over zichzelf praat. Ze bedoelt het vast goed, maar ze is dodelijk vermoeiend. En niet om zielig te doen, maar mijn vader was er nooit. Nee, dat is echt niet zielig, want ik heb hem nooit gemist. Ik heb ook niet de behoefte gehad om hem beter te leren kennen. Hij is een doodsaaie workaholic met een te groot horloge en een steunpermanent.'

Dylan kijkt me vol medelijden aan. 'Schat, waarom laat je zo moeilijk het achterste puntje van je tong zien? Heeft dat misschien te maken met hun scheiding? Of schaam je je soms voor ze?'

Ik wil niet zo iemand zijn die de hele tijd zit te zuchten, dus neem ik me voor dat dit mijn laatste zucht is. Ik laat hem vanuit mijn tenen komen, zodat ik er optimaal van kan genieten. Dan draai ik me naar hem toe en maak me op om voor eens en altijd het ouderspook uit de wereld te helpen.

'Lieve, lieve Dylan. Je kiest je ouders niet zelf uit. Je kunt het geluk hebben dat je hele leuke ouders hebt. Of pech, omdat ze je publiekelijk kwetsen. Maar die van mij... het klikt gewoon niet tussen ons. Dat is alles. Er zit niets diepers achter. Echt niet.'

En ook niet achter mij, denk ik erachteraan. Ik ben geen stil water met een diepe grond. Bij mij krijg je precies wat je ziet, maar daar legt niet iedereen zich bij neer. Veel heren hebben al druk gezocht naar die dubbele laag, of in ieder geval een dubbele bodem. En ijverige zoekers vinden altijd wat ze zoeken, ook als het er niet is. Ik ben een doek dat naar eigen inzicht beschilderd kan worden, met een verleden waaraan iedereen zijn eigen gewicht hangt. En altijd meer dan ik er zelf aan hang. De werkelijkheid is dat ik een lichtgewichtverleden heb. Van de sprookjescasettes op mijn My First Sony tot de pony, van de vakanties in Frankrijk tot mijn grootse en meeslepende liefde voor Don Johnson. Een volstrekt inwisselbaar verleden, dat ik achter me gelaten heb, op zoek naar meer. Iedereen die begripvol begint over de reeks minnaars van mijn moeder of de drie huwelijken van mijn vader, lach ik uit. Het liefdesleven van mijn ouders interesseerde me net zoveel als zijzelf. Zo weinig dat het onmogelijk voor een trauma kan hebben gezorgd.

Hij doet zo zijn best, die lieve Dylan, om me te leren kennen, om alles van me te begrijpen. Wie had ooit gedacht dat hij stiekem zo gevoelig zou zijn? Het best bewaarde geheim van Nederland.

'Dat achterste puntje van mijn tong, dat mag je best zien, hoor,' knipoog ik. Ik kan helemaal niet goed knipogen; mijn andere oog gaat dan ook bijna dicht, zodat het effect nihil is. Maar het voelt heel verleidelijk. Ik steek mijn tong uit en schuif naar hem toe. Dit keer hapt hij toe en kan ik mijn handen weer gelegitimeerd naar de riem van zijn afritsbroek af laten glijden. Als ik toe ben aan de rits, zijn alle ouders, scheidingen en reliegielurkers al mijlenver weg. Waar ze horen.

Hoofdstuk 27

Ik ben verpest, ik zal nooit meer economyclass kunnen vliegen. Opgekruld in mijn lederen fauteuil heb ik zo gelukkig zitten te zitten dat ik er zelf bijna onpasselijk van werd. Ik voel me als een karakter in een geglaceerde Disney-film, waarin het snoep regent, pluizige beesten rondhuppelen en mensen zomaar in gezang uitbarsten. Vannacht heb ik amper geslapen, maar ik loop over van energie. Net als Dylan, die voortdurend in een zakboekje krast, omdat hij zijn inspiratie niet kan bedwingen. Glimlachend als een bezetene staar ik naar de bagageband, waarop een uitgebreid assortiment aan koffers voorbij rolt.

Dylan wilde onze laatste Galápagos-avond graag met z'n tweeën doorbrengen. Dat vond ik een uitstekend plan, want hoe fijn het ook is dat Yljaaa zich zo keurig onkreukbaar gedraagt, ik ben toch het liefst zo weinig mogelijk bij hem in de buurt. Ik ben bang dat zijn kalmte een stilte voor de storm is. Het Royal Tortoise Restaurant bleek gelukkig over een fantastische roomservice te beschikken. We zijn ons te buiten gegaan aan Ecuadoriaanse kokossushi, kreeft met inheemse vruchtensalsa, minitortilla's met kaviaar bij wijze van gehakt en nog meer culinaire masturbatieliflafjes die mijn verhemelte door het dolle heen maakten. Als alternatief dessert deed Dylan zijn reputatie eer aan met een verrassing waarvan mijn knieën nu nog kneedbaar zijn.

Tijdens een van onze eindeloze jacuzzisessies een paar dagen geleden vertelde ik Dylan over mijn eerste kennismaking met de bloemen en bijen. Ik moet een jaar of vijf geweest zijn toen ik nietsvermoedend de woonkamer inliep en mijn moeder aantrof voor de televisie. Verlekkerd keek ze naar een bleke, zingende man in een maatpak die gekke bekken trok naar een Chinees meisje en daarna een pan met noedels in de lucht gooide. Het meisje lachte breed.

'Dat is David Bowie,' verzuchtte ze. 'Bijna net zo leuk als Rob de Nijs. Het schijnt dat Patricia Paay het met hem gedaan heeft.'

Net toen ik vroeg wie Patricia Paay was en wat ze met hem gedaan had, stak David Bowie zijn tong in de mond van het Chinese meisje, op een verlaten strand. Hij keek erbij alsof het heel fijn was om je tong in de mond van iemand anders te stoppen. Daar was ik nou nog nooit opgekomen. Toen ze klaar waren met de tongen, rolden ze bloot op en over elkaar door de branding. Hun handen waren overal. Het zoute water gleed over hun lichamen en de ondergaande zon maakte hun huid donkerroze. Aan hun gezichten te zien was dit veel leuker dan zwemmen.

'Dát,' wees mijn moeder naar de tv. 'Dát heeft hij met Patricia Paay gedaan.'

Met open mond keek ik samen met mijn moeder naar David en het Chinese meisje. Ik begreep er weinig van, maar vond het prachtig. Later kwam ik erachter dat er weinig romantisch aan het lied was, omdat het Chinese meisje een metafoor was voor Davids enorme verlangen naar drugs, wat me deed afvragen hoeveel nummers er nog meer over drugs gingen zonder dat ik het in de gaten had. Toch bleef ik fantaseren over mijn eigen China Girl-moment. David, het Chinese meisje en het lege strand werden een ijkpunt voor alles wat met vrijheid, romantiek en bandeloze seks te maken had.

Dylan grinnikte en zei dat hij blij was dat er op dat moment geen videoclip van The Cure uitgezonden werd.

Na de sushi, de kreeft en de minitortilla's nam Dylan me mee voor een strandwandeling. Ik wilde eigenlijk in onze kamer blijven en hem weer de jacuzzi in lokken, maar Dylan zei dat we thuis weinig wandelingen konden maken over stranden met ragfijn zand, cactusbossen en de complete dierenencyclopedie, waarmee hij een punt had. Ontspannen pratend over hem, mij en andere belangrijke zaken sloften we terug naar de locatie van de shooting, tussen de palo santos en de cactusbomen door. De schemering betoverde het landschap. Op het strand liet Dylan zien waar ze precies geschoten hadden en waar de schildpad vandaan gekomen was. De plek waar hij met zijn gitaar gezeten had, was inmiddels overgenomen door de vloed. Op blote voeten waadde hij ernaartoe en wenkte mij om hem te volgen. Giechelend spetterde ik achter hem aan en liet me tegen hem aan vallen. Dylan giechelde niet mee, maar keek me bloedserieus aan. Zijn ogen filmden me, maakten een close-up van mijn gezicht en zoomden daarna uit, langs mijn dunne zomerjurkje omlaag. Zijn handen volgden, pakten mijn jurk onderaan vast en trokken hem langzaam omhoog, langs mijn middel, mijn borsten, langs mijn armen, die gehoorzaam mee omhoog bewogen.

'Er is niemand op het strand,' fluisterde ik, meer tegen mezelf dan tegen Dylan.

Nee, schudde Dylans hoofd ondeugend.

Hij trok zijn T-shirt over zijn hoofd, ik duwde zijn linnen broek en boxershort tegelijk omlaag, plotseling ondraaglijk ongeduldig. Haastig smeet hij de bundel weg, zonder te kijken of het wel op het droge zand landde en trok me mee omlaag, de branding in. Zoute golven gleden over onze lichamen en trokken zich weer terug, onze huid was donkerroze in de ondergaande zon. Dylan verspilde geen tijd met voorspelgefrutsel, klemde mijn handen in het zand en drong bij me binnen. Het water was koud, maar ik voelde het niet. Alles golfde, wij golfden, zout en nat, zanderig. De wereld werd vloeibaar, kleuren liepen door elkaar heen, maakten van de lucht een aquarel. Dit strand was alleen voor ons. Niemand anders had toegang tot dit moment, tot deze vipruimte van de liefde.

'Was dit zo ongeveer wat je bedoelde?' vroeg Dylan later en kuste mijn natte haar. Ik knikte lachend, net zo breed als het Chinese meisje.

Zo lig je in de Galapagese branding en zo sta je weer op Schiphol, denk ik, terwijl ik nog steeds naar de voorbijrollende tassen op de bagageband staar. Rugzakken, weekendtassen, maar vooral veel zwarte rolkoffers. Waarom kopen mensen een zwarte rolkoffer als iedereen zwarte rolkoffers koopt? Waarom wil iedereen wat iedereen wil?

Dylan stoot me in mijn zij. 'Haal die verlekkerde grijns eens van je gezicht,' zegt hij pesterig. Betrapt acteer ik een serieus hoofd. Maar mijn ingehouden lach verpest de geloofwaardigheid.

'Ik heb het zo heerlijk met je gehad,' fluistert hij in mijn oor.

'Ik ook,' fluisterlach ik terug, 'o, daar is mijn koffer!'

Niet zo'n romantische overgang, dat weet ik, maar om in naam van de romantiek je koffer nog een rondje te laten draaien is ook weer zoiets. Ik til mijn blauwe glitterkoffer van de band en rol naast Dylan naar de uitgang; weg van het Galápagosparadijs, terug naar de echte wereld.

Als we de schuifdeur doorlopen, botsen we op een muur van flitsers. Ik knijp mijn ogen dicht, geschrokken van het plotselinge licht. Maar ik herstel me snel. Die mensen hebben hier uren staan wachten; het is zielig om ze met een paar middelvingers naar huis te laten gaan. Ik fatsoeneer daarom mijn haar, zet een leuke glimlach op en zwaai een vriendelijk zwaaitje. Geen koningin Beatrix-zwaaitje, meer een goh-jullie-ookhier-zwaaitje. Het moet natuurlijk wel leuk nonchalant blijven.

'Dylan! Dylan!' wordt vanuit alle hoeken geroepen.

Ik kijk opzij om te kijken of Dylan ook zwaait, maar hij kijkt verschrikt naar de tientallen fotografen die staan te flitsen alsof hun leven ervan afhangt.

'Dylan, hoe was het op de Galápagos-eilanden?' vraagt een verslaggever van SBS.

'Uitstekend, dankjewel,' grimast Dylan en loopt snel door.

'Dylan! Dylan! Dylan!' roepen de andere fotografen en verslaggevers, die vinden dat zij ook recht hebben op persoonlijke aandacht. Bij iedere 'Dylan' krimpt Dylan een stukje verder in. Zijn Fendi Croquette houdt hij voor zijn gezicht, alsof hij erin weg wil kruipen. Jammer genoeg heeft hij daarvoor geen goeie aan de Croquette, want er past maar net een portemonnee, een telefoon en een mp3-speler in.

'Alex!' hoor ik tussen het gedylan door.

'Ja?' veer ik op, op zoek naar de vraagsteller. Eigenlijk zou ik zwijgend moeten doorlopen uit solidariteit met Dylan, maar één vraagje beantwoorden kan toch wel?

'Hoe was jullie liefdesvakantie?' vraagt een vrouw naast een zoemende camera.

'Liefdesvakantie?' Ik kijk alsof dat de meest belachelijke suggestie is die ik ooit heb gehoord. Frenks mediastrategie is heel eenvoudig: alles altijd ontkennen. Desnoods tegen de klippen op en met een bloedend mes in je hand. En altijd vertellen wat je wilt vertellen, ook al vraagt niemand daarnaar. 'We hebben keihard gewerkt, de commercial voor de BPW Bank wordt fenomenaal! Wacht maar af!'

Een ruk aan mijn arm haalt me uit mijn evenwicht.

'Kom, we gaan,' sist Dylan en trekt me mee naar de uitgang, waar Frenk een taxi klaar heeft staan.

'Alex! Alex! Alex!' hoor ik achter me, steeds zachter.

Hoofdstuk 28

Mijn hele bureau ligt vol bladen. En printjes.

'Jullie hadden me toch gevraagd om de pers een beetje bij te houden als jullie weg zijn?' zegt Serge, als ik vraag of het oud papier tegenwoordig op mijn bureau ingezameld wordt. Mijn god. Is dit allemaal verschenen in die paar dagen dat wij op de Galápagos-eilanden zaten? Ik raas door de stapel.

DYLAN EN ALEX'S LIEFDESVAKANTIE
EXCLUSIEVE FOTO'S

kopt de Privé-pagina van *De Telegraaf*. Ik zie ons praten en zoenen in de jacuzzi, op het strand en op ons terras.

Ook *Story* doet mee:

DYLAN EN ALEX OP DE GALÁPAGOS-EILANDEN:
HUN ROMANTISCHE FOTOALBUM

Wat!?

Exclusieve foto's?

'Hoe komen die bladen in gódsnaam aan die foto's?' roep ik.

En hoe wisten ze eigenlijk wanneer onze vlucht zou landen? Wij hebben ook recht op privacy! En als ik had geweten dat we gefotografeerd zouden worden, had ik ook eens een andere bikini aangedaan. En iets gedaan aan die glimmende neus.

'Euh...' antwoordt Roos.

Verbaasd kijk ik haar aan. Roos is geen euh-vrouw. Ze heeft overal direct een antwoord op. Altijd.

'Nou ja, het is voor VOGH/JJGP heel belangrijk dat de BPW Bank-campagne een succes wordt. Daarom hebben Rodzjer en ik besloten dat een pre-launch free publicity buzz een enorm teasend effect kan hebben. Iedereen zal nu nóg nieuwsgieriger worden naar de campagne.'

Hartstikke leuk, maar hoe komen ze nou aan die foto's?

'Die heb ik gemaakt,' zegt Roos en racet weg op haar stepje.

Tot zover mijn onverwacht opbloeiende sympathie voor Roos. Het was ook te mooi om waar te zijn. Ik kook bijna over van woede, maar maan mezelf tot kalmte. Dylan heeft gelijk: dit soort dingen gebeuren nou eenmaal als je bekend bent. Er zullen altijd mensen zijn die misbruik maken van je bekendheid. Ook mensen waarvan je het niet verwacht. Ik haal een paar keer adem, laat die yogamantra maar zitten (ik kan het niet onthouden en ben al weken niet naar yoga geweest. Tot grote ergernis van Eef en Hester, trouwens, die me er trouw iedere week op wijzen dat ik alweer niet ga) en blader verder door de stapel.

DYLAN EN ALEX:
LIEFDESKOPPEL VAN HET JAAR

staat op een print van gossip.com. Het is de kop van een volledig verzonnen interview, dat Dylan telefonisch zou hebben gegeven, vanaf de Galápagos-eilanden. Al heeft een sluwe typeslaaf het hele verhaal uit zijn of haar duim gezogen, toch voel ik me gevleid door alle lieve dingen die fantasiedylan zegt. Wat is het toch een lieverd.

En de gewone *Telegraaf* meldt:

Onder de kop tref ik eens een keer niet Dylan en mezelf aan, maar Rodzjer.

Rodzjer?

Ródzjer?

Hij zit gehurkt naast een enorme schildpad, ongetwijfeld zijn goede vriend Old George. De foto is zwart-wit, maar je kunt zien dat hij bloost van opwinding.

DOOR ONZE CORRESPONDENT

SAN JOSE- Rodzjer van Wansbeek, Creative Director van het gerenommeerde reclamebureau VOGH/JJGP, laat een noodkreet horen vanaf de paradijselijke Galápagos-eilanden. 'Het wordt tijd dat we ons druk gaan maken om deze wijze beesten in plaats van onszelf!'

Rodzjer van Wansbeek doet in niets denken aan de stereotiepe reclameman. Charmant, dat is hij. Maar op een bescheiden, bijna ontroerende manier. Niets in zijn verschijning riekt naar de bekende reclameclichés van geld, drank, vrouwen en snelle auto's. 'Een betere wereld, dat is mijn drijfveer,' zegt Van Wansbeek, en neemt nog een slok cola. Het lot van deze bedreigde diersoort greep hem toen hij werkte aan een nieuwe campagne voor de BPW Bank. Hij —

De telefoon verlost me uit mijn lijden.

'Spreek ik met mijn favoriete bekende Nederlander?' kirt Serge aan de andere kant van de lijn.

'Ach, dat valt toch reuze mee,' mompel ik bescheiden.

'Ik heb Suzanne aan de balie staan voor het statusoverleg. Schat, wat ben je toch brúín! Wat zie je er goed uit!'

'Ik?'

'Néé, Suzánne!' giert hij, alsof het een belachelijke illusie is dat ik maar enigszins bijgekleurd zou zijn en Suzanne wonderbaarlijk is getransformeerd tot Miss Drenthe.

In de Executive Board Room gaan we allemaal op onze vaste plek zitten.

Yljaaa heeft Sjerrun gestuurd; zelf is hij te druk met de montage. En een vergadering zou hem helemaal uit zijn creatieve flow halen. Haat en jaloezie blijkbaar ook, want sinds de Galápagos-eilanden is hij gestopt met Dylan-en-Alexje-pesten. Geen steken onder water meer, geen ziedende e-mails en hatelijke sms'jes; Yljaaa is zo kalm als Boeddha. Hij heeft zijn innerlijke evenwicht weer teruggevonden, zegt hij, en concentreert zich onverstoorbaar op zijn werk.

'Het gaat fantastisch!' kirt Sjerrun. Ik vraag me af of ze het heeft over de commercial of over haar 'werkrelatie' met Yljaaa. Ze blijkt het over het eerste te hebben, maar het zit nou eenmaal in mijn systeem om complottheorieën te ontwikkelen bij ieder willekeurig woord dat uit Sjerruns mond komt. Dat krijg je er niet zomaar uit. 'Yljaaa heeft een heel verrassende beeldtaal gevonden om de brand personality van de BPW Bank visueel over te laten lopen in de schoonheid van het eiland.'

Rodzjer vraagt watertandend wanneer hij een kijkje mag komen nemen.

'Niet,' snerpt Sjerrun.

Rodzjers mond valt open. De Rodzjers van deze wereld zijn niet gewend om 'niet' te horen. Zeker niet van regieassistentes.

'Maar dat is mijn werk!' brult hij.

'Vrijdag komen we het presenteren,' zegt ze poeslief, voor zover dat lukt met haar van zuurheid kromgetrokken gezicht.

Zo ziet het gezicht van een oorwurm er dus uit.

Gelukkig wordt de titanenstrijd der ego's onderbroken voor een intermezzo van De Klant, die zich zorgen maakt. Ze heeft net zo'n stapel papier voor zich liggen als ik op mijn bureau. Tot grote teleurstelling van Rodzjer maakt ze zich weinig zorgen over de wééreld, maar wel over de pershausse die de relatie van mij en Dylan dreigt te worden. Met vlakke hand slaat ze drie keer op de stapel, alsof ze hoopt dat ze hem daarmee kan doen verdwijnen.

'Dit hier. Wat zijn de consequenties hiervan voor mijn brand values? Ik stond al niet te juichen dat die twee, eh, intiem met elkaar omgaan, maar nu wordt het echt een probleem. Welke stappen gaan we ondernemen?'

Het zweet breekt me uit. 'Luister De, eh, Suzanne, ik begrijp dat je —'

'Het is helemáál geen probleem!' valt Roos me in de rede.

'Mag ik mezelf niet verdedigen?' vraag ik beledigd.

'Niet nodig,' knipoogt Roos. Maar sinds haar liefdesvakantiestunt twijfel ik weer ouderwets aan haar goede bedoelingen.

'Ja, je moet het gróter zien, Suzanne,' vult Rodzjer haar aan. 'Wat zijn je targets ook alweer? Waar word je op afgerekend?'

'Naamsbekendheid en publiciteit,' antwoordt De Klant niet-begrijpend.

'We hebben even een onderzoekje gedaan,' neemt Roos het van hem over, met een routine van een journaalpresentator, 'waaruit blijkt dat de BPW Bank de afgelopen weken 132 procent vaker in de pers wordt genoemd dan de Postbank.'

'Bovendien is de naamsbekendheid van de BPW Bank met 23 procent gestegen!' zegt Rodzjer. 'Kruip uit die box, Suzanne. Kijk breder. Dit is fantastisch!'

De hersens in het hoofd van De Klant draaien overuren om deze afwijkende aanpak te verwerken. Heel leuk, zo'n reclamebureau, zie ik haar denken, maar kunnen ze niet één keer iets normaals bedenken?

'Goed werk,' knikt ze uiteindelijk zuinigjes, ook maar naar mij. 'Verrassend. Bedankt.'

Hoofdstuk 29

Het wordt een gewoonte om me na mijn werk door een horde paparazzi te worstelen, naar Dylans huis te fietsen en me daar weer door een horde paparazzi te worstelen, waar ik een aantal dezelfde gezichten aantref. Ja hoor, Martin Matthijsen staat er weer. Eigenlijk is het helemaal niet zo'n beroerde vent, maar voor een paparazzo is hij veel te netjes. Hij kleedt zich onberispelijk, zegt me altijd vriendelijk gedag, gaat iedere keer aan de kant als ik hem dat vraag en spreekt keuriger ABN dan de gemiddelde nieuwslezer.

'Dag Alex!' blinken zijn tanden. 'Hoe gaat het met mijn favoriete mediapersoonlijkheid?'

'Uitstekend!' lach ik terug.

'Wanneer kunnen we een interview van jou in ons blad verwelkomen?'

'Voorlopig niet,' blijf ik glimlachen.

Van Frenk mag ik wel dingen zeggen (kwootjes weggeven, noemt hij dat, dat is goed voor het continueren van de *visibility*), maar niet zomaar complete interviews weggeven. Er is immers nog nooit officieel bevestigd dat wij een relatie hebben. (Een stukje suspense is helemaal goed voor de visibility, volgens Frenk.)

'Hoe is het met Dylan?' gaat hij onverstoorbaar door.

'Ook uitstekend!' glimlach ik, net zo onverstoorbaar.

'Wanneer kunnen we de nieuwe plaat verwachten? Ik ben zó benieuwd!'

Het hele land is inderdaad ondersteboven van het nieuws dat er binnenkort nieuw werk van Dylan verschijnt. Hij had zich een stuk minder zorgen hoeven maken over dat writer's block, want een zestig minuten lange herhaling van 'Vader Jacob' was nog een *millionseller* geworden, denk ik.

'Dat zal vast niet lang meer duren,' grijns ik geheimzinnig, om er nog maar een stukje suspense aan toe te voegen. 'Dag!'

Met mijn eigen sleutel (jawel!) loop ik Dylans grachtenpand binnen. Bij de deur pak ik de gebruikelijke stapel uitnodigingen op. Ik vind hem in zijn huisstudiootje, met zijn gitaar op zijn schoot en vellen papier om zich heen. Zoals hij daar nu zit, vind ik hem het mooist. Niet gestyled en geairbrushed, maar ongepolijst mooi, zoals een stuk onbewerkt hout mooi kan zijn. Ik probeer het moment dat ik stiekem naar hem kan kijken zo lang mogelijk te rekken. Ik beweeg niet en hou mijn adem in, zodat hij me niet hoort, verzonken in gedachten die alleen van hem zijn. Met gesloten ogen zoekt hij naar een woord of akkoord. Hij heeft zich in twee jaar niet meer zo geïnspireerd gevoeld als nu, zegt hij. Ik hoop stiekem op een lied met mijn naam, maar dat is nog niet uit zijn gitaar gerold. Wel een lied dat 'Serenity' heet, dat gaat over het pure gevoel van zijn liefde voor mij. Het is een begin. Dan maakt zijn hoofd een knikje, alsof hij wakkergeknipt wordt uit een hypnose. Hij opent zijn ogen, slaat een akkoord aan en ziet mij dan staan, in de deuropening.

'Lieverd!' juicht hij. Dylan is iedere keer weer even blij om me te zien. Vertederd kus ik hem en behandel de dagelijkse routine.

Hoe het was op mijn werk? Prima.

Hoe ging het vandaag bij hem? Uitstekend, hij heeft een idee voor een nieuw nummer. Luister maar.

Tijdens veelbelovend geplonk bekijk ik de post.

Première van de nieuwe James Bond. Black tie. Over een paar weken.

Backstagepassen voor een concert van een band waarvan ik

nog nooit gehoord heb, maar die er op de persfoto buitengewoon stoer uitziet. Overmorgen.

De presentatie van een nieuwe sportschoen in de Oyster Lounge. Vanavond. Ik heb niet echt iets met sportschoenen, maar de Oyster Lounge is altijd leuk.

Met een charmant knieknikje overhandig ik de uitnodiging aan Dylan. Hij kijkt er snel naar en legt hem weer weg. 'Ik blijf liever thuis,' zegt hij, 'met jou.'

'Aaah?' pruil ik op mijn leukst. 'Heb je geen zin om er even uit te gaan? Met mij?'

'Ik heb de hele dag gewerkt, lieverd.'

'Ik ook,' zeg ik, zo monter als ik kan, 'en ik ben wel toe aan een verzetje!'

Dylan trekt me op zijn schoot. Een gevaarlijke plek, want ik vind het altijd heel moeilijk om mijn aandacht bij het gesprek te houden als hij me daar neerzet.

'Ik heb even geen zin in die herrie, al die mensen.' Hij trekt me tegen zich aan en kust me in mijn nek. 'Ik heb genoeg aan jou.'

Ik zet nogmaals mijn befaamde pruillipje in, maar Dylan blijkt vandaag niet gevoelig voor pruilerijen.

'Ik moet gewoon nog een beetje bijkomen van de Galápagoseilanden. Ik heb daar zo genoten van de rust, zonder al die verplichtingen en fotografen. En hier is het weer zo hectisch, begrijp je wat ik bedoel?'

Mokkend kijk ik naar zijn knieën. Ik wist niet dat we al bejaard waren. 'Gaan we vanaf nu puzzelen bij de haard die het niet doet, onder het genot van een glaasje jenever met een schepje suiker? Ach ja, waarom ook niet. De spanning van de Britse detectives op tv is meer dan genoeg, toch?'

Dylan schiet in de lach, ik schud mee op zijn knieën. 'Lieverd, je overdrijft weer schromelijk. Wij zijn helemaal niet bejaard, of truttig. Eerder jong, dynamisch en fantastisch. Vind je niet?'

'Ja, gewéldig!' giechel ik en gooi theatraal een arm in de

lucht. 'Dylan en Alex, wat een paar! Het liefdeskoppel van het jaar!'

En dit leuke liefdeskoppel gaat samen koken.

Koken.

Ik heb een nog grotere hekel aan koken dan aan de verplichte literatuurlijst in mijn eindexamenjaar, toen ik erachter kwam dat Nederlands, Frans, Duits, Engels, Geschiedenis en Handvaardigheid heus geen pretpakket zijn. Om Yljaaa een plezier te doen, vertelde ik in mijn enthousiasme dat ik best een aardig stukje kon koken. Dat zei ik echt, een aardig stukje koken. Sterker, ik was dól op koken, heerlijk vond ik het! Meestal kookte Yljaaa gelukkig en wierp ik deskundig wat blikken in pannen (niet letterlijk, want in de keuken van Yljaaa zijn conserven ten strengste verboden), maar af en toe had ik corvee, wat halsbrekende toeren met kookboeken en weggemoffelde verpakkingen van kant-en-klare waar betekende. Tegenover Dylan ben ik zo verstandig geweest om eerlijk te zijn over mijn kookaversie, wat Dylan ontzettend lief vindt. Dylan vindt de meest ongelofelijke dingen lief. Uitgesmeerde restjes mascara als ik wakker word, bijvoorbeeld. Het feit dat ik nooit iets kan vinden in mijn tas. Schattig. En mijn voorliefde voor roddelbladen en entertainmentprogramma's op tv. Aanbiddelijk! Ik heb mezelf altijd graag willen zien als vrouw van de wereld; stoer, zelfstandig, avontuurlijk en, als het een beetje kan, legendarisch grappig. Vergeet het maar. Ik ben lief, schattig en ontwapenend. En daar moet ik het mee doen.

Vanwege mijn lieftallige keukenhaat bepaalt Dylan wat we gaan maken, hoe we dat gaan maken en waarmee. Uit gaat Dylan zich graag te buiten aan minuscuul vingereten, maar thuis is hij geen chique liflafjesman. Nee, binnen de muren van huize Winter is het Manneneten dat de klok slaat. Met hoofdletter M, ja. Als het maar groot, veel en gebakken is, lijkt het credo. Vandaag is het tijd voor zijn specialiteit: spaghetti met sla. Dat had ikzelf ook nog wel gekund. Nou ja, met een kookboek erbij, dan. Hij roert, giet en draait gaspitten hard en zacht; ik lever een cruciale bijdrage met het snijden van een ui en het aangeven van een pollepel. Tijdens al dat gekook praat Dylan er weer op los. Over een nieuwe concerttour waaraan hij wil beginnen, zodra hij zijn nieuwe plaat afheeft. En dat die nieuwe plaat komt, daar twijfelt hij niet over, want de schrijversblokkade is definitief opgeheven. De liedjes rollen zijn mouw uit. Met een aanstekelijk enthousiasme weidt hij uit over de muzikale wortels van zijn idool Bob Dylan, waarnaar hij vandaag gegraven heeft en die hem zoveel geleerd hebben over het songschrijverschap.

'Het heeft me weer op allerlei nieuwe ideeën gebracht!' jubelt hij.

De staat van geluk waarin Dylan zich de laatste tijd bevindt, doet me nog het meeste denken aan een uitgelaten puppy, die springt en hijgt en uit enthousiasme over zijn eigen pootjes struikelt. Of over zijn oren, in het geval van een basset.

'De onderwerpkeuze, bijvoorbeeld. Als je naar Dylan luistert, hoor je liefdesliedjes, maar ook nummers over mijnwerkersstakingen, over tamboerijnspelers, over een bokser, een dienstmeisje, Jezus, politiek, oorlog, zelfs over stenen! Hoe kom je erop! De hele maatschappij is geabsorbeerd in zijn muziek. Hij is niet alleen muzikant, zijn teksten gaan zoveel verder dan *I hold you tight/ in the moonlight/ that shines so bright/ oh, what a night*. Het is bijna poëzie wat hij schrijft, eigenlijk. Iedereen kan het op zijn eigen manier interpreteren. En dan denk ik: waarom heb ik zoveel nummers over vrouwen geschreven? Over zoveel verschillende vrouwen? Ik kon niet meer dan één nummer schrijven over één vrouw, wist je dat? Over Daphne heb ik ook maar één lied geschreven.'

'Dat was dan vast "Oh Daphne",' grap ik.

Soms word ik een beetje moe van mijn neiging om overal een grapje van te maken. Soms pakt dat best leuk uit, maar als ik een oud vrouwtje en haar rollator op de grond zie vallen, kan ik haar beter overeind helpen dan iets zeggen over de niet al te fantastische wegligging van haar 2 inch-banden. (En dan zijn we meteen aangekomen bij het slechtste grapgenre: de autograppen. Mijn vaders schuld.)

'Klopt,' grinnikt Dylan. Dylan lacht bijna altijd om mijn grapjes. Niet omat ze allemaal zo leuk zijn, maar omdat ik ze maak en hij ze daarom het voordeel van de twijfel gunt. Zijn loyaliteit ontroert me. 'Maar over jou ben ik van plan om veel meer nummers te gaan schrijven. Vanaf nu ben jij de enige vrouw in mijn muziek.'

Stralend kus ik hem terug. Liedjes. Over mij. Mijn naam op een cd-hoesje. Omdat ik het waard ben, zullen we maar zeggen.

Of ik niet bang was dat Dylan mij net zo zou belazeren als hij met Daphne gedaan heeft, vroeg Eef me laatst in Café Cor. Helemaal niet meer, tot mijn verbazing. Natuurlijk, toen ik Dylan net kende intimideerden de ronddolende vrouwspoken uit het verleden me. Het was een nachtmerrie. Letterlijk. Ik probeerde ze van me af te schudden, maar hoe harder ik dat probeerde, hoe meer er op me af kwamen. 's Nachts droomde ik dat ze allemaal naast mijn bed zaten. Dat paste niet, dus zaten en stonden ze overal. De hele kamer zat vol met spookvrouwen, de een nog mooier dan de ander, al waren een aantal van hen uitgesproken sletterig. Ze zaten daar maar en keken nieuwsgierig naar de nieuwkomer die naast Dylan lag. Ik zag spot in doorgewinterde ogen; anderen keken me vol slecht verstopt medelijden aan. Om het nog erger te maken begonnen ze te praten. Over hoe Dylan ze versierd had, en waar, en met hoeveel tegelijkertijd. En over hun persoonlijke kwaliteiten in bed. Want om Dylans aandacht vast te houden, moest je een onderscheidende kwaliteit hebben in bed, verzekerden ze me. Een fijnproever moest je voortdurend verrassen met nieuwe smaken. Een dame aan mijn voeteneinde kon iets heel interessants met haar benen in haar nek, een dame daarnaast had een uithoudingsvermogen als een paard (kwantiteit is ook kwaliteit, drukte ze me op het hart) en een dame bij mijn hoofd was erg goed in meervoudige orgasmen (dat vinden mannen leuk, zei ze; dan denken ze dat ze de beste minnaar zijn die je ooit hebt gehad). In paniek dacht ik na over mijn kwaliteiten. Tomeloze creativiteit? Tja. Ongelofelijke lenigheid? Ik kom met mijn vingertoppen net langs mijn knieën. Iedere ochtend werd ik zwetend wakker, de honende ogen brandden na op mijn kussen.

Maar langzaam vervaagden de spookvrouwen. Er zaten er steeds minder om mijn bed en diegenen die overbleven, waren eigenlijk best aardig. Ze konden geen benen in hun nek leggen en hadden geen geheime trucs met bekkenbodemspieren. Zij vertelden mij wat ik zelf al vermoedde, maar niet durfde te denken: dit was anders. Dylan had een besluit genomen. En dat besluit was ik.

En dat weet ik ook als ik wakker ben. Dylan heeft de onrust van zich afgeschud en zijn jagersinstinct bij het grofvuil gezet. Hij heeft een man in zichzelf ontdekt die hij nog nooit ontmoet had, maar graag beter wil leren kennen. Een man voor wie later opeens verder reikt dan volgende week. Hij kan niet stoppen met vertellen hoeveel hij van me houdt. Alsof hij telkens weer aan zichzelf wil vertellen dat het waar is, dat Dylan Winter zich ook over kan geven aan één vrouw. Iedere keer dat hij het zegt (vergezeld door een lief kusje of een arm om me heen of een smeulende blik, die vaak een trailer is voor een dampende, avondvullende hoofdfilm, zonder pauze) maakt mijn hart een blij sprongetje. Inmiddels is het in zo'n conditie dat het aerobicsles kan gaan geven in de sportschool om de hoek.

Nee, Eef, Hester en de rest van Nederland: ik ben niet bang. Dylan Winter, Nederlands heetste rockster, is vrijwillig in mijn broekzak gaan zitten en is niet van plan om daar voorlopig nog uit te komen.

'Ik hou zoveel van je, weet je dat?' Met een lief kusje schuift hij tegen me aan, in zijn ogen laait het vuur op.

Kijk, zei ik het niet?

'Maar ik vind het zo moeilijk dat iedereen daar getuige van wil zijn. Af en toe word ik gek van die fotografen die me overal volgen. En van al die belachelijke verhalen die de roddelbladen bij elkaar verzinnen. Word jij daar ook niet helemaal dol van?

Wat wij hebben is iets tussen jou en mij. En niet iets tussen ons en de rest van Nederland. Jij en ik, daar gaat het om. Daar heeft de rest niets mee te maken.'

'Jij en ik,' kus ik terug.

Hij geeft licht, de huid rond zijn ogen krinkelt vrolijk met zijn mondhoeken mee. Zo zie je er dus uit als je intens gelukkig bent, denk ik als ik naar hem kijk.

We eten bij de haard die het niet doet. Het blijft een van mijn favoriete plekken in Dylans huis, waar ik me onderhand meer thuis voel dan ik me in mijn eigen zolderkamerappartement ooit gevoeld heb. Dylan heeft amper tijd om te eten, zo druk is hij met praten. Hij praat alsof hij het jarenlang vergeten is en zo snel mogelijk de gemiste tijd in wil lopen. Sinds de Galápagos-eilanden zijn zijn stembanden helemaal op dreef. Hij heeft het nog steeds over Bob Dylan.

'Bob is tegen zijn zin een boegbeeld van zijn generatie geworden. Net als ik, eigenlijk. We hebben veel meer gemeen dan ik dacht. Hij komt ook uit een klein dorpje. Al komt hij uit Hibbing en ik uit Rijssen. Hij begon ook al op de middelbare school met muziek maken en brak pas door toen hij naar de stad verhuisde. Zijn wortels liggen in traditionele Amerikaanse muziekstromingen als folk en blues. En dat geldt eigenlijk ook voor mij. Ik graaf ook in de wortels van de Nederlandse rock, zoals The Golden Earring, Brood...'

'Rob de Nijs...' grap ik. Maar Dylan snapt hem niet.

'Dylan werd begin jaren zestig het boegbeeld van zijn generatie. Of, zoals hij zelf zei, de ceremoniemeester. Maar dat drukte als een enorm zware last op zijn schouders. Mensen verwachtten meer van hem dan hij kon waarmaken. Hij deed zijn best om de aandacht van zichzelf af te leiden, hij wilde veranderen. Omdat hij als artiest wilde groeien, maar ook omdat hij zich los wilde maken van een beeld dat nog maar weinig met hem te maken had. De meest rigoureuze stap die hij misschien wel genomen heeft is zijn overstap van akoestisch naar elektrisch. Het tegenovergestelde van wat ik nu doe, eigenlijk. De fans waren woest, ze begrepen er niets van. Ze konden zijn ontwikkeling niet bijhouden. De druk werd steeds groter, hij werd opgeslokt door de pers, het toeren en het publiek. Zijn privéleven begon er onder te lijden, terwijl hij eigenlijk alleen maar in alle rust gelukkig wilde zijn met zijn vrouw en zijn kinderen. In 1966 kreeg hij een motorongeluk, daarna trok hij zich anderhalf jaar terug uit de publiciteit. Er wordt gefluisterd dat dat niet helemaal per ongeluk was. Later gaf hij toe dat hij in die periode heel graag die ratrace uit wilde. Omdat hij er gek van werd. Helemaal gek.'

Dylan staart in de vlamloze haard en draait nog een hap spaghetti om zijn vork; ongetwijfeld het lievelingseten van Bob Dylan. Mijn broekzak trilt. Mijn moeder, zie ik in het display. Die belt bij voorkeur als ik onder de tram kom of net in een goed gesprek ben over de overeenkomsten tussen Dylan en Dylan.

'Hallo,' zucht ik.

'Dag pop! Ik heb al zo lang niets meer van je gehoord, dus ik dacht: ik bel maar weer eens even! Hier is alles goed hoor, het is wel eenzaam zonder Bernhard, maar ach, ik zeg altijd maar zo: een leuke vrouw als ik blijft niet lang alleen!'

Haar kamervullende lach schalt door de telefoon. Als mijn moeder lacht, hoeft er verder ook niemand meer te lachen. Niet dat ze daar iets van merkt, trouwens. Als ze lacht, praat en zelfs als ze zwijgt, wordt al haar aandacht opgeslokt door haarzelf.

'Met mij is het goed, hoor,' zeg ik maar. Dan vraagt iemand daar tenminste nog naar.

Dylan laat zich met zijn spaghetti onderuitzakken op het harige kleed en pakt de biografie van Bob Dylan erbij.

'Dat had ik allang gelezen, pop!' kakelt mijn moeder verder. 'Ik moet zeggen dat ik het een beetje jammer vind dat je je arme moedertje vergeet. Ik zit hier maar in Almere terwijl jij de bloemetjes buiten aan het zetten bent met meneer de rockster.'

'Ik wilde je nog bellen, maar ik was een beetje druk...'

'Ja ja ja, wrijf het er maar in. Lekker winkelen, uit eten, feestjes van de platenmaatschappij, de Galápagos-eilanden... het kan niet op. Zeg pop, ik vind dat het tijd wordt dat je je dochterlijke plichten weer eens gaat vervullen. En als jij het te veel moeite vindt om naar mij toe te komen, stel ik voor dat je mij uitnodigt. Ik vind dat ik zo langzamerhand mijn nieuwe schoonzoon weleens mag ontmoeten!'

Horrorscenario's schieten aan me voorbij, met mijn moeder in haar kanten catsuit, mijn moeder in een doorzichtige glitterblouse, mijn moeder die zin heeft om eens lekker uitgebreid te praten over seks, die toch wel anders wordt als je ouder wordt, en mijn moeder die Dylan schoonmoederlijk aan haar borsten drukt. Ik zou me zo schamen dat ik Dylan niet meer onder ogen zou durven komen.

'Goed plan, mam. Ik bel je binnenkort wel, oké? Dag!'

Geërgerd druk ik mijn telefoon uit.

'Wie was dat?' vraagt Dylan.

'Mijn moeder,' zeg ik met een frons tot aan mijn neusgaten.

'Lieverd, maak je nou niet zo druk,' zegt hij en kust mijn oor, mijn nek. Zijn troostende stem maakt me al wat rustiger. 'Als wij maar samen zijn. Jij en ik, daar gaat het om, weet je nog?'

Ik knik, vol overgave. 'Ja, jij en ik,' herhaal ik.

Hoofdstuk 30

Ik voel me schuldig. Niet omdat ik te lang niets van me heb laten horen. Daar ben ik het helemaal niet mee eens; ik heb nog twee sms'jes gestuurd vanaf de Galápagos-eilanden. En het is echt niet zo dat je daar zomaar overal bereik hebt. En bij VOGH/JJGP ben ik gewoon druk. Mag een mens het een keer druk hebben? Ik voel me schuldig omdat het kabbelende gebabbel van Eef en Hester van mijn oren afglijdt, die een teflonlaagje blijken te hebben. Ook de gin-tonics helpen me niet om wat soepeler het gesprek in te glijden. Mijn gedachten dwarrelen door de ruimte, weg van wie het met wie doet, de harige armen van J.P. van der Lugt, Bonzo-shootings, niet te missen nieuwe kleren en de dramatisch mislukte liefdeslevens van onze favoriete beroemdheden. Onze levens liepen parallel, maar er zit meer ruimte tussen dan ik dacht. Eef en Hester luisteren ongeïnteresseerd naar mijn verhalen over de Galápagos-eilanden, over Dylans huis, over de Oyster Lounge, over hoe goed het voelt tussen ons. Het lukt ze niet om over de grenzen van hun eigen leventjes te kijken en zich in te leven in mijn nieuwe wereld. Zo flauw.

Ik begrijp niet waarom Eef en Hester zo matig enthousiast zijn over de ontwikkelingen tussen mij en Dylan. Zeker Hesters lauwe reactie snap ik niet; zij is nota bene degene die me bij Dylan in bed heeft geduwd. Maar nu vindt ze 'dat ik er te veel in opga'.

'Kijk naar jezelf en J.P. van der Lugt,' gooi ik terug. Lekker volwassen.

'Dat is anders,' sputtert ze.

'Ja, hij is getrouwd!' schiet mijn mond uit, te hard.

Hesters gezicht vertrekt. 'Ja, dat had ik ook wel in de gaten,' fluistert ze.

Sinds wanneer vindt Hester dat een probleem? Hester, grotere macho dan welke man dan ook. Die mannen versiert alsof het bureaustoelen zijn. Die trouw nog belachelijker vindt dan toewijding en een langdurige relatie hilarischer dan *Fawlty Towers*. Ze is toch niet...?

Ze knikt, verdrietig. Eefs ogen vragen me verwijtend waarom ik het nu pas zie.

Laat maar, ik snap 'm al.

Shit, nou moet ik mijn excuses aanbieden, of in ieder geval iets dat erop lijkt. Ik zal vanaf nu beter naar je luisteren? Nee, dat zeg je tegen je moeder, nadat je je vingers in je oren hebt gestopt, omdat je geen zin had om haar gekakel nog langer aan te horen. Hester, het spijt me dat ik zoveel met mezelf bezig geweest ben. Ja, en zij dan? Waarom zou ik alles op mijn schouders moeten takelen? Hester, ik —

'We zien je de laatste tijd nog zo weinig,' zegt Hester.

'Ja, je komt bijna nooit meer op de DoMiBo. En je gaat niet meer met ons mee naar yoga,' vult Eef aan. 'En als we voorstellen om uit te gaan of iets anders leuks te doen, heb je altijd iets te doen.'

'Met Dylan,' zegt Hester, met een vies gezicht.

'Hallo, mag ik niet genieten van mijn nieuwe liefde?' vraag ik.

'Ja, maar wij zijn er ook nog,' zegt Hester.

'Ja, wij zijn er ook nog,' herhaalt Eef.

Dat zal allemaal wel, maar —

'Ik heb je gewoon no-hoodig!' barst Hester in een onaangekondigde stortbui uit. Haar gesnotter steekt schril af bij het gezellige babbelrumoer. Ik schrik ervan. 'Eef doet wel haar best, hoor, om te begrijpen wat er gebeurt met J.P., maar met jou is het toch anders!'

'Nou, bedankt,' mompelt Eef.

'Het is wel zo,' haal ik mijn schouders op. 'Jij bent nog traditioneler dan de paus.'

Stijf staan Hester en ik tegenover elkaar. Ik vind het allemaal hartstikke leuk, vriendschap, maar in dat emotionele ben ik gewoon niet zo goed. Hesters natuurlijke talent is het ook al niet.

Ik til mijn armen op.

Hester strijkt een lok haar achter haar oor.

Ik schuifel met mijn linkervoet.

Hester veegt een traan van haar wang.

Ik til mijn armen nog een stukje verder op.

Hester gooit zich met volle vaart tegen me aan.

'Ik heb je gewoon gemist,' zegt ze zachtjes in mijn oor.

'Het spijt me,' fluister ik. 'Ik zal een betere vriendin zijn.' Ik kan niet geloven dat het echt mijn mond uitkomt. Ik ben trots op mezelf. 'Weet je wat?' hoor ik mezelf zeggen. 'Waarom komen jullie binnenkort niet een keer eten? Dylan is dol op koken!'

'Ja, leuk!' hoor ik in mijn nek.

'Ik voel me nu wel een beetje buitengesloten,' hoor ik Eef. Ik kan haar niet zien, want Hesters haar zit voor mijn ogen. 'Ik kom erbij, hoor!' waarschuwt ze, voordat ze zich om ons heen gooit.

Met z'n drieën hangen we tegen elkaar aan. Best lekker, eigenlijk, dat meisjesgedoe. Je moet het niet iedere dag doen, maar het heeft wel iets – hoe zal ik het zeggen – vriendinnerigs. De troostende oerkracht van vrouwen, zoiets. Het kan me niet eens schelen wat Café Cor vindt van het Tranen Trio. Het kan me zelfs niet schelen als die man, die daar zo nonchalant de stamgast zit uit te hangen, een fotograaf is. Laat de wereld maar zien wat een warme persoonlijkheid ik heb. Mijn mascara is toch waterproof.

Hoofdstuk 31

Uit het plafond van de Executive Board Room is een enorm projectiescherm omlaaggezakt. Geweldig; als je op een knopje drukt van het *multi media corporate presentation system*, komt dat ding gladjes en geluidloos omlaag. Ik kon er geen genoeg van krijgen; Roos heeft me uiteindelijk verboden om nog in de buurt te komen van de knopjes. Kinderachtig, hoor. Serge, die over onvermoede cateringkwaliteiten blijkt te beschikken, loopt rond met een blad met taartjes. Normaal gesproken is iedereen hier te beroerd om ook maar een kop koffie voor iemand anders mee te nemen, maar nu Dylan Winter in het pand is, zijn mensen bereid om het toilet achter zijn kont aan schoon te maken, als hij dat zou vragen. Eef en Hester hebben het heft maar in eigen hand genomen, zijn op de gang op Dylan afgerend, hebben zich voorgesteld als mijn beste vriendinnen en riepen dat het hoog tijd was dat ze mijn nieuwe vriendje eens zouden ontmoeten. Dylan zei, charmant als altijd, dat hij het een eer zou vinden om ze eens te ontvangen in zijn grachtenhuis om ze beter te leren kennen. Een paar maanden geleden zou je dat soort woorden uit Dylans mond heel anders opvatten, maar nu bedoelde hij ze zo letterlijk als het maar kan.

Aan het hoofd van de sloophouten vergadertafel zit Yljaaa. Toen hij binnenkwam, praatte hij tegen iedereen, behalve tegen mij. Dus ik zweeg maar terug. Hij ziet eruit als iedere andere keer dat hij net een project heeft afgerond; moe, met donkergrijze wallen onder zijn ogen. Maar door de vermoeidheid schijnt voorzichtig de superieure zelfverzekerdheid, die ik zo onweerstaanbaar vond. Sjerrun zit er goddank niet bij. Ik weet dat ik niets meer van haar te vrezen heb, maar ik blijf haar een vervelende aankleedpop vinden met een stem als een brandweersirene, die ontzettend geschikt zou zijn als koffiedame op een onderzoeksstation in Siberië of op de Zuidpool. Sommige aversies moet je blijven koesteren. Verder zit het hele basiscomité weer om de tafel: Rodzjer, Roos, De Klant en ik. En voor de gelegenheid is Baas Marque ook van de partij. De spanning hangt voorgesneden in de lucht. Dit is het uur U. Het moment waar we met zijn allen naar toegewerkt hebben. Waarvoor we ons zorgen gemaakt hebben over het writer's block van Dylan, waarvoor we speciaal naar de Galápagos-eilanden gevlogen zijn, geslapen hebben in het Royal Tortoise Hotel en waarvoor ik de strandwacht van Bahía Tortuga heb omgekocht. Van al dat geld en al die inspanningen wacht ons nu het resultaat. Rodzjer heeft de commercial al gezien en kan van enthousiasme geen volledige zin meer formuleren. 'Het is... Weet je... Nou ja, eigenlijk is het zo dat... Verbluffend, dat is het, je zou kunnen zeggen dat... Postmodern is misschien een goede omschrijving... Sinds ik in de reclame zit heb ik nooit... En dan denk je dat je het allemaal wel gezien hebt...'

Baas Marque trakteert ons weer op een uitvoering van de Radetzkymars met zijn linker Van Bommel, De Klant doet zich weer te goed aan haar nagels en Dylan staart als een sfinx voor zich uit. Ik teken zes konijnen en perfectioneer mijn handtekening.

Dan staat Yljaaa eindelijk op. Hij lijkt langer dan ooit, blijft maar opstaan. Het lijkt minuten te duren voor hij eindelijk helemaal is uitgerold. Niet voorovergebogen, zoals de laatste tijd, maar ouderwets rechtop. Hij draagt een zwart pak – Hugo Boss, zoals altijd – waardoor zijn kaarsrechte hoekigheid nog duidelijker uitkomt. Mijn favoriete pak was dat. Treiterig doet hij zijn bril af en veegt beide glazen uitgebreid schoon. Dan zet hij hem weer op, zet hem nog wat rechter op en leunt met één hand op de sloophouten tafel; opvallend ontspannen.

'Ik zal jullie niet langer in spanning laten,' zegt hij.

'Het moment is aangebroken voor... Jullie zullen nu getuige zijn van... Alles wat je tot nu toe dacht over reclame...' doet Rodzjer zijn best op een aankondigingswoordje.

Met zijn hand boven het knoppeninstrumentarium van het multi media corporate presentation system verlost Yljaaa hem uit zijn lijden. 'Mag ik u presenteren: de nieuwe commercial voor de BPW Bank.'

In zwart-wit zien we Dylan vanaf zijn rug; hij zit op het strand. De camera draait om hem heen, naar zijn gezicht.

Mijn God.

Zijn gezicht.

Wat is er met zijn gezicht gebeurd?

Dylan ziet eruit alsof hij net onder een steen vandaan getrokken is, zo onvoordelig is hij belicht. Onder zijn ogen tekenen zich grimmige lijnen af, dwars door diepe schaduwen, die er door het sterke zwart-witcontrast extra donker uitzien. De kater kruipt van zijn gezicht.

Een schok gaat rond de tafel. Want Dylan heeft een gezicht dat geen Photoshop nodig heeft. Hij heeft een jaloersmakende gladde huid en een leeftijdloosheid die voor een vrouw moeilijk uit te staan is. Hij neemt de verzorging van zijn huid serieus, zonder zijn mannelijkheid te verliezen. Eén keer in de zes weken neemt hij een facial en hij reinigt zijn huid trouw iedere avond. Maar wat heeft Yljaaa met de belichting gedaan? Ik draai mijn ogen uit de kom naar Dylan, die stralend als een roosje naar het scherm zit te kijken; met zijn huid zo glad als een babybilletje.

Zie je wel.

De Dylan met het grafgezicht begint te zingen over zijn drie huizen, zijn Maserati en zijn Porsche. Het stralend witte strand is in zwart-wit nog steeds wit; de cactusbomen staan trots in de achtergrond.

Maar de camera blijft niet op Dylan gericht; het beeld wordt afgewisseld met materiaal afkomstig van Yljaaa's handcameraatje; grofkorrelig en zwabberig geschoten. Ongetwijfeld authentiek bedoeld. We zien The Turtle Bar, waar Dylan onvast staat, met een gin-tonic in de hand.

We schakelen weer over naar de Dylan op het strand, zingend over zijn bankrekeningen, zijn huizen en zijn manager. Een schildpad kruipt naar hem toe. Dylan zingt lachend; ik zie de ontroering in zijn donker omrande ogen.

We zien Dylan weer in The Turtle Bar, wild gebarend naar Rodzjer.

We zien de zingende Dylan met schildpad.

We zien Dylan die lachend een arm om mij heen slaat.

Ik zit in de commercial! Ik zit in de commercial!

We zien de Dylan op het strand, die zingt dat hij het allemaal heeft, ja, dat hij een ster is, maar dat dat hem sinds kort geen zier meer uitmaakt.

We zien Dylan in The Turtle Bar; zijn ogen verdwijnen in het decolleté van Roos.

Die stomme borsten van Roos ook altijd.

De beelden worden sneller op ons afgevuurd, steeds onheilspellender.

Dylan, zingend over geld, dat hem niet interesseert.

Schildpad.

Dylan.

Roos' decolleté.

Dylan.

De handen van De Klant, zachtjes knijpend.

Dylan.

Gin-tonic.

Dylan.

Schildpad.

Dylan.

Drank.

Dylan.

Jacuzzi.

DylanIkDylanRodzjermetarmenindeluchtDylanDylanDylan.

Die zingt dat hij alleen maar geeft om mij, mij, mij-hij-hijij.

Ontredderd kijk ik naar het scherm, dat weer zwart geworden is. Waar is het droomstrand? Waar is de droomcommercial? Waar is de droomdylan?

'Fantastisch!' Rodzjer staat klappend op. 'Fantastisch! Baanbrekend!' Hij heeft niet in de gaten dat niemand met hem meeklapt.

Yljaaa staat ook op. Niet om te klappen, maar om zijn werk toe te lichten. 'Bedankt, Rodzjer. Bedankt, allemaal. Ik wilde de mooie tegenstrijdigheid uit het lied doorzetten in beeld. Je verwacht dat een commercial voor een bank over geld gaat, maar de boodschap blijkt over liefde te gaan; een intelligente tweestapsmanier. Daarom wilde ik er niet zomaar een liefdesfilmpje van maken met een mooie jongen op een mooi strand. Dat zou te voorspelbaar worden.'

'Precies!' haakt Rodzjer in. 'Veel te makkelijk! De boodschap die we willen vertellen is zoveel gelaagder, zoveel dieper. De beelden zetten je keer op keer weer op het verkeerde been. Door het vervreemdende effect zal de boodschap veel duidelijker binnenkomen bij de consument.'

'Ik ben nu de laatste hand aan leggen aan de videoclip,' gaat Yljaaa verder. 'Daar heb ik hetzelfde principe toegepast, met net een andere twist. Naast de achter-de-schermen-beelden van de Galápagos-eilanden monteren we hier ook beelden uit de actualiteit doorheen. Zo kunnen we het verrassende contrast nog wat verder aanzetten.'

'En weet je wat het mooie is?' joelt Rodzjer. Hij moet zich bedwingen om er niet bij te gaan springen van geluk. 'Als er iets gebeurt in de actualiteit dat perfect bij ons concept past, dan monteren we dat er gewoon door. Zo gebeurd! Realiseren jullie je dat dit de eerste interactieve videoclip is, met een directe lijn naar de wereld? Die niet op zijn eigen artistieke eilandje zit, maar reageert op wat er gebeurt? Popmuziek en reclame als kanalen om de doelgroep te informeren over wat er in de wereld gebeurt, in deze tijd van ontlezing en dalende krantenoplages. Prachtig dat wij die verantwoordelijkheid kunnen nemen, werkelijk prachtig.' Innig tevreden slaat hij zijn koffie ad fundum achterover.

Aan de andere kant van de tafel zit Baas Marque te knikken. 'Ja. Ja,' zegt hij. En nog maar eens: 'Ja. Ik vind het ontzéttend creatief wat jullie in de executie hebben gedaan, werkelijk heel verrassend, als je kijkt naar de originele storyboards van het concept.'

'Af en toe moet je een beetje stout zijn om te excelleren,' giechelt Rodzjer.

'Maar is dit de beste manier om onze brand personality over het voetlicht te brengen?' gaat hij fronsend verder. 'Ik bedoel, wat is de promise precies? Wordt dat duidelijk?'

'Absoluut,' zegt Yljaaa stellig.

'Ik durf er mijn leven op te wagen,' gaat Rodzjer nog een lekker dramatisch stapje verder. 'Op deze manier kun je je veel beter onderscheiden in de markt. Je wilt toch geen me-too commercial? Misschien heeft het wat meer tijd nodig om in te dalen bij het grote publiek, maar je begint bij de opinion leaders. Dát zijn de mensen die je het eerst moet hebben. Dáár moet je *top of mind awareness* zien te krijgen.'

'Duidelijk,' knikt Baas Marque. 'Helder.' Maar afgaande op de Radetzkymars die zijn linker Van Bommel weer in heeft gezet, is hij er nog niet helemaal gerust op. 'Ik zou alleen toch nog wel graag zien dat the product wat meer the hero is. Misschien kunnen we nog iets doen met een packshot. En dat logo, dat moet sowieso groter.'

'We kunnen het altijd pre-testen,' zegt Roos. Rodzjer kijkt haar woest aan. Want pre-testen is net zoiets als seks met een gebruiksaanwijzing, zegt Rodzjer altijd; je haalt alle spanning eruit.

'Uitstekend idee,' knikt Baas Marque instemmend naar Roos. 'Dat geeft mij munitie om de project board te overtuigen. Zijn we trouwens binnen de begroting gebleven?'

'Helemaal!' houd ik mijn ingevulde spreadsheet in de lucht,

mijn trots, mijn levenswerk. 'We moeten het misschien heel even over de drankrekening hebben,' ga ik verder, maar dat hoort Baas Marque al niet meer.

'En de Postbank?' vraagt hij. 'Wat zal de Postbank ervan denken?'

'Leer mij die jongens van de Postbank kennen,' schamperlacht Rodzjer. Om zijn zelfverzekerdheid te onderstrepen slaat hij zijn armen over elkaar en steekt hij zijn kin fier omhoog. 'Die zullen over de grond rollen van jaloezie, mark my words.'

'Uit onderzoek is gebleken dat de financiële consument grote behoefte heeft aan een emotionele benadering,' fundeert Roos Rodzjers onderbuik. 'Na alle rationele communicatie die er de afgelopen tijd op ze is afgevuurd, zijn ze toe aan – hoe zal ik het zeggen – een stukje gevoel in een zakelijke wereld. Begrijp je?'

Baas Marque knikt weer instemmend. Maar Baas Marque knikt instemmend bij alles wat Roos zegt. En ik twijfel of dat alleen komt door grote kennis van het communicatievak.

'Dan rest mij nog maar één ding te zeggen: goed gewerkt, jongens. Chapeau. Ik ga mijn best doen bij de project board.' Vaderlijk knikt hij Rodzjer en Yljaaa toe. Dan richt hij zich tot Dylan. 'Wat vind je er eigenlijk zelf van?'

Vol verwachting kijk ik naar Dylan. Die moet dit net zo afschuwelijk vinden als ik. Maar hij lijkt getroffen te zijn door een aanval van totale verstandsverbijstering, want hij zegt: 'Ik vind het een verademing om eens een keer niet als mooie jongen te worden afgeschilderd. Dat leidt maar af van de essentie van waar ik mee bezig ben. Eindelijk gaat de aandacht nu naar waar het echt om gaat: mijn muziek. Beter had ik het zelf niet kunnen bedenken. Geweldig, jongens.'

Ben ik nou de enige persoon op deze wereld wiens verstand niet aangevreten is in de naam van de kunst? Rondom de tafel zie ik allemaal instemmend knikkende gezichten. Behalve dat van De Klant, naar wiens mening niemand nog heeft gevraagd.

'Wat vind jij er eigenlijk van, Suzanne?' vraag ik.

'Nou ja,' aarzelt ze, 'ik vind het wel apart.'

Hoofdstuk 32

Je ziet hem nooit, maar als er wat te vieren valt is hij er altijd. Dus vandaag loopt Managing Director Martijn Westerman met een fles champagne in zijn ene hand en de reacties van de vakpers op de BPW Bank-commercial in de andere hand door het pand.

'Lees, lees!' duwt Martijn de printjes onder mijn neus.

Ik heb ze al vier keer gelezen, maar om hem een plezier te doen, lees ik ze nog maar een keer. Het blijft de baas, nietwaar.

VERNIEUWENDE COMMERCIAL BPW BANK

kopt adformatie.nl.

> De BPW Bank is al jaren de tweede bank van Nederland, maar op het gebied van communicatie verkeerde de bank in de achterhoede. Communications Director Marque Duyvenboode durfde echter het roer om te gooien. Hij nam afscheid van BBTW/Ivory en gaf VOGH/JJGP de opdracht voor een herpositionering. Een verrassende commercial met het nieuwe boegbeeld Dylan Winter vormt hiervoor het startschot. In dertig seconden worden alle vooroordelen over bankieren van tafel geveegd en wordt de vraag gesteld: waar draait het eigenlijk om, om geld of om liefde?

Concept/creatieve directie: Rodzjer van Wansbeek
Regie: Yljaaa
Muziek: Dylan Winter, Super Sound Studios
Account: Roos Booijmans, Alexis Prins
Klant: Marque Duyvenboode, Suzanne Ossenstaart

ReclameWeek, die Yljaaa's Martinicommercial een paar weken geleden nog met de grond gelijk maakte, heeft het niet meer van opgewondenheid in haar e-mailnieuwsbrief:

YLJAAA VERRAST VRIEND EN VIJAND
MET BPW-COMMERCIAL

Hij leek even af te zakken, maar met de nieuwe commercial voor de BPW Bank levert Yljaaa weer werk af dat zich direct je netvlies inboort om dat nooit meer te verlaten. De rauwe afwisseling van emoties, positief en negatief, ontroerend en onthutsend, laat zien dat de BPW Bank weet wat de mens beweegt. Petje af voor Dylan Winter, die zich zo onorthodox durft te laten portretteren.

Ik doe mijn best om de werkdag zo kort mogelijk te maken, om Dylan al dit vrolijks te vertellen. Want hij ziet er dan misschien niet uit, de pers vindt het goed.

Zoals altijd vind ik hem in zijn thuisstudiootje. Opgewekt laat ik hem de besprekingen van *Adformatie* en *ReclameWeek* zien, maar Dylan reageert lauw.

'Steef Modderman vindt de single helemaal niks,' wijst hij naar *de Volkskrant*. Op zijn gezicht verschijnt een wenkbrauwenboogje. Ik ken Dylan inmiddels goed genoeg om te weten dat wenkbrauwenboogjes geen goed nieuws zijn. Hij kijkt meestal buitengewoon vrolijk en het gaat door merg en been als hij dat niet doet. Verdriet en teleurstelling vechten om aandacht in zijn ogen en zijn mond schreeuwt in stilte. Ik wil hem knuffelen, troosten en vertellen dat Steef Modderman een klootzak is, maar hij blijft maar naar de krant wijzen, dus ik bekijk eerst de schade.

DYLAN DOET DIEPZINNIG
'I DON'T CARE' – DYLAN WINTER

DOOR STEEF MODDERMAN

Hij is niet uit de media weg te slaan. Bijna zou je vergeten dat hij eigenlijk muziek maakt. Maar dat doet hij nog steeds. Jammer genoeg.

Het laatste muzikale wapenfeit van Winter, *The Truth About Rock 'n Roll*, stamt alweer van een tijdje geleden. In dit dagblad liet ik mij toen nogal schamper uit over deze plaat. Ik noemde het bakvissenrock en vond dat de overdaad aan bombast de magere composities niet kon maskeren. Dit werd mij niet in dank afgenomen door de Dylan Winter Fanclub, die wekenlang de ingezonden brievenrubriek domineerde.

Met alle plezier zou ik de brievenschrijfsters mijn nederige excuses aan willen bieden en toe willen geven dat ik ernaast zat, omdat Dylan gegroeid is als artiest en componist. Maar de waarheid is dat 'I Don't Care' iets bij me teweegbrengt dat ik nooit had verwacht: het doet me terugverlangen naar de tijden van *The Truth About Rock 'n Roll*. Was zijn muziek toen pompeus, maar in ieder geval nog pretentieloos, nu is het pompeus en loopt het over van de pretenties. Winter probeert ons te laten geloven dat hij een beter, dieper mens is geworden, omdat hij ontdekt heeft waar het allemaal echt om draait: De Liefde. Aaah.

Helaas doet hij dat met semidiepzinnig geneuzel dat rijmt als het mindere werk van André Hazes en een melodie waarvan je zeker weet dat je hem al tien keer eerder gehoord hebt, begeleid door matig akoestisch gitaarspel en zedige violen. Laten we hopen dat Dylan de volgende keer gewoon weer zingt over de onderwerpen die hem het beste liggen: snelle auto's, uitgaan en meisjes voor één nacht.

Ik neem de tijd om de krant terug te leggen op de tafel, zodat ik onderweg kan bedenken hoe ik hier zo gevoelig mogelijk op kan reageren. Maar Dylan is me al voor: 'Klotepers.'

Ik sla mijn armen om hem heen en druk me tegen hem aan. 'Lieverd,' probeer ik hem op te beuren, 'het is maar een krant. Het gaat er uiteindelijk toch om wat je fans vinden?'

Matigjes, schaal ik mijn troostpoging in. Semi-opbeurend clichématig geneuzel, zou Steef Modderman zeggen.

'Die gillende meisjes?' schampert Dylan. 'Die vinden alles mooi. Die zouden nog naar mijn concerten komen als ik tweehonderd keer achter elkaar het alfabetlied zou zingen. Maar die klotekranten en die klote-*OOR*. Keer op keer maken ze mijn werk met de grond gelijk. En dat is moeilijk, hoor, als muzikant. Natuurlijk doe je het voor je publiek, maar uiteindelijk wil je ook waardering, respect voor je muziek, begrijp je? Je gooit je hele hebben en houden op straat, en het wordt tegen je gebruikt door een stel laffe stukjestikkers, die zelf maar wat graag een platina plaat en acht MTV-awards zouden willen hebben. Dit is het beste dat ik ooit gemaakt heb. Eén goede recensie, is dat nou te veel gevraagd?'

'Hier,' ik laat Dylan los en pak de entertainmentpagina van *De Telegraaf*. 'Zij vinden het vast goed!'

Dylan grist de krant uit mijn handen. '"Te gekke nieuwe plaat van Dylan Winter. Fans van het vrouwenidool zullen massaal wegdromen bij dit romantische nummer",' snuift hij, en gooit de bijlage terug op tafel. '*De Telegraaf*, inferieure rotkrant.'

Hij laat zijn hoofd in zijn handen zakken, voor een spoedberaad met zichzelf. Dan haalt hij zijn handen door zijn haar en staat op. 'Genoeg geklaagd,' zegt hij. Ik zie een heel prematuur lachje doorschemeren. 'Weet je waar ik zin in heb? Om me helemaal vol te laten lopen. Kom, we gaan uit. Samen. Naar de Oyster Lounge. Wat eten. En heel veel drinken.'

'Uit?' roep ik blij.

'Ja, uit,' plaagt Dylan. 'Opa's voetjes mogen ook weleens van de vloer.'

Uit pure dankbaarheid neem ik zijn hoofd tussen mijn handen en zoen hem tien keer. Ik vind dat koken en praten bij de haard enig en enorm romantisch, maar zo nu en dan heb ik een vreselijke behoefte aan lawaai en rook en drank. En andere mensen om me heen.

Hoofdstuk 33

'Ik trek even iets leuks aan!' roep ik en ren naar boven. Haastig spring ik in mijn nieuwe jurk; een handgemaakte creatie van een jong designtalent, die het he-le-maal gaat worden, volgens Julia. Een rib uit mijn lijf, maar op onvergetelijke avonden wil ik er onvergetelijk uitzien. Mijn Anna Sui-laarzen staan er geweldig bij. Tevreden draai ik malle rondjes voor de staande spiegel. Ik heb nu meer geld aan mijn lijf dan VOGH/JJGP maandelijks op mijn rekening stort, dus ik hoop maar dat Dylan vanavond betaalt. Die geeft toch niet om geld, alleen maar om mij, zingt hij als ik de trap afloop. Hij fluit bewonderend als ik voor zijn neus een ererondje draai.

'Adembenemend, dit,' glimlacht hij. 'Adembenemend.'

Ik laat me in zijn armen vallen en til mijn knie op, *for good old time's sake*. Ik verheug me er op om me aan zijn arm te storten in het lawaai, de drukte, de knipperende neonlichten van de stad. Iedereen mag zien dat ik bij hem hoor.

'Ik bewaar de kus voor later,' zegt hij, 'want de taxi staat te wachten.'

Buiten stappen we in een onweer van flitslampen. Het gerucht zal wel gegaan zijn dat, omdat we het pand binnen zijn gegaan, de mogelijkheid erin zat dat we het ook ooit weer zouden verlaten. Briljante redenering. Dylan sprint naar de taxi; omdat ik aan zijn hand vastzit, sprint ik mee.

'Verschrikkelijk, kunnen die lui niet een keer een dagje vrij nemen, ofzo?' foetert hij. 'Ik stuur ze met plezier een dagje met z'n allen naar Artis, of naar de Efteling desnoods, als ze mij dan eens met rust laten.'

Ik probeer hem op te vrolijken met het nieuws dat deze taxichauffeur geen Bon Jovi draait; met kiespijn lacht hij een schoorvoetend lachje. Het lukt me niet om de lach te prolongeren met een mop over een Nederlander, een Duitser en een Belg die in een taxi zitten. Dat moet ik ook niet meer doen, moppen vertellen. Als een gesprek hapert of als de stemming doodslaat, kit ik de stilte dicht met grappen. Ik ben bang dat ik dat van mijn vader heb; die probeerde iedere situatie te lijmen met een goeie bak. Of een doosje bapao's.

Als we de Oyster Lounge binnenlopen, staan Martin Matthijsen en zijn vrienden weer in de startblokken, samen met een ploeg van SBS. Hoe weten zij dat we hier naar toe zijn gegaan? Gegokt? Gebeld met de ploeg die voor onze deur stond? Je kan er maar druk mee zijn. Ik lach mijn inmiddels behoorlijk routineuze lach naar de camera's, maar Dylan schermt zijn gezicht weer af met zijn Fendi Croquette, zoals hij de laatste tijd voortdurend doet. Mede daardoor is de Croquette dé hype van dit voorjaar aan het worden. Julia is door het dolle heen; ik vermoed dat ze aandelen heeft in de Croquette.

'Ik word gék van die mensen,' sist Dylan. 'Gek!'

'Kom,' zeg ik, 'we gaan gewoon een drankje drinken aan de bar, dan doen we net alsof ze er niet zijn. Jij en ik, daar gaat het om, weet je nog?'

De champagne kalmeert Dylan een beetje. Hij legt zijn hand op mijn hand, die koud aanvoelt. Ik vouw mijn handen om de zijne heen, om ze op te warmen. Het doet me denken aan mijn leraar Engels op de middelbare school, die beweerde dat hij reiki-master was en zeker wist dat hij met handoplegging de pijn uit mijn gekneusde pink kon verdrijven. Het werkte niet. Natuurlijk niet. Ik maak Dylan aan het lachen met een verhaal over Rodzjers nieuwe aanschaf: een gigantisch benzineslurpend gevaarte met de banden van een tractor en de spiegels van een rondvaartboot. En een *bull bar*, altijd handig in de binnenstad. Toen ik opmerkte dat het ontzettend stoer was, maar misschien niet zo heel erg goed voor de wééreld, zei hij geërgerd dat een wereldverbeteraar het toch ook nog wel een béétje leuk mocht hebben.

'Maar het is wel een mooie wagen, dat moet ik toegeven,' zegt Dylan. 'Daar heb ik ook nog weleens een oogje op gehad, maar toen ben ik toch voor de Maserati gegaan. Jongensdromen moet je uit laten komen.' Hij laat zich van zijn kruk afglijden. 'Even naar het toilet. Ben je er nog als ik straks terugkom?'

'Daar zou ik maar op rekenen,' zeg ik op mijn schalkst.

Ik vermaak mezelf met een bierviltje, mijn nagels en mijn telefoon, waarop geen nieuwe berichten zijn binnengekomen. Daarna wijd ik een contemplatief moment aan mijn relatie met Dylan. Dit heeft gewoon zo moeten zijn, besluit ik. Het lot heeft ons bij elkaar gebracht, om elkaar te leren dat we nog veel meer uit het leven kunnen halen. Ik heb het zijne veranderd en hij dat van mij. Wat er de afgelopen tijd met me gebeurd is, had ik nooit durven dromen. Ik leef intenser, slurp ervaringen op. Het is alsof mijn leven tot nu toe een generale repetitie geweest is en het hoofdprogramma pas begint. Als ik denk aan alles wat er kan gebeuren, beginnen mijn voeten ongeduldig te wiebelen en moet ik me inhouden om niet te springen van enthousiasme. Om de rest van de tijd te doden, breek ik nog maar een bierviltje doormidden en breek beide helften daarna nog een keer. En nog een keer. En nog een keer. De schone kunst van het bierviltjesbreken. Iemand vertelde me laatst dat je daaraan kunt zien of iemand zenuwachtig is, maar ik voel me kalm, sereen als een lotus. Ofzoiets.

'Hé, jij,' hoor ik achter me. Een scherpe vinger stoort me in mijn serene moment en boort zich tussen mijn ribben. 'Ja, jij, trut.'

Als ik mijn hoofd omdraai, kijk ik midden in het gezicht van Daphne.

'Wie, ik?' stamel ik. Bij nader inzien nogal een domme

vraag, want het onmiskenbaar mijn ribben waar haar vinger tussen zit. Een erg onprettig gevoel, trouwens. 'Zou je misschien je vinger tussen mijn ribben uit willen halen?' vraag ik daarom vriendelijk.

Daphne trekt haar vinger terug alsof ik haar zojuist heb verteld dat ik een buitengewoon besmettelijke ziekte onder de leden heb, die het vooral op vingers heeft voorzien. Ze veegt hem af aan haar broek en kijkt me onderzoekend aan. Haar voorhoofd, dat het afgelopen jaar al door een aardige rimpelexplosie is getroffen, fronst er nog maar wat rimpels bij. Dat is dus wat twee pakjes per dag, een gezichtsbruiner en een haatdragend karakter met je huid doen.

'Jij bent die trut van yoga,' mompelt ze.

'Alex,' corrigeer ik haar.

'Ja, dat weet ik ook wel,' spuugt ze in mijn gezicht. 'Eigenlijk is het Alexis, naar die bitch uit *Dynasty*. Hoe toepasselijk. Waar ben jij mee bezig, trut?'

'Waar heb je het over?' pas ik de tactiek van de fictief bloedende neus weer toe.

'Wat doe je met Dylan?' sist ze.

'Wat denk je zelf?'

Ze heft haar prikvinger en zwaait ermee voor mijn gezicht. 'Je moet niet denken dat hij echt van je houdt. Geloof er niks van. Geloof niks van wat hij zegt.' Haar opengesperde pupillen verraden dat ze haar neus niet alleen met Max Factor heeft gepoederd. 'Dylan houdt van mij. Nog steeds. Dat is de waarheid.'

'Eh, ik geloof het niet,' glimlach ik.

Heel even denk ik dat Daphne begint te hyperventileren, maar ze weet haar ademhaling op het nippertje te beheersen. Ze sluit haar ogen en áádemt in, en uit. En weer in, en uit. 'Gate gate paragate parasamgate bodhi swaha om ah hum om mani padme hum,' mompelt ze. Daar heb ik even niets op terug. Ik kijk gefascineerd naar haar te smalle gezicht, dat bijna wegvalt in een enorme bos haar (extensions, kan niet anders). Met gesloten ogen ziet ze er eigenlijk best lief uit. Een anorectisch engeltje met een ontzettend slechte huid.

'Wat zit je naar me te kijken?' Haar ogen schieten weer open, in lichterlaaie. 'Wat zít je naar me te kíjken?' grijpt ze me vast aan mijn haar.

'Blijf nou eens van me af!' Ik pak haar handen vast en probeer mijn haar te bevrijden van haar hysterische getrek. Het lukt, maar met meer vaart dan ik verwacht, waardoor ik over haar schouder heen schiet. En oog in oog sta met een camera, die op zijn gemak nog wat verder inzoomt op deze catfight voor beginners.

'Wil je alsjeblieft die camera uitdoen?' vraag ik. Stijlvol beheerst, maar wel gepeperd genoeg om er duidelijk over te zijn dat er met mij niet, ik herhaal níét, gespot wordt. Dat zal wel werken.

Maar de cameraman denkt daar anders over. 'Nee,' zegt hij opgewekt, 'want we leven in een vrij land en ik mag filmen waar ik wil!'

Daphne is er ook niet zo blij mee. 'Zeg, wil je nou godverdomme die camera uitdoen, klootzak?'

Ik realiseer me dat ik haar handen nog vast heb; snel laat ik ze wegglijden. Zo intiem hoeven we in tijden van nood nou ook weer niet te zijn.

'Ja, wil je alsjeblieft die camera uitdoen?' komt Dylan bezorgd aangelopen. Naar Dylan zal hij vast luisteren. Iedereen luistert naar Dylan.

'Nee,' herhaalt de cameraman triomfantelijk, 'want we leven in een vrij land en ik mag filmen waar ik wil!'

Dylan gaat tegenover de cameraman staan, die opeens lachwekkend klein lijkt. 'Ik herhaal het nog één keer,' zegt hij, ijzig kalm. 'Wil je alsjeblieft die camera uitdoen?'

De cameraman kijkt uitdagend omhoog. 'Nee, want we leven in een vrij land en —'

In slowmotion beweegt de cameraman zijn hand naar zijn neus. Het bloed loopt over zijn lippen, naar zijn kin, zijn T-shirt op. Dylan kijkt verbaasd naar zijn hand, alsof hij niet kan geloven dat dat welgemanicuurde ding deze rode bende heeft aangericht.

Dan richt hij zijn blik weer verbeten op de cameraman.

En tilt zijn hand weer op.

Ik probeer hem tegen te houden, maar het is te laat.

'Laat nou,' roep ik nog. Mijn stem klinkt vreemd, vervormd. 'Dat hoort erbij als je bekend bent!'

REL IN OYSTER LOUNGE

CAMERAMAN KLAAGT DYLAN WINTER AAN
HERSENSCHUDDING, BLAUWE PLEKKEN EN GEES-
TELIJKE SCHADE

DAPHNE DE BOER: 'DAT IK OOIT MET DIE MAN WIL-
DE TROUWEN!'

CAMERAMAN EIST SCHADEVERGOEDING VAN TON

DUTCH ROCKSTAR BEATS CAMERAMAN TO
HOSPITAL

NEH DALRANDEN ROK KASSOEIN DILANWINTER-KA
SADJINKISO-REUL DERJO BJONG WINEH
IPWIN-SI KIDA

ALEX: 'WAAROM IK ALTIJD ACHTER
DYLAN BLIJF STAAN'

SCHADEVERGOEDING CAMERAMAN AFGEWEZEN
ALLEEN EEN BLAUWE PLEK

ALEX

Op het inschrijfformulier heb ik ingevuld dat ik twintig ben. Dat is nog niet helemaal waar, maar tegen de tijd dat ik geselecteerd ben wel, dus een complete leugen is het ook weer niet. Ik wil niet te jong overkomen. Bij levensmotto heb ik genoteerd: 'haal alles eruit wat erin zit'. En toen ik mezelf in één regel moest omschrijven, heb ik opgeschreven dat ik niet in één regel te beschrijven ben. Lekker intrigerend.

Ik ben uitgenodigd voor de selectieronde voor een nieuw tv-programma, waarvoor ze 'persoonlijkheden' zoeken. Het idee van het programma is dat je honderd dagen in een huis gaat zitten, met tien anderen. Iedere week valt er iemand af en degene die overblijft wint een half miljoen. Briljant in zijn eenvoud. Het is alleen een beetje jammer dat mijn moeder ook uitgenodigd is. Zij was vanochtend al aan de beurt. Ik heb haar er met alle macht van proberen te overtuigen dat ze zich echt, echt, écht niet in moest schrijven, maar ze was nou eenmaal geknipt voor dit programma, zei ze. Looks, persoonlijkheid en humor; ze heeft het allemaal. Vindt ze zelf. Ze wordt vast direct afgeserveerd, de arme vrouw. Veel te oud om je als tv-kijker mee te identificeren.

Samen met vijfentwintig andere kandidaten zit ik in een kantine op het Mediapark in Hilversum. Op weg hier naartoe heb ik mijn ogen uitgekeken. Je struikelt over studio's, decorstukken en presentatoren. Ik weet niet wat het is, maar ik voel me hier direct thuis. Er zijn net polaroidfoto's van ons gemaakt, daarna hebben we allemaal een sticker opgeplakt gekregen met een nummer. Ik ben nummer 2. Redactieleden bekijken ons nieuwsgierig; een van hen loopt voortdurend rond met een camera. Ik heb het gevoel dat ze iets zoeken achter iedere beweging die ik maak, dus zit ik maar zo stil mogelijk. Een man die zichzelf voorstelt als opnameleider geeft een peppraatje. Hij vertelt dat het al een prestatie op zich is dat we het tot deze kantine gebracht hebben, dat we alles van onszelf moeten laten zien in de één-op-ééngesprekken die straks volgen en dat we ons goed moeten realiseren dat de mensen die het tot de selectie schoppen bekende Nederlanders zullen worden. Een meisje naast me roept 'natuurlijk!'; ik houd mijn mond. Onderkoeld is altijd beter dan overdreven, vind ik.

Eerst moeten we in duo's een kaartenhuis maken. Ik word gekoppeld aan een pukkelige jongen die Leroy heet. Ik erger me kapot aan de onhandigheid waarmee Leroy ons bouwwerk keer op keer vakkundig om zeep helpt, maar ik blijf die vriendelijke teamplayer, die mijn nieuwe beste vriend Leroy opbouwend blijft aanmoedigen. (Als die camera's niet steeds om ons heen zouden zoemen, had ik die kaarten uit zijn zweterige handjes gegrist en zelf dat godvergeten kaartenhuis op elkaar gestapeld, terwijl ik Leroy uitgebreid uit zou maken voor rotte vis en andere viezigheid. Multitasken, laat dat maar aan mij over.)

Na dit speelkwartier is het eindelijk tijd voor een goed gesprek. Ik moet plaatsnemen op een vergaderstoel die ruikt naar de honderden billen die mij zijn voorgegaan. Tegenover me zitten drie redactiemensen. Die voortdurend aanwezige camera maakt me nog wel wat zenuwachtig, maar dat zal vanzelf wel wennen. Ze vragen me waarvan ik vannacht gedroomd heb (dat ik geselecteerd werd, natuurlijk), hoe andere mensen mij zien (als spontaan, vrolijk, lief, behulpzaam, grappig en een beetje apart, hoop ik), waarom ik mee wil doen (omdat het me een uitdaging lijkt en ik mijn persoonlijke grenzen wil verleggen, maar ook omdat ik nou eenmaal heel erg geïnteresseerd ben in mensen, ik weet dat het een afschuwelijk woord is, maar ik ben het wel: een mensenmens, bovendien vind ik mijn studie niet zo leuk en ben ik toe aan iets anders) en wat mijn rol is in een groep (ik denk dat ik de vrolijke noot ben, die de stemming erin houdt). Tot slot moet ik een mop vertellen of een liedje zingen, zodat ze kunnen kijken hoe expressief ik ben. Zingen is niet mijn sterkste kant, dat heb ik door schade en schande wel geleerd. Ik kies daarom voor een mop over twee Belgen die voor het stoplicht staan (zegt de een: 'Het is groen', zegt de ander: 'Een kikker'). De redactieleden moeten lachen, vooral het meisje links, dus ik lach mee, opgelucht dat het goed gaat. Want dat gaat het vast, anders zouden ze niet lachen. Ik word hartelijk bedankt voor mijn komst, mag niemand vertellen dat ik hier ben geweest, mag geen contact onderhouden met de andere kandidaten die ik vandaag ontmoet heb en het is niet de bedoeling dat ik contact met hen opneem; dat doen zij wel met mij.

Twee weken later word ik gebeld door het redactiemeisje dat zo hard moest lachen. Ik moet het niet persoonlijk opvatten, want ik ben een leuke, mooie meid, maar ze hadden heel veel leuke, mooie meiden langs gehad. En voor de spanning in het programma zochten ze uiteindelijk toch meer naar mensen met iets afwijkends, zoals een psychiatrisch probleem, een bedroevend laag IQ, een handicap of een jeugdtrauma. Mijn moeder staat vanwege haar 'flamboyante persoonlijkheid' op de reservelijst.

'Ben je niet toevallig ooit man geweest?' probeert ze nog.

Hoofdstuk 34

'Het blijft nog een beetje achter.' Frenk kijkt zorgelijk naar zijn spreadsheet.

Nou kan ik tegenwoordig best leuk met spreadsheets overweg, maar Frenk is de onbetwiste spreadsheetkoning. Wat hij kan met dat ding is echt fenomenaal; hij kan de platenverkoop registreren, analyseren, voorspellen en het zou me niet verbazen als hij met één druk op de knop bepaalt hoe het volgende kabinet eruit zal zien. Frenk zit op de hennepbank voor zijn wekelijkse overleg met Dylan. Ook als je bekend bent, heb je dus gewoon iedere week statusoverleg.

'Dat zal toch nog wel een beetje aantrekken?' vraagt Dylan. 'Dat deed het met "I'm a Sinner (But You Make Me Believe)" ook. De eerste weken leek dat niks te worden, maar uiteindelijk werd het een vette nummer één-hit.'

'Weet je waarom?' vraagt Frenk. Ik heb zo het idee dat hij het antwoord wel weet. Dylan haalt de schouders van zijn gebreide coltrui op. 'Het moest gewoon nog een beetje groeien, denk ik.'

Wacht eens even, waarom heeft Dylan een gebreide coltrui aan?

'Gewoon, daar voel ik me lekker in,' haalt Dylan zijn wollen schouders weer op. Hoe kun je nou zo nonchalant doen over zo'n lelijke trui? Met kabels, nota bene!

'Nee,' zegt Frenk streng, 'even groeien, dat bestaat niet. Die plaat is op nummer één gekomen omdat ik jou in iedere talkshow heb gekregen, in iedere ontbijtshow, op iedere muziekzender en in ieder huisvrouwenprogramma.'

'Jajaja,' mompelt Dylan, de man die de kabelcoltrui weer helemaal hip gaat maken. Julia zal zich uit pure wanhoop van de Martinitoren afwerpen.

'Je zat zelfs in *Sesamstraat*, weet je nog?'

'Jááához.'

Een memorabel optreden was dat. De *Sesamstraat*-bewoners hadden ter gelegenheid van het bezoek van Dylan The S-Street Band opgericht, met Tommie op drums, Pino op gitaar en Ieniemienie op toetsen. Vooral Tommie als drummer was een openbaring. Wat een beest.

'En nu The Clip Channel de videoclip heeft geweerd, hebben we echt alles nodig wat we kunnen krijgen. Je moet zichtbaar zijn! Als dat niet met de videoclip lukt, moeten we daar maar andere oplossingen voor verzinnen.'

Niet alleen The Clip Channel heeft Dylans video geweerd, maar ook MTV. Yljaaa heeft de commercial uitgesponnen tot een drie minuten durende videoclip, en het concept samen met Rodzjer nog wat verder aangezet. Naast de backstagebeelden met drank en mij en de borsten van Roos, heeft hij er – ook in zwart-wit – journaalbeelden doorheen gemonteerd. Zo zien we niet alleen een schildpad het strand op kruipen, maar zien we er ook één in een soeppan verdwijnen en een ander bloederig vastlopen in malende haken van vissersboten. En het is niet alleen schildpaddenleed dat de klok slaat. Oorlogstaferelen in het Midden-Oosten, Afrika en andere plaatsen op de wereld die ik minder goed kan herleiden, worden op de kijker afgevuurd, tussen de beelden van Dylan met zijn waardeloos uitgelichte katerhoofd op het lieflijke Galápagosstrand door. Te expliciet en te schokkend voor kinderen die net uit school komen en de tv aanzetten tijdens het huiswerk, vond TCC. Oudervereniggingen, schoolhoofden en Tweede Kamer-leden waren het hier roerend mee eens. MTV was iets schappelijker. Ze willen de video wel uitzenden, maar pas na tien uur 's avonds. Ook vanwege die te expliciete beelden, die de tere oogjes van hun doelgroep niet zouden kunnen verdragen. Dylan was woest en heeft een foeterende brief gestuurd naar TCC en MTV en deze ook maar direct gemaild naar de ingezonden brievenrubriek van *de Volkskrant*, NRC, *Trouw* en *De Telegraaf*. Hij begreep niet dat er wel met slaolie ingesmeerde, trilbillende, stringdragende fantasievrouwen om palen en palmbomen heen mogen kronkelen voor kinderbedtijd, maar dat beelden uit de werkelijkheid verboden worden. 'Dit is de wereld!' riep hij kwaad naar de tv. 'Sluit je ogen niet voor de werkelijkheid!'

Frenk probeert Dylan er nog steeds van te overtuigen om een wat vriendelijkere edit te maken, maar volgens Rodzjer is dit een principekwestie en moet Dylan volharden. Waar Dylan zich vol overtuiging in vastbijt. Als ik heel eerlijk ben vind ik sommige beelden ronduit smerig, maar ik wil Dylan niet afvallen. Hij ziet er zo kwetsbaar uit.

'Dan maar geen videoclip,' mompelt hij. 'De muziek spreekt voor zich.'

Maar daar is Frenk het niet mee eens. 'Ik zeg altijd maar zo: wie platen wil verkopen, moet zichzelf verkopen. Als je je waar niet etaleert, raakt geen klant geïnteresseerd,' gniffelt hij.

Frenk lacht niet, hij gniffelt. Bij wijze van lachsalvo duwt hij een stuk of twintig stoten koolmonoxide naar buiten. Hij denkt dat dat lachen is. Ik denk dat het vrij belachelijk is. 'Ik heb Roderick van Lanschot in de aanbieding,' zegt hij, weer bloedserieus. 'Vrijdagavond. Midden in je doelgroep.'

Dylan schudt zijn hoofd, onmiskenbaar in de nee-richting. Is hij nou helemaal gek geworden? Roderick van Lanschot, de late-avond-talkshowkoning van Nederland! Ballerig, brallerig, maar vlijmscherp en onweerstaanbaar grappig. Al kunnen de dingen die hij roept de beugel nog maar net door, door zijn jongensachtige branie vergeef je het hem meteen. Als Dylan al slaapt, kijk ik vaak nog even naar Roderick op de flatscreen. De beste manier om lachend in slaap te vallen.

'Kom op man, je hebt dit nodig!' Frenk zit vandaag niet zo

ruim in zijn geduld. Dat zie ik aan de manier waarop hij met de cursor heen en weer gaat op zijn Excel-sheet, alsof hij Pac-Man speelt. 'Je moet er nu echt hard aan gaan trekken als je überhaupt nog in de top tien wilt komen.'

Dylan schudt hoofd weer, onwrikbaar. 'Ik heb je toch gezegd dat ik geen media meer doe? Ik heb het helemaal gehad met die mensen. Ik doe niet meer mee aan dat circus. Ze zoeken maar iemand anders om lastig te vallen.'

De matpartij was een van die momenten waarop de wereld zijn onschuld verliest. In één klap. Letterlijk. Eén van die momenten die het pretparkgehalte van je leven op een valse manier onderuithaalt, zonder dat iemand dat van tevoren met jou overlegd heeft. Zodat je alleen nog maar achterom kunt kijken, naar wat er gebeurd is.

De op hol geslagen pers ontspoorde, jaagde op de trofee van het jaar. Maakte een einde aan onze onbezorgdheid en Dylan ten einde raad. Zijn huis is zijn bunker geworden, waar hij zich verschanst tegen de pers, die hij is gaan zien als een vijandig leger. De enigen die hier regelmatig binnenkomen zijn de jongens van zijn band. Veel vriendschappen bleken uitgaansvriendschappen te zijn, die razendsnel verwateren zodra je het nachtleven de rug toekeert. Dylan lacht nog wel, maar onder de uithalen heeft zich een wantrouwig spook verstopt. Onzichtbaar, maar goed te horen als je oplet. Uit gaat hij liever niet. Hoe leuk het feest of hoe gezellig de borrel ook belooft te worden, de flitsers en de zoomlenzen verpesten het voor hem bij voorbaat. Hij is liever thuis. Met mij. Straks ga ik uit pure verveling nog leren koken.

'Een halfuurtje Roderick. Een halfuurtje maar.' Frenk gooit het nu over de emotionele boeg. Zijn toetsenbord heeft hij met rust gelaten om de handen smekend ineen te slaan, in de hoop dat hij zijn bede daarmee kracht bijzet. Maar dat heeft Frenk helemaal niet nodig. Zijn scheve gebit is ruim voldoende voor een leven lang medelijden. 'Een halfuurtje werk, enorm resultaat. Dat zal zóveel doen voor de verkoop, geloof me. En je hoeft het alleen maar over de plaat te hebben, daar zorg ik voor. Geen moeilijke vragen over onderwerpen waarover je het niet wilt hebben.'

Dylan knikt weer nee; grimmig vastberaden en onmiskenbaar duidelijk. 'Ik doe het niet.'

Wauw, ik wist niet dat Dylan zo volhardend was. Daar hou ik van, van standvastige, eikenhouten mannen, die fronsen en nog liever een bak maden opeten dan iets toegeven. Jammer alleen van die trui.

'Maar ik heb het al toegezegd!' Frenk begint nu echt in paniek te raken. Zweetdruppeltjes glinsteren op zijn bovenlip.

'Dan verzin je maar een andere oplossing,' zegt Dylan en plukt een pluisje van zijn trui. 'Regel maar wat. Dat is je baan toch, regelen?'

Hoofdstuk 35

Of ik voor het eerst op het Mediapark ben, vraagt Loes, de productiedame van *Roderick!*.

'Nééééé,' wapper ik het beginnersenthousiasme weg. Maar het is al wel weer een tijdje geleden dat ik hier rondliep. De studio's, de ronddolende decorstukken en de mediaparkmensen, die vastberaden van studio zoveel naar studio zoveel snelwandelen, bezorgen me de adrenaline die door een bokser heen moet gieren vlak voor hij de ring instapt.

'Nou, Alex, dit is Braajen. Braajen is hier opnameleider.'

'Hai Alex,' zegt Braajen. 'Heel leuk om je te ontmoeten. Geweldig dat je onze gast wilt zijn. Ik kom straks nog wel even kletsen, maar ik moet nu door, oké?'

En weg is Braajen.

Loes zet mij en Frenk, die mij toestemming gegeven heeft om te praten met de pers (iemand moet het toch doen), aan een tafel voor een voorgesprekje. Het is de bedoeling dat ik lekker los doe en spontaan, want het is een lekker los en spontaan programma. Als Roderick iets geks zegt, moet ik daar niet van schrikken, want Roderick is nou eenmaal een beetje een malle jongen. Maar hij heeft een hartje van goud, giechelt ze er achteraan. Ze vertelt me dat ik vooral niet op de camera's moet letten, maar gewoon lekker mezelf moet zijn. Ik mag geen reclame maken voor de BPW Bank en als ik per ongeluk toch BPW Bank uit mijn lippen laat glippen, moet ik er een paar andere banken achteraan roepen, anders krijgt Roderick een boete. Frenk heeft nog een paar voorwaarden: geen vragen over Daphne, geen vragen over Dylans ouders en Gerbrand Kousenbroek, geen vragen over de verkoopcijfers van 'I Don't Care' en geen vragen over de twee serveersters die Dylan toen gechanteerd hebben met dat internetfilmpje. Over mij kan alles gevraagd worden. Ik ben tenslotte de vervangende reclamezuil annex bliksemafleider.

Daarna word ik geparkeerd in de make-upruimte, die er precies uitziet zoals ik me een make-upruimte voorstel, met zwarte, leren stoelen, een grote spiegel met lampjes eromheen en familieverpakkingen kwasten en smeersels. Ik heb thuis al aardig mijn best gedaan op mijn make-up, dus ik verwacht dat een poedertje wel genoeg zal zijn. Maar het Hoofd Cosmeticazaken denkt daar anders over. Drie kwartier lang is ze aan het smeren, vijlen en poetsen. Een halve camouflagestick verdwijnt onder mijn ogen en de rest van mijn gezicht wordt grondig gestuukt. Tijdens de renovatie van mijn hoofd komt Roderick binnen om me een handje te geven.

'Hééé́é,' buldert hij enthousiast.

Roderick is iemand die niet praat, maar buldert. En in het echt buldert hij nog harder dan op tv. Hij draagt een fluwelen pak met een bloemmotief dat mijn oma op haar gordijnen had, maar het staat hem goed. Zelfs in combinatie met een gestreept overhemd en vieze Nikes. Zijn haar heeft hij gemillimeterd tot een commandolook. Hij kan het hebben, maar ik mis het lokje. Het lokje kan natuurlijk sinds 1928 al niet meer, maar het gaf Roderick iets eigenwijs zelfverzekerds. *I'm a kakker and I'm proud*, zoiets.

'Hééé́é,' bulder ik maar terug. Ik ben niet zo'n goede bulderaar, maar ik doe mijn best.

'Wij gaan er vanavond een leuke show van maken!' buldert hij door. 'Heb je er een beetje zin in?'

Ik knik, breed lachend. Als ik mee blijf bulderen, heb ik tijdens de uitzending geen stem meer over.

'Toppietop! Jij lijkt me een leuk wijf, dus het wordt vast een leuke avond.' Hij knipoogt een niet al te behoorlijke knipoog (maar dat kan hij natuurlijk weer hebben) en loopt de make-upruimte uit; waarschijnlijk naar de kantine, om de leden van Oog In Oog een hand te geven. Oog In Oog is een Nederlandstalige band die zijn bestaansrecht ontleent aan het optreden in talkshows op tv. Iedere week staan ze wel weer ergens te zingen over het omarmen van de stilte, dansen in de lucht en de Groningse bossen. Authentieke borrelnootjesrock.

Als ik helemaal dichtgekit ben, is het tijd om te wachten. Ik wacht, eet een salade, lees de *RoddelWeek* en wacht. Net als ik breien als hobby in overweging begin te nemen, of anders misschien borduren, mag ik in beweging komen. Vanuit de coulissen hoor ik het publiek denderen, opgejut door een vakkundige publieksopjutter. De levende lachband giert om de actuele grapjes die Roderick op ze afvuurt. Dan hoor ik mijn naam.

'...ze heeft de gemoederen van ons en de roddelbladen de laatste tijd flink beziggehouden. Mag ik aan u voorstellen: de dame die niet uit de media weg te slaan is. Die het hart van Dylan Winter gestolen heeft en ook al een beetje van mij: Alex!'

Het applaus barst los aan de andere kant van het decor, Loes drukt me naar voren. 'Nu! Je moet nu op! Maak er wat van, kijk niet naar het publiek als je daar zenuwachtig van wordt. Doe dan maar net of ze er niet zijn. Succes!'

Ik sluit mijn ogen, haal diep adem en concentreer me op het podium en op de bank waarop ik over twintig seconden zal zitten. Die bank en ik, wij gaan het samen doen. Wij gaan een goed verhaal vertellen, zonder te haperen of te stotteren. Ik blaas alle lucht die ik in me heb langzaam naar buiten, trek mijn jurk recht en loop het donderende applaus in.

Tweehonderd man.

Tweehonderd man zit in rijen van twintig afwachtend naar mij te kijken.

Vierhonderd ogen, of laten we zeggen 395, voor het geval een paar het niet doen, zijn op mij gericht, ondraaglijk nieuwsgierig naar wat ik ga zeggen.

Heerlijk.

'Alex! Voor het eerst op de Nederlandse televisie!' buldert Roderick en kust mijn hand.

Ik giechel om de overdreven hoffelijkheid en knik een bevallig kniekniksje. 'Wat goed om je hier te hebben. En wat zie je er goed uit!'

Ja, dat mag ook wel met dat fortuin aan plamuur op mijn gezicht. En Julia heeft een geweldige outfit voor me geregeld. Ik ben zo blij dat ze zich tijdens de modestaking van Dylan maar op mij gestort heeft (er werd toch betaald – Frenk had een jaarcontract afgesloten, dus zo doet ze in ieder geval nog iets voor het geld). Zoveel uren van mijn leven heb ik verspild voor mijn kledingkast en in winkels, terwijl ik me koortsachtig afvroeg of wat ik uitzocht te gewoontjes was of juist niet, of het te ordinair was of juist te tuttig. Ik weet gewoon nooit precies of wat ik leuk vind ook leuk ís. Julia wel. Julia weet wat er over twee maanden in de bladen staat, wat nog net kan en het belangrijkste: wat net níét meer kan. De jurk van vandaag is wel kort, maar dankzij de meisjesachtige kantjes en frutsels net niet sexy. Maar zo te zien denkt Roderick daar anders over. Hij neemt weer plaats achter zijn bureau; ik moet gaan zitten op de bank waar al tientallen voor mij zijn gaan zitten, bang voor Rodericks giftige tong. Maar ik ben niet bang. De adrenaline in mijn hoofd doet een stapje opzij voor een geconcentreerde kalmte. In het oog van de storm voel ik me op mijn gemak. Ontspannen sla ik mijn linkerbeen over mijn rechter, neem een slok champagne en vertel waar ik vandaan kom, dat ik eigenlijk Alexis heet, van *Dynasty*, ja (dan hebben we dat meteen maar gehad), dat ik bij een reclamebureau werk en hoe ik Dylan ontmoet heb.

'En wat vind je ervan dat Dylan het met' – Roderick steekt peinzend één, twee, drie, vier vingers in de lucht – 'tweehonderdachtendertig vrouwen heeft gedaan?'

Het lachvee ligt jankend op de grond.

'Ik ben iemand die niet naar het verleden kijkt, maar naar het heden,' antwoord ik. 'Ja, natuurlijk weet ik dat Dylan flink de bloemetjes heeft buitengezet. Dat vind ik eigenlijk wel aantrekkelijk in een man, want dan weet je in ieder geval zeker dat hij veel oefening heeft gehad, als je begrijpt wat ik bedoel...' Ik trek een veelbetekenende wenkbrauw op; een giechelige 'hoe-oeoe' golft door het publiek heen.

'Ik heb géén idee wat je bedoelt, Alex!' bulderlacht Roderick en gooit een potlood naar mijn hoofd.

Dan maar geen doekjes eromheen. 'Dat hij goed is in bed, Roderick. Je weet wel, zo'n ding van 1,80 bij 2, met een matras erop en een dekbed eroverheen.'

Het publiek klapt stuiterend van enthousiasme de handen kaal. Hun applaus maakt me licht, tilt me op. Ik zweef langs het plafond van de studio en zie mezelf op de bank. Ontspannen leun ik achterover en incasseer het succes van mijn grap. Het publiek lacht, nee, giert. Vooraan geeft een keurige mevrouw haar dijen ervan langs; een jongen op de tweede rij veegt de tranen uit zijn ooghoeken. Roderick van Lanschot lacht ook; de kuiltjes in zijn wangen lachen mee. Ik heb altijd iets gehad met mannen met kuiltjes in hun wangen. Kuiltjes maken mannen jeugdig. Hoe oud ze ook zijn, het kind in hen heeft een permanente herinnering achtergelaten op hun gezicht. Bij vrouwen vind ik kuiltjes niet leuk, trouwens. Maar dat is pure jaloezie.

'Interessant, Alex, interessant,' zegt Roderick. Hij legt zijn Nikes op zijn bureau en neemt een slok uit zijn *Roderick!*-koffiemok. Het is een publiek geheim dat daar geen koffie in zit, maar rode wijn. En niet zomaar een rode wijn; als zelfbenoemd wijnkenner schijnt Roderick zich nadrukkelijk te bemoeien met de inkoop. 'Vertel daar eens wat meer over aan onze kijkers. Dus het is echt waar dat Dylan zo'n beest is? Ik bedoel, ik las het voortdurend in de bladen en die dames van dat internetfilmpje waren ook vol lof...'

Ja, daar heb ik ook alles over gelezen, maar als ik daar op inga, krijg ik voor de rest van mijn leven een spreekverbod van Frenk. En die net verworven vrijheid wil ik echt niet kwijt.

'Dat niet alleen, maar hij is ook heel romantisch,' verander ik tactisch van onderwerp. 'Het voelt gewoon heel goed tussen ons. Dylan overtuigt me iedere dag weer van zijn liefde voor mij. En hij heeft natuurlijk dat prachtige lied voor me geschreven, "I Don't Care", dat ook het themalied is voor de nieuwe commercial van de BPW Bank.'

Ik zucht als een volleerde Sissi, maar Roderick laat zijn handen waarschuwend rondjes om elkaar heen draaien. Geen tijd voor romantiek, ik moet doorpraten.

'De BPW Bank, een grote Nederlandse bank, net als bijvoorbeeld de Postbank en de Rabobank en de SNS Bank en de...'

Ja ja, zo is het wel weer genoeg, gebaart Roderick.

'Maar goed, waar was ik. In "I Don't Care" zingt hij dat alle materiële zaken hem niets interesseren, als hij maar bij mij kan zijn. Nou, als dat niet romantisch is...'

De publieksopjutter houdt een bord met 'Aaaah' in de lucht; het publiek gehoorzaamt. Camera 1 draait naar me toe. Ik heb mensen op tv weleens horen vertellen dat ze het gevoel hadden dat ze pas echt tot leven kwamen toen het oog van God, Allah, Christus of de Baghwan op hen viel. Dat gevoel heb ik met camera 1. Ik voel me wakkerder dan ik me ooit gevoeld heb, helder als een bergbeekje, terwijl alles om me heen vertraagt. Vijf rijen van twintig paar ogen lachen me aan; ontroerd en benieuwd naar wat ik nog meer ga vertellen. Links van me zit Roderick geamuseerd naar me te kijken, met zijn voeten nog steeds op tafel. Hij neemt een slok uit zijn *Roderick!*-mok en slaat zijn ene Nike over de andere. De regisseur steekt stralend zijn duim naar me op en gebaart de cameraman om nog wat verder in te zoomen. Ik schud mijn haar los, neem nog een slok champagne en lach terug naar Roderick, naar de regisseur, naar het publiek, naar de wereld. Ik sliep, maar camera 1 heeft mij wakker gekust. Ik zou het net geen religieuze ervaring willen noemen; die lichtstraal die op me neerdaalt is gewoon een decorlamp. Maar alle onrust glijdt van me af, ik kom thuis. Eindelijk weet ik het.

Dit kan ik. Dit wil ik. Hier voel ik me goed.

Hoofdstuk 36

Glamour in Nederland: 's avonds zit je op de bank bij Nederlands meest bekeken talkshowhost en de volgende ochtend zit je weer op de fiets naar je werk. Waar een colonne hardnekkige fotografen staat te wachten, dat dan weer wel.

'Leuk hoor, gisteren,' zegt Martin Matthijsen, kreukloos vriendelijk, als altijd.

'Dank je,' lach ik terug.

Ik krijg het niet voor elkaar om onaardig te doen tegen Martin. Eigenlijk heb ik het met hem te doen. Die arme man staat zich daar maar te vervelen met zijn fototoestel, om steeds dezelfde foto te maken van mij als ik de draaideur in- of uitdraai. Om hem een plezier te doen zet ik af en toe een andere zonnebril op. Gelukkig heeft Serge maar een halfuur per dag iets te doen achter zijn rode designbalie, dus vermaakt hij Martin zo nu en dan met een kopje koffie en een praatje. Waarbij ik me in Serges geval eigenlijk vrij weinig voor kan stellen; ik hoor hem vooral praten over het vraagstuk waar je de beste fake Armani's kunt kopen; in Turkije of via internet, en over het feit dat mannen het ook best moeilijk kunnen hebben met afgebroken nagels.

'Waarom was Dylan er eigenlijk zelf niet?' vraagt Martin.

'Wat denk je, zou het iets met jullie te maken kunnen hebben?' glimlach ik mierzoet. 'Nou, een fijne dag nog!'

Dylan was razend enthousiast toen ik gisteravond thuiskwam, stuiterend van de adrenaline. Ik zat daar alsof ik het iedere week deed, zei hij trots. Veel natureller dan hem ooit was gelukt.

Als ik de designhal binnengalm, word ik toegejoeld door Serge. 'Lieverd! Wat was je énig gisteren!' gilt hij vanuit zijn kubus.

'Dankjewel,' glans ik. Ik weet dat het chiquer zou zijn om het compliment wat matter in ontvangst te nemen, maar kom op, het was mijn eerste televisieoptreden!

Me bewust van iedere molecuul in mijn lijf step ik de hal van VOGH/JJGP in. Ze zullen me anders aankijken, nu ik gisteravond niet op Dylans hennepbank heb gezeten, maar op die van Roderick van Lanschot. De grootste kantoortuin van Nederland lijkt opeens nog groter dan hij gisteren was, ogen steken overal tussendoor en bovenuit. De afstand van de rode designkubus naar mijn bureau lijkt bijna niet te overbruggen. Een wereldreis per step. Maar ik verman mezelf en vertrek. Ik zet af, laat me voortrollen, langs de bureaus van het Coca-Colateam.

'Hééé, goed gedaan gisteren!' gilt Eef.

'Leuk, hoor,' knikt Jeroen.

Glimlachend zet ik nog een keer af en rol verder, langs Creatie. Zie je wel, het valt best mee.

'Hé, ken ik u niet van tv?' roept Bart, een ontzettend vrolijke stagiair.

'Ááááááh!!' stort Hester zich aan mijn voeten. 'Mag ik je handtekening?'

Ze reikt me een briefingsformulier aan, waarop ik plechtig mijn handtekening zet. Geroerd drukt ze het formulier aan haar borst.

Beatles-taferelen.

Ik zet weer af en maak een tussenstop bij het koffieapparaat voor een cafeïnefix. Het koffieapparaat en ik zijn geen vrienden. Hij geeft me namelijk nooit wat ik wil. Vandaag is geen uitzondering; hij geeft me chocolademelk, terwijl ik toch echt om een extra sterke cappuccino had gevraagd. Als ik aarzel of ik het ding een trap zal geven of me gewoon maar moet neerleggen bij het feit dat je niet alles in het leven zo kunt krijgen als je wilt, komt Rodzjer aangestept, met een *World's Greatest Dad*-beker in zijn hand. Ik wist niet dat Rodzjer kinderen had.

'Heb jij je handtekening al gegeven voor de Max Havelaarkoffie?' vraagt hij.

'Allang!' lieg ik.

'Heel goed, dankjewel.' Hij laat de beker een salto maken om zijn wijsvinger. 'Goed gedaan hoor, trouwens. Gisteren. Je zag er ook goed uit.'

Ik knik met een mengeling van bescheidenheid en trots, waarvan ik hoop dat de samenstelling goed is. Een ruime scheut bescheidenheid met een snufje trots.

'Maar ik ben wel verdrietig.' Hij kijkt me aan alsof ik hoogstpersoonlijk verantwoordelijk ben voor de schrijnende situatie van de koffieboeren in de derde wereld. Doseren is niet Rodzjers sterkste punt.

'Waarom?'

'Er is één onderwerp waar je het niet over gehad hebt, terwijl het zo'n belangrijk thema is.' Hij zet zijn *World's Greatest Dad*-beker onder de automaat en laat hem vollopen met koffieboeruitbuitende cappuccino. Hij wel.

'Wat dan? De BPW-commercial? Heb ik het over gehad! De videoclip? Heb ik het ook over gehad!'

Rodzjer schudt zijn hoofd. 'Waar zijn we de afgelopen tijd nou zo druk mee geweest? De schildpadden, Alex! De schildpadden! Ik werk me helemaal uit de naad voor The BPW Bank Turtle Fund, ik zoek me scheel naar publiciteit. Dylan wil geen ambassadeur worden, omdat hij niet meer in de media wil verschijnen, dus ik moet het helemaal alleen doen. En jij zit daar primetime een kwartier te babbelen over je vriendje en je seksleven, terwijl je het verdomme over de schildpadden had kunnen hebben! Je had me best een beetje kunnen helpen, Alex. Denk nou eens een beetje meer crossmedia! Stap uit die box!'

Niet boos, maar teleurgesteld bestijgt hij zijn stepje en rolt naar zijn bureau, naast de drankenkast met het grote slot erop. Ik neem mijn ongewenste chocolademelk maar mee en rol achter hem aan, tot mijn afslag bij de accounthoek. Daar bestudeert Roos hoe ik mijn stepje parkeer, op mijn bureaustoel ga zitten, deze nog wat verder aanschuif, hem daarna weer achteruitschuif om de computer aan te zetten, weer aanschuif, mijn toetsenbord recht leg, een slok neem van mijn chocolademelk en mijn mailbox open. Ze blijft me in de gaten houden bij elke handeling. Tja, dat krijg je als je op tv komt. Dan gaan mensen je opeens met andere ogen bekijken.

'Is er iets?' vraag ik daarom maar, alsof ik niet weet wat er is. Ik zet mijn bescheiden-trotse pose alvast standby.

'Ja,' zegt ze. 'De statuslijst voor de BPW Bank. Heb je die nou al bijgewerkt?'

Tja, dat is ook een manier om erop te reageren.

'Daar heb ik geen tijd voor gehad, ik moest namelijk gisteren een interview geven aan Roderick van Lanschot.'

'...'

'In zijn talkshow. Om Dylan en het lied en de commercial te promoten.'

'...'

'Op tv. Halfnegen. Anderhalf miljoen kijkers.'

'...'

Roos wordt zogenaamd helemaal opgeslokt door een stapel papier op haar bureau, waar ze ijverig met een rode pen doorheen krast.

'Ik zou het niet weten,' antwoordt ze eindelijk. 'Ik had geen tijd om tv te kijken. Ik was gisteravond namelijk aan het werk, zie je. Maak jij nou maar even die statuslijst af, hè.'

Ik krijg wintertenen van haar stem. Tijdens de statusmeeting zal ze wel weer goede sier maken naar De Klant en zichzelf bestempelen als de architecte van dit free publicity-offensief.

'Prima,' salueer ik tegen mijn denkbeeldige pet, 'komt voor elkaar, baas.'

Ik ruil mijn bescheiden-trotse gezicht in voor mijn geconcentreerde werkmasker, maar ik loop over van tegenzin. Na de adrenalineperiode van de nieuwe BPW Bank-commercial vind ik het moeilijk om weer terug te komen in mijn oude ritme. Ik heb geroken aan meer en minder is dan opeens zo weinig. Er worden nog wel een aantal andere onderdelen ontwikkeld van de campagne, maar het spannendste deel is achter de rug. Je gaat immers niet maandelijks naar de Galápagos-eilanden. We zijn nu bezig met een rondje buitenreclame, die inhaakt op de commercial. Dylans gegroefde grafgezicht zal binnenkort 1236 keer op billboards, citytoiletten en bushokjes te zien zijn. En op megaboards langs de A4 en de A1. Ook zal zijn ongeflatteerde hoofd bewonderd kunnen worden op de tijdelijke minifiliaaltjes van de BPW Bank, die op zullen duiken tijdens concerten in Ahoy, Paradiso, de Arena, het Gelredome, de Heineken Music Hall en festivals als Pinkpop, Lowlands en BollenPop. Ideetje van Rodzjer. Om bankieren rock-'n-roll te maken moest de rock-'n-roll niet alleen naar de bank komen, maar de bank ook naar de rock-'n-roll, vond hij. Helemaal crossmedia. En als klap op de vuurpijl wordt er ook nog iets met *viral marketing* gedaan. De Klant had namelijk gelezen dat de doelgroep daar gék op is. Yljaaa heeft daarom een compilatie gemaakt van Dylans grootste bloopers tijdens de shooting, waarvan hij hoopt dat mensen hem zo hilarisch vinden dat ze het filmpje doorsturen naar al hun vrienden. Zo zien we Dylan struikelen over een elektriciteitskabel en zien we hem tot tien keer toe zijn eigen tekst verkeerd zingen. Gegarandeerd een grote hit op internet, denken Yljaaa en Rodzjer. Nu Dylan weer overloopt van de inspiratie, ruikt Rodzjer bovendien een serie door de BPW Bank gesponsorde concerten, waar Dylan zijn nieuwe materiaal ten gehore kan brengen. Kaarten daarvoor kunnen gewonnen worden met speciale Dylan-prijsvragen. De opbrengst van de hysterisch dure viparrangementen gaat uiteraard naar The Turtle Fund. En als we daar dan toch zijn, loopt er vanzelfsprekend ook een Turtle Fund-promotieteam rond.

Nu het zo concreet wordt vindt De Klant het redden van schildpadden toch wel een heel afwijkende aanpak om haar brand targets te behalen; daarom wordt daar druk over getelefoneerd, vergaderd en geconferencecalled. Al drie dagen lang.

Ik laat de statuslijst nog even de statuslijst, neem een slok chocolademelk en begin met mijn rondje roddels. Tradities zijn er om in ere te houden. Bovendien ben ik erg nieuwsgierig naar wat de online gemeenschap te vertellen heeft over mijn optreden van gisteren.

ALEX PRAAT!

schreeuwt story.nl. Ze moeten gemeend hebben dat dat een vaardigheid is die ik tot gisteren nog niet zo goed beheerste. Voor iemand die het nog niet zo lang doet vinden ze me een natuurtalent, want ze vonden dat ik erg leuk uit mijn woorden kwam:

> Alle ogen waren gericht op Alex, die niet alleen **Roderick van Lanschot** zichtbaar verraste, maar ook de rest van Nederland. Had **Dylan** in het verleden een voorkeur voor vrouwen van een twijfelachtig allooi, met de charmante **Alex**, nu al onze favoriete *girl next door*, lijkt dit een heel andere kant op te gaan. Zou **Dylan** dan eindelijk de ware gevonden hebben? We hopen het van harte, want ze is een heuse aanwinst voor Nederland glamourland!

Ook de roddelpagina van *De Telegraaf* is enthousiast:

EINDELIJK EEN LEUKE VROUW VOOR DYLAN!

Dankjewel, dat vond ik zelf nou ook. Ene Barbara van den Ende schrijft dat Dylan in mij de vrouw van zijn leven ontmoet heeft.

'Eindelijk een vrouw die DYLAN aankan!' jubelt ze.

Ze is vol lof: ik ben grappig, ik zie er leuk uit en ik heb, in tegenstelling tot de meeste exen van Dylan, hersens. Barbara, ik weet niet wie je bent, maar ik vind je een fantastische vrouw.

Maar roddelweek.nl heeft zin om eens lekker met modder te gaan gooien.

DYLAN DEPRESSIEF?

De geruchten dat het niet zo goed gaat met DYLAN WINTER, eens Nederlands heetste rockster, worden steeds sterker. Hij lijkt de laatste tijd niet helemaal zichzelf. Maakte hij vroeger nog lekkere stampende rock, zijn nieuwste plaat is een zemelnummer dat zijn weerga niet kent. En in de commercial van de BPW Bank, waarvan hij het nieuwe gezicht is, zag hij eruit alsof hij aangevreten was door een herdershond. Volgens een intieme bron heeft zijn liefde voor ALEX zijn leven veranderd. 'ALEX is zijn grote liefde, zijn wilde periode is voorbij.' Erg gelukkig lijkt hij daar echter niet van te worden. Sinds de vechtpartij met de SBS-cameraman laat hij zich nog amper in het openbaar zien. 'Het tegenvallende succes van zijn single "I Don't Care" knaagt aan hem,' vertelt onze bron. 'DYLAN vindt dit het beste werk dat hij ooit gemaakt heeft en hij vindt het heel erg dat het Nederlandse publiek het minder waardeert.' Zijn fanclub blijft rotsvast achter DYLAN staan. 'Al balen we natuurlijk als een stekker dat hij tegenwoordig bezet is,' aldus voorzitster LISETTE VAN DEN BROEK.

Misschien is het maar het beste om de internetverbinding thuis onklaar te maken, zodat dit Dylan niet onder ogen kan komen. Want hij wordt gek van woede als hij dit leest. En nu aan de slag, voor Roos mijn hoofd eraf bijt.

Een halfuur later heb ik het spreadsheet geopend en er twee acties ingetikt. Ik doe echt mijn best om me te concentreren op mijn werk, maar iedereen doet zijn uiterste best om mij zoveel mogelijk af te leiden. Creatie vond het tijd voor een tafelvoetbalcompetitie (ik deed niet mee, ik was immers bijzonder druk), Roos moest dringend en op hoog volume de helpdesk van UPC uitschelden omdat het echt niet de schuld was van haar tv dat het beeldscherm alleen maar blokjes weergaf, maar van UPC; iedereen wist toch immers dat álles de schuld was van UPC, en nu geeft Rodzjer twee dames van *ReclameWeek* een rondleiding door de designburelen van VOGH/JJGP. Een blonde dame, volgens mij de adjunct-hoofdredacteur, torent struis boven hem uit; een halve pas achter hen loopt een roodharig meisje, dat druk op haar schrijfblok schrijft. Naast haar neemt een fotograaf het pand nieuwsgierig in zich op.

'Zoals je ziet heeft Pantini Ricotta zijn uiterste best gedaan om ruimte en bestemming tot één geheel te maken. De mix van het hoge plafond met die stalen balken, die linoleumvloer en die zachte banken vind ik persoonlijk briljant. Hard en zacht, koud en warm. Yin en yang. Je ziet nog dat industriële, maar tegelijkertijd vóél je die creativiteit.'

De delegatie loopt tussen de bureaus van Roos en mij door; we kniklachen vriendelijk. De pers moet je altijd te vriend houden.

'Maar zoals ik al zei – ik vind het geweldig dat jullie ook aandacht willen besteden aan The BPW Bank Turtle Foundation. Dit is een primeur voor jullie, de eerste keer dat een adverteerder advertising met charity combineert. Zo draagt de campagne niet alleen bij aan de naamsbekendheid, maar ook aan de —'

Ja hoor, daar gaan we weer. Doet u allemaal mee?

'...wéééreld.'

De dames kijken hem verbluft aan; ze hebben dit verhaal duidelijk nog nooit gehoord.

'Wat een ontzéttend innovatief idee!' kirt de adjunct-hoofdredacteur. 'Zo verfrissend om eens wat breder te kijken naar wat nou eigenlijk de rol van reclame is! Wij hebben het er op de redactie al maanden over of de grenzen van moderne communicatie nou bereikt zijn of niet. Ik moet zeggen dat je me hiermee prikkelt, Rodzjer!'

'Ja, buiten die box denken, hè. Weet je wat het is?' slofdrentelt Rodzjer. 'Op een gegeven moment heb je als topcreatief alles wel een keer bereikt. Prijzen, nog een prijs, nog een prijs... na een tijdje weet je het wel. En dan ga je denken. Over waar het nou allemaal echt om draait. Ik weet het weer. Voor mij is reclame geen middel om spullen te verkopen, maar om iets uit te dragen, om mensen te ráken. Met The Turtle Fund hebben we een multimediaal platform ontwikkeld waarmee we het lot van de Galápagos-schildpad onder de aandacht kunnen brengen. Niet alleen met commercials; dat is me te makkelijk, te traditioneel. Nee, we gaan ook echt naar de mensen toe, één op één. We zoeken ze op op momenten dat de schildpad een relevantie heeft in hun leven.'

'Kun je daar een voorbeeld van geven?' vraagt de adjunct-hoofdredacteur.

'Ik stel voor dat we niet de details ingaan, maar het bij de grote lijnen houden. Want voor de BPW Bank is dit een geweldige manier om aan haar merk-DNA te werken. Als je alleen al kijkt naar de...'

Langzaam slentert het gezelschap met Rodzjer mee, richting de Executive Board Room. Bij de colamachine maakt het roodharige meisje zich los van de groep en rent terug. Ze stopt bij mijn bureau en steekt verlegen haar hand naar me uit.

'Hoi, ik heb je gisteren gezien op tv en ik wilde even zeggen dat ik vond dat je het heel leuk deed, op tv bedoel ik, het was grappig en je zag er goed uit, niet dat je er vandaag niet goed uitziet, vandaag zie je er ook hartstikke goed uit, maar je had zo'n mooie jurk aan en...'

Ze struikelt over haar woorden; om haar een praatpauze te gunnen steek ik mijn hand terug en doe het schudritueel. Haar hand is klein en klam.

'Nou goed, dat wilde ik even zeggen. En ik vind "I Don't Care" wél heel goed. Echt ontroerend. Ik wou dat iemand eens zo'n lied voor mij schreef... De videoclip vind ik trouwens ook geweldig. Wat een geweldig idee om die harde beelden uit de realiteit erdoorheen te laten zien, dat maakt het nog ontroerender. Het raakt écht, weet je.'

'Dat moet je aan Rodzjer vertellen,' glimlach ik, 'dat zal hij leuk vinden.'

Het meisje maakt iets moederlijks bij me los dat ik helemaal niet in me heb. Haar reddeloze aanbidding maakt me week. Nog even en ik bied haar een glaasje ranja aan.

'Ik zal je niet langer van je werk houden.' Haar besmuikte lach is ronduit ontroerend. 'Je bent natuurlijk hartstikke druk. Leuk om even met je gepraat te hebben. Hoi!'

'Dag!' corrigeer ik haar. Ik wil niet de taalpurist uithangen, maar 'hoi' zeg je als je aankomt en 'dag' zeg je als je weggaat. Of 'doei', voor mijn part. Maar afgezien van dat onvolkomenheidje vind ik haar met stip het leukste meisje dat ik vandaag ontmoet heb. Glimlachend kijk ik haar na als ze zich weer naar Rodzjers rondleidingsgroepje haast.

'Heb jij die statuslijst nou al af?' vraagt Roos.

Hoofdstuk 37

Vooruit, ik heb me maar weer laten verleiden tot een gezellige avond samen thuis. De kookroutine heeft Dylan laten schieten, want hij is vanmiddag overvallen door een geweldig idee. Hij moest daarom met Thomas en Robbie de studio in, want dit momentum konden ze niet onbenut voorbij laten gaan. In al het materiaal dat hij de laatste tijd geschreven heeft, heeft Dylan twee moddervette rode lijnen ontdekt, waarmee hij twee helften van een dubbelalbum wil gaan vullen. *Love & The World* gaat het heten. De eerste rode lijn is De Liefde, in zijn algemeenheid en voor mij in het bijzonder. Je begrijpt dat deze helft nu al mijn onbetwiste favoriet is. De tweede helft gaat over de dingen waar Dylan de laatste tijd diep over nagedacht heeft en fanatiek over gediscussieerd met Rodzjer, waaronder ambitieuze onderwerpen als de Midden-Oostenproblematiek, haat, honger en de Galápagos-schildpad. Hij heeft, op aandringen van mij (en na het lezen van *Follow Your Heart, Follow Your Dreams*, een zelfhulpboek waar Oprah in haar boekenclub laaiend enthousiast over was) besloten dat alle recensenten de pot op kunnen, omdat ze verdrietige, gefrustreerde, mislukte en waarschijnlijk ook afzichtelijk lelijke fopmuzikanten zijn, die met hun puistige hoofden op hun armetierige zolderkamertjes nare stukjes zitten te tikken, om heel even niet de pijn te voelen dat ze nobodies zijn.

Zo. Die zit.

'Ik laat me niet langer leiden door die trieste prutsers!' riep Dylan strijdlustig. 'We zullen nog weleens zien wie hier de semidiepzinnige neuzelaar is!'

Uitbundig hebben we daarna high-fivend een victoriedansje gemaakt en een fles champagne opengetrokken om te toasten op alle meelijwekkende muziekrecensenten in hun stinkende werkkamertjes.

Maar goed, vanavond is dus weer een thuiswedstrijd. Ik hang onderuit op de hennepbank en kijk naar *Hoop & Liefde*. Miste ik vroeger nog weleens een aflevering, omdat ik in de kroeg hing of mijn laatste geld stuksloeg in een nieuw restaurant, sinds mijn indoorleven ben ik weer helemaal bij. Maar ik begin wel een beetje genoeg te krijgen van het getwijfel van Amber-Louise en al die mannen die aan haar voeten liggen. Ik begrijp niet wat ze daar doen; erg knap is ze niet, laat staan aardig. Het wordt tijd dat ze eens een knoop doorhakt: of A.J., ofwel Max, of Dokter Jacques. Wel begin ik steeds meer te vermoeden dat Roos het bij het juiste eind heeft wat betreft die latente homoseksuele gevoelens van Raoul. Die blikken die hij wierp naar A.J. en de verwarring en schaamte die hem daarna overviel... briljant geacteerd. Soaps worden zo onderschat. Net als A.J. langzaam zijn wijsvinger heft om iets heel belangrijks te gaan vertellen (dat zie ik aan zijn ogen, die opzwellen tot ballonproporties), gaat de bel.

Dylan heeft geen gewone tring-bel, maar een elektrische bel, die 'I'm a Sinner (But You Make Me Believe)' pingelt. Cadeautje van Frenk. Aan de vinnige drukjes te horen zal het de gulle gever wel weer zijn. Of een collectant. Of een stel gillende meisjes die handtekeningen willen. Of misschien is de bezorgsushi, die ik toch nadrukkelijk ná acht uur besteld heb, er al. Maar daar gaat het niet om. Waar het om gaat is dit: val Alex nooit lastig tijdens *Hoop & Liefde*. Iedereen die mij een beetje kent weet dat dat niet verstandig is. *Hoop & Liefde* is het rustpunt in mijn dag. Nee, het ijkpunt van mijn leven. De afgelopen tien jaar is er maar één metgezel geweest, op wie ik nooit uitgekeken raakte en van wie ik altijd op aan kon: *Hoop & Liefde*. Je moet van goeden huize komen wil je me dat ontzeggen.

Als ik de deur opendoe, staat daar tot mijn grote verrassing geen Frenk, geen gillende fanclub, geen scooter met bezorgsushi en geen collectant. Maar mijn vader. En een zoemende camera in de startblokken achter hem.

...

Sorry, maar ik ben even sprakeloos.

Wat doet mijn vader hier?

De laatste keer dat hij bij mij op bezoek is geweest, kwam hij het behalen van mijn propedeuse Communicatie vieren (die van Spaans, Rechten en Psychologie heb ik nooit gehaald). Dat deed hij met een fles wijn met een etiket waarop stond '*Schuurman Verpakkingen wenst Bapao Dries Ventures een geweldig 1987*' en een zak bapao's. Ik kom altijd naar hem toe. En hij geeft aan wanneer dat kan. Op nieuwjaarsdag, meestal, en op tweede paasdag.

'Hoi, Alex,' zegt hij.

'Hoi, pap,' zeg ik. Eerlijk oversteken.

Ik vind het een van de vreselijkste dingen die mensen tegen elkaar zeggen als ze elkaar een tijdje niet gezien hebben, maar hij is geen steek veranderd. Daarom denk ik het alleen maar. Hij is nog net zo bruin, zijn armen zijn nog net zo opgepompt en zijn haren nog net zo blond. Dezelfde strokleur als mijn moeder; ik vermoed dat ze vroeger elkaars haar deden met hetzelfde pakje. Ik weet niet hoe andere mensen het beleven als hun vader voor de deur staat, maar voor mij is het alsof er zojuist een verre achteroom heeft aangebeld. Omdat het familie is, voel je je verplicht om allerlei warms te voelen, maar als je heel eerlijk bent, komt dat nog sneller los als je de buurman ziet.

'Dat is lang geleden,' trapt hij monter af.
'Nou en of.'
'Wat zal het zijn, een halfjaar?'
'Zoiets, denk ik. Of misschien ietsje langer.'
'Ja, misschien nog wel ietsje langer.'
'Hoe wist je dat ik hier was?'
'Ik herkende de straat op de foto's in *De Telegraaf*. Ik ben hier om de hoek geboren, wist je dat? Maar toen was het nog heel anders. Nog niet zo chic als het nu is.'
Ik schuifel met mijn voet. 'Ik wilde je nog bellen.'
Dat was ik echt van plan. Ik ben het alleen vergeten.
'Dat hoeft niet meer, nu ben ik er toch,' haalt hij schaapachtig zijn schouders op.
'Ja, je bent er.'
Hij frutselt onhandig met een tasje, ik probeer te beslissen of ik mijn handen nou het beste op mijn rug kan houden of over elkaar kan slaan. Of misschien om hem heen, met zo'n klopje op zijn rug? Nee, dat doe je als iemand zich verslikt.
'Mag ik binnenkomen?' vraagt hij.
'Ja, natuurlijk. Natuurlijk, kom binnen.'
Voor ik opzij heb kunnen stappen, heeft hij al een stap naar voren gezet. Er zit nu nog paar een paar centimeter tussen ons; Giorgio Armani dendert mijn neus binnen. Ik wil een stap naar achteren zetten, maar mijn vader slaat een arm om me heen. En nog één. Daar hangt hij om mijn nek, mijn vader. Een van de meest opmerkelijke momenten in de wereldgeschiedenis, sinds de val van de Berlijnse Muur. Ik sla ook maar een arm om hem heen. En nog één. Daar staan we dan.
'Wat gaat er nu door je heen?' springt de cameraman hijgerig boven op ons. 'Hoe is het om je vader weer te zien?'
'Rot op met je camera,' snauw ik, 'anders stuur ik Dylan op je af.'
Geschrokken maakt de cameraman rechtsomkeert. Ik probeer me los te wrikken uit de omhelzing; het is wel weer mooi geweest met dat geknuffel.

'Nou, kom binnen, pa,' zeg ik, ongemakkelijk hartelijk. Ik loop voor hem uit de gang door, naar de woonkamer. Op de hennepbank lijkt hij opeens klein, de grote Bapao Dries.

'Je ziet er goed uit,' zegt hij.

'Dank je, jij ook.'

'Wat deed je het leuk bij Roderick van Lanschot,' glimlacht hij voorzichtig.

'Dankjewel,' zeg ik, verbaasd over dit complimentje. Zo scheutig is hij daar namelijk niet mee; hij deelt er gemiddeld één per tien jaar uit. Dat worden dus weer karige jaren bij Bapao Dries Ventures. 'Ik wist niet dat je naar *Roderick!* keek.'

'Dat doe ik ook niet, maar Tamara heeft het voor me opgenomen. Als ik Tamara toch niet had...'

Tamara is al bijna twintig jaar mijn vaders secretaresse. Ze kocht vroeger altijd mijn verjaardagscadeaus, dacht aan mijn zakgeld en ging af en toe naar de ouderavonden op school. Nieuwsgierig kijkt mijn vader de woonkamer rond. Zijn zonnebankhuid heeft bijna dezelfde kleur als de bank, valt me opeens op.

'Is Dylan er niet?' vraagt hij.

'Die zit beneden in de studio, met de jongens van zijn band. Ik denk dat ze zo wel naar boven komen. Inspiratie, hè,' haal ik mijn schouders op, alsof ik als geen ander begrijp wat het betekent om over te lopen van de inspiratie.

'Ja, inspiratie,' doet mijn vader mee. 'Ik heb nog wat voor je, trouwens.' Hij geeft me het zakje aan, dat hij nog altijd niet los heeft gelaten. Nieuwsgierig maak ik het open en haal er een in plastic verpakte bapao uit.

'Onze nieuwste smaak,' zegt hij trots, 'Vegetarian Curry.'

'Hmmmm, lekker,' doe ik een verplichte glimlach.

'Er zit nog wat in,' hupst hij ongeduldig heen en weer op de hennepbank.

Verrek. Onder nog een bapao en een magnetronloempia vind ik een plat pakje. Ongedurig ruk ik het papier eraf. In een zilveren lijstje zit een foto van een kleine ik, een jaar of twee oud. Breed lachend zit ik op schoot bij mijn vader, mijn dikke armpjes blij in de lucht. Hij is iets minder blond, iets minder bruin en iets minder breed, maar hij ziet er vrolijk uit. Vrolijker dan ik hem ooit gezien heb. Uitbundig grijnzen we samen naar de camera.

'Prachtig,' zeg ik, met een plotselinge prop in mijn keel.

'Die heeft je moeder gemaakt,' zegt mijn vader. Hij buigt zich naar de foto, om wat hij achter zich heeft gelaten in zich op te nemen. 'Je was zo'n vrolijk kind. Je maakte je moeder en mij altijd aan het lachen met je grappen en je vrolijke dansjes. Alles om maar in het middelpunt van de aandacht te staan.'

'Ja, op het schandalige af,' grinnik ik. 'Weet je nog dat ik erop stond om op een van jouw bedrijfsfeesten mijn Madonna-act te doen?'

'We hebben je van het podium af moeten trekken!'

Samen zitten we te lachen. Ik had nooit gedacht dat ik nog eens zou lachen met mijn vader, laat staan in de woonkamer van Dylan Winter, Nederlands meest begeerde rockster. Wat zou hij ervan vinden dat ik hier ben? En waarom is hij hier eigenlijk?

'Wat kom je doen?' flap ik eruit. Het is precies wat ik bedoel, maar als je het letterlijk zegt, klinkt het erg onvriendelijk. Raar is dat.

'Ik zag je dus bij *Roderick!*, en ik dacht: het wordt tijd dat wij weer eens praten. Ik bedoel, je blijft toch familie, hè.'

Inderdaad. Of je het nou wilt of niet.

'Ik wilde je wat vragen.' Omdat hij nu geen tasje meer heeft om mee te frutselen, is hij maar overgegaan op de *RoddelWeek*. Secuur vouwt hij Dylans hoofd dubbel. En dubbel. En dubbel.

'Wat dan?' vraag ik, nieuwsgieriger dan ik durf toe te geven.

Om de aanloop te vermommen haalt hij zijn hand door zijn witblonde haar, maar halverwege loopt hij vast in de overdaad aan gel. Hij haalt zijn hand daarom maar weer uit zijn haar, veegt hem af aan zijn broek en vouwt hem samen met zijn andere hand. Je moet er toch iets mee doen.

'Alex, ik vroeg me af...'

Vol verwachting klopt mijn hart.

'...of jij en Dylan het gezicht zouden willen zijn van onze nieuwe Vegetarian Curry-line.'

Triomfantelijk kijkt hij me aan.

'Leuk, hè? Ik denk dat jullie er gewéldig bij passen! Vegetarian Curry is pittig maar toch vriendelijk, net als jullie. Ik zat te denken aan advertenties en natuurlijk jullie foto op de verpakking. En weet je wat helemaal leuk zou zijn? Als we Vegetarian Curry-evenementen zouden kunnen organiseren, met optredens van Dylan! Daar kun je dan kaartjes voor winnen met een code op iedere Vegetarian Curry-verpakking. Leuk toch? Over het geld worden we het nog eens. Trouwens, ik heb sowieso nog geld van jou tegoed. Australië, weet je nog? Ik weet het goedgemaakt, daar kunnen we vast wel wat tegen elkaar wegstrepen. Verder dacht ik dat het misschien wel leuk was om —'

'Hallóóó,' komt Dylan binnenwandelen, opgewekter dan ik hem de laatste dagen gezien heb. 'Schat, hebben we nog wat biertjes in huis? Want die hebben we wel verdiend, Thomas, Robbie en ik hebben keihard gewerkt vanmiddag. Ik zweer het je, dit wordt echt iets heel bijzonders... Hé, bezoek?'

Vrolijk vragend kijkt hij naar mijn vader.

'Pap, Dylan, Dylan, mijn vader,' werk ik snel de plichtplegingen af. 'Maar hij stond net op het punt om weg te gaan.'

Hoofdstuk 38

Ik kom er niet in, vandaag. Het is al elf uur en ik heb nog niets zinnigs gedaan. Ik heb al twee espresso's gehaald, een cappuccino, twee kopjes thee en een glaasje watercoolerwater. Er ligt benauwend veel werk op me te wachten, maar ik dwaal nog steeds door mijn digitale leesmap. Roos keek me net al kwaad aan omdat ik weer aan het internetten was. Dat hoort ze aan de manier waarop ik met mijn muis klik. Maar ik ben niet de enige die wel wat beters te doen heeft, maar daar geen zin in heeft. Honderden mensen vragen zich op het forum van roddelweek.nl af waarom ik mijn vader het huis uit gegooid heb. Wilde hij mijn bruidsschat in bapao's uitkeren? Of keurde hij het huwelijk niet goed? Wat heeft iedereen toch met dat huwelijk?

Annie83 uit Wijk bij Duurstede heeft andere ideeën over de uitzetting; zij denkt dat ik heel wat te verduren heb gehad in mijn jeugd. Ze heeft een omgekeerde instraling gedaan, door haar hand op een foto van mij te leggen en zo mijn energie te ontvangen. Ze voelt een duistere schaduw die begint met een B. Ook heeft ze mijn horoscoop getrokken. Als Boogschutter houd ik van lachen en spelletjes, schrijft ze, en ben ik graag onder de mensen. Groepen nemen mij makkelijk op, want ik ben spontaan en losjes en mijn charme is zo natuurlijk. Omdat ik barst van de energie, ga ik er graag op uit en zoek ik mensen op die net zoveel levenslust hebben als ik. Mijn leven moet avontuurlijk zijn, vol nieuwe uitdagingen om me verder te ontwikkelen. Met volle teugen genieten, dat is waar het mij om gaat. Dankzij mijn optimistische instelling kijk ik altijd naar de toekomst. Zodra ik een doel bereikt heb, denk ik alweer na over het volgende. In mijn haast heb ik echter wel de neiging om onzorgvuldig te zijn, zowel wat betreft mijn werk als met gevoelens van anderen.

Tja.

Onzin, die horoscopen.

Ik moet echt beginnen, want het werk stapelt zich op. Letterlijk. Roos vroeg venijnig of ik nog wel kon zien waar, maar ik weet echt wel welke stapel werk is en welke troep. Dit ligt er op de werkstapel:

- De Klant heeft nog geen akkoord gegeven op een copyvoorstel en daar moet ik achteraan bellen. Ik moet voor twaalf uur een akkoord hebben, anders wordt Zafira van Traffic heel boos op me. Ze had het over 'escaleren' en 'echt niet kunnen'. Zafira overdrijft altijd een beetje, vind ik.
- Chef Drukwerk Bas van Zanten heeft volgens De Klant nog steeds niet het juiste soort papier gevonden voor een mailing naar klanten uit het *high potential, high loyalty*-segment. Het moet glanzend zijn, maar dan wel matglanzend, om het wat chiquer te maken. Maar ook weer niet te mat, want dan wordt het te gewoontjes.
- Ik heb nog tweeëndertig ongelezen e-mails in mijn mailbox, die allemaal hoognodig beantwoord moeten worden, afgaande op de overdaad aan rode uitroeptekens.
- Creatie vindt dat De Klant met haar voortdurende commentaar het concept voor de actiewebsite verpest en ik moet haar vriendelijk vertellen dat het voor iedereen beter is dat ze vanaf nu haar mond houdt.
- Ik moet de notulen nog uitwerken van de accountvergadering. Ik moet altijd de notulen uitwerken van de accountvergadering.

- Ik moet een debriefing schrijven van een briefing die ik niet begreep.
- Ik moet een stuk of zevenhonderd statuslijsten bijwerken.

Wat een ondankbaar vak, eigenlijk, Accountmanager. Iedereen doet maar wat en ik moet ze vertellen dat dat allemaal best is, als ze dat maar op tijd doen en binnen het budget. De laatste tijd bekruipt me steeds vaker het gevoel dat ik hier misschien toch niet zo op mijn plek zit als ik dacht.

Het leek zo mooi, de reclame. Een spannende wereld, vol creatieve mensen die al brainstormend met kartonnen borden onder hun arm van klant naar borrel naar shooting wandelen. Van de buitenkant is het ook uitstekend. Het pand van VOGH/JJGP is prachtig, de meeste mensen zien er geweldig uit en ik sjouw me een ongeluk met die kartonnen borden. En de donderdagmiddagborrels in Café Cor zijn erg leuk, al ben ik er de laatste tijd niet veel geweest. Maar iedereen doet hier alsof het de normaalste zaak van de wereld is om een relatie te hebben met Dylan Winter, tot voor kort de Meest Begeerde Vrijgezel van het Jaar. Niemand vraagt eens hoe het met hem is, of met ons. Of hoe het nou is om zo in de aandacht te staan. En mijn werk is zo – hoe zal ik het zeggen – gedienstig. Het is mijn taak om ervoor te zorgen dat Creatie zijn werk goed kan doen en dat De Klant tevreden is, wat in de praktijk betekent dat Creatie zeurt over De Klant en dat De Klant klaagt over Creatie. En ik aan beide partijen moet vertellen dat het allemaal reuze meevalt. Als VOGH/JJGP een restaurant is, is Creatie de keuken, is De Klant de gast en is Account de ober. De keuken kookt de sterren van de hemel, de gast zit lekker te eten en de ober slooft zich kapot.

Ik weet niet of ik wel voor dit gedienstige gedoe in de wieg ben gelegd. Van huis uit heb ik het in ieder geval niet meegekregen. De grootste investering die mijn moeder gedaan heeft in de zorg voor mij was een magnetron, waarin ik maar moest opwarmen wat ik wilde (als het maar geen bapao was). En ik heb tot nu toe weinig last van gehad van verzorgende neigingen voor gasten of logés. Zie je het voor je? Ik, met een ontbijtje op bed in mijn hand? Versgeperste jus, huisgebakken brood, nog warm van de oven, oude kaas, zojuist op de fiets afgehaald bij de boer, een zachtgekookt eitje... Ik dacht het niet. De laatste tijd denk ik steeds vaker dat ik meer inhoudelijk bezig zou willen zijn. Iets neerzetten waar andere mensen van kunnen genieten. Al weet ik nog niet wat. Of misschien moet ik gaan toewerken naar een promotie. Het aansturen van klusjes is vast veel leuker dan het doen van klusjes zelf.

Ik sta echt op het punt om te beginnen met mijn actielijst, maar Roos leidt me af met haar telefoongesprek. Ze haalt me al uit mijn concentratie voor ik erin gekomen ben.

'Nou, ik had me er gewoon op verheugd...'

[...]

'Ja, ik begrijp ook wel dat het belangrijk is dat de montage goed wordt...'

[...]

'Ja, je hebt een reputatie hoog te houden, ja.'

[...]

'Hoe je het goed kunt maken? Verras me maar.'

[...]

'Lunch? Prima. Ja, ik ook... Nou, dag. Daag.'

[...]

'Daaag.'

[...]

'Daaaaag,' zegt ze, fluisterend bijna.

Ze doet haar mond dicht (Zie ik daar een glimlachje? Wat heeft Roos te glimlachen? Dat heb ik haar sinds de Galápagoseilanden niet meer zien doen!) en beweegt de telefoon terug naar zijn houder. Eindelijk rust. Ik moet niet zeuren, verman ik mezelf; werk is goed voor je. En best leuk. Iedereen doet het.

'Alex?'

Helaas.

‘Roos?’

‘Mag ik je wat vragen?’

‘Ja, hoor,’ zeg ik verbaasd. Roos vraagt nooit, Roos verordonneert.

‘Stel, hè.’

‘Ja?’

‘Stel, je hebt een afspraak met iemand. En die zegt op het laatste moment af, terwijl jij al van alles geregeld hebt. En—’

Verontschuldigend wijs ik naar mijn telefoon, die hevig begint te rinkelen. Begint ze eens een goed gesprek, komt dat ding tussenbeide. Het lijkt zo’n onschuldig plastic apparaat, maar hij is ontzettend dominant. Hij laat van zich horen wanneer hij daar zin in heeft en gaat ervan uit dat ik zonder slag of stoot alles uit mijn handen laat vallen om hem op te nemen. Wat een divo.

‘Goedemiddag, VOGH/JJGP, met Alex Prins, waarmee kan ik u helpen?’

‘Ja, goedemiddag, u spreekt met Bert de Keizer. Het spijt me dat ik u stoor, want u heeft vast allerlei belangrijke dingen te doen, maar ik moet u iets heel belangrijks vertellen.’

‘Ken ik jou ergens van, Bert de Keizer?’

‘Nee,’ knauwt hij, met een Groningse tongval, ‘maar het is echt héél belangrijk. Ik zag u laatst op de televisie en ik dacht: ik moet u spreken. Als dit niet heel belangrijk zou zijn, zou ik u echt niet storen. Want ik begrijp dat u hecht aan uw privacy. Dat is heel belangrijk in het leven. Dat vind ik zelf ook. Daarom ben ik verhuisd naar Uithuizermeeden. Lekker rustig, tussen de bomen en de koeien. Prachtig. Maar goed, daar bel ik niet voor. Ik heb nieuws waarvan u steil achterover zult slaan.’

‘Nou, kom maar door, Bert.’

‘Zit u?’ vraagt hij.

‘Ja, hoezo?’

‘Wat ik ga vertellen kunt u als heel schokkend ervaren. Dina, kun je even ophouden met stofzuigen? Ik zit aan de telefoon! ...Ja, met Alex, ja. ...Nee, ik vraag geen handtekening voor je. Bent u er nog?’

'Ja, hoor.'

Ik vind deze Groningse zonderling wel amusant. En ik begin benieuwd te worden wat hij te vertellen heeft. Heeft hij mijn moeder bezwangerd toen zij achtentwintig jaar geleden verdwaald was en in Groningen terecht was gekomen en is hij mijn echte vader? Is God verdwenen uit Jouwerd?

'Dylan is Dylan niet,' zegt hij. 'De echte Dylan is namelijk dood.'

Wát?

'Ja, daar schrikt u van, hè! De echte Dylan is op 6 juni vorig jaar omgekomen bij een motorongeluk. Om zes minuten over zes. Hij werd afgeleid door een konijntje op de weg, dat werd hem fataal. Tragisch, ik kan niet anders zeggen. Maar zijn manager Frenk, u wel bekend, en de platenmaatschappij konden hun grootste inkomstenbron niet verliezen. Na een spoedoverleg hebben ze besloten om het publiek niets te vertellen en hem te vervangen door een lookalike, die Henk Lauwers heet. Henk stond ingeschreven bij een entertainmentbedrijf dat lookalikes van bekende Nederlanders verhuurt voor optredens in discotheken en voor winkelopeningen en dat soort dingen. Maar sinds 6 juni zijn de gegevens van Henk op mysterieuze wijze van de website verdwenen. Als je hem googlet, levert dat ook geen resultaten meer op. Frenk en de platenmaatschappij doen hun uiterste best om het deksel stevig op die doofpot te houden. Het kwam ze dan ook heel goed uit dat Dylan geen contact meer had met zijn ouders, want zij zouden de enigen zijn die een verschil op zouden merken. Maar de waarheid is dat de Dylan met wie jij elke avond in bed ligt, Dylan niet is. Maar Henk.'

'Ja, en ik ben Elvis Presley,' proest ik.

'Ik begrijp dat u hierom moet lachen,' zegt Bert serieus, 'maar er zijn een aantal dingen waar u toch echt even naar moet luisteren. Wij hebben bewijzen waarvan het kippenvel u over de rug zal lopen. Werkelijk heel bizar. Het is alsof Henk wroeging heeft van wat hij gedaan heeft en iets probeert te vertellen. Maar dan alleen aan de oplettende fans, want hij doet het heel subtiel. Anders zou de ophef niet te overzien zijn, natuurlijk.'

'Ik ben reuze benieuwd,' probeer ik mijn lach in te houden.

'Nou, het eerste bewijs lijkt me overduidelijk. Dylan zag er altijd fantastisch uit, maar in dat reclamespotje en die videoclip van "I Don't Care" ziet hij er ontzettend beroerd uit. U zou zelfs kunnen zeggen dat hij eruitziet... als een opgegraven lijk. Dat is wel heel symbolisch, nietwaar?'

'Daar heb je een punt,' zeg ik, maar ik betwijfel of Bert de spottende toon hoort. Bert lijkt me niet iemand met een radar voor dergelijke nuances.

'Ik zei u toch dat het bizar is?' roept Bert. 'En weet u wat ook zo raar is? Hij gedraagt zich zo anders sinds die zesde juni. Dat moet u toch ook opgevallen zijn? De echte Dylan was een rokkenjager eerste klas, hij versleet de ene vrouw na de andere. En nu zou hij opeens monogaam zijn. Dat is toch te raar voor woorden?'

Ik probeer Bert op het verschijnsel van ware liefde te wijzen, maar het concept slaat niet aan.

'En dan nog iets. Dylan, of zal ik Henk zeggen, rijdt geen motor meer. En Dylan was verslingerd aan motorrijden. Hij rijdt alleen nog maar rond in zijn Maserati en zijn Porsche. Deze noemt hij ook duidelijk in "I Don't Care". Maar over de Harley Davidson wordt niet meer gerept, terwijl dat altijd zijn favoriete vervoermiddel was. Daar wil hij ons duidelijk iets mee vertellen, dat zult u toch ook wel begrijpen?'

'Dylan heeft zijn motor verkocht omdat hij er geen zin meer in had. Hij vond Harley Davidsons bij nader inzien motorfietsen voor mannen met een midlifecrisis.'

Dat heeft iedereen kunnen lezen; alle bladen stonden er vol mee. De verkoopcijfers van Harley Davidson maakten een vrije val toen Dylan zijn statement bekend maakte.

'Jaja, het officiële verhaal. Ontzettend doorzichtige flauwekul. Moet u niets van geloven. U moet altijd blijven zoeken naar de waarheid, juffrouw. En die vindt u niet in de media. Maar ik ben nog niet klaar.' Hij begint steeds harder te praten, meegesleept door zijn eigen verhaal. 'Moet u horen, heeft u het hoesje van de cd-single weleens goed bekeken? Waarom heeft hij daarop een zwart pak aan? En waarom is hij blootsvoets? Iedereen weet dat zwart staat voor de dood. En dat je zonder schoenen wordt begraven!'

En Julia weet dat een zwart pak en blote voeten de grootste catwalkhit was in Parijs. Heel Hollywood loopt al rond als een schoenloze doodgraver.

'En dan heb ik u nog niet eens verteld over het belangrijkste bewijs. Dit zal uw laatste twijfels wegnemen, daar ben ik van overtuigd. Er zit namelijk een verborgen boodschap in "I Don't Care". Als je hem opneemt op tape en die dan achterstevoren afspeelt, hoor je,' Bert pakt er een krakend briefje bij, "*fuck motorbikes, am dead I, you fool, am dead I, name Henk is my, ha ha ha.*" Zo, als je nou nog niet overtuigd bent...'

Zijn zelfgenoegzaamheid over deze vondst sijpelt door de telefoon.

'Jeetje, Bert, dat is inderdaad echt héél interessant. Ik zou graag nog uren verder met je babbelen, maar ik moet weer aan het werk. Ik moet namelijk nog een aantal geheime boodschappen op Dylans website plaatsen. Tot ziens hè, Bert!'

'Maak er maar een grapje van!' roept Bert. 'Let goed op! Ik waarschuw u, let goed op! U heeft geen idee waarin u verzeild bent geraakt!'

'Dag, Bert!'

Grinnikend zet ik de telefoon weer terug in zijn houder.

'Wie was dat?' vraagt Roos.

'Oh, een advertentieverkoper van *De Telegraaf*.'

Dit moet ik aan Dylan vertellen. Of moet ik Henk zeggen? Die zal zich kapot lachen. Misschien moet ik een goede smoes verzinnen om eerder weg te gaan. Griepje, ofzo.

Hoofdstuk 39

Ons indoorleven is onlangs uitgebreid met een homecinemacenter. De tv is dubbel zo groot, met luidsprekers als flaporen aan de linker- en rechterkant. Aan weerszijden van de hennepbank zijn nog twee kleintjes verstopt; voor optimale soundeffecten, zegt Dylan. Ferrari's trekken nu op in onze nek, vliegtuigen suizen over onze hoofden en grommende monsters duiken op naast de bank. Na Dylans kooksessies, die steeds ambitieuzer worden, kijken we film na film en raken we verslaafd aan televisieseries. Wat betreft die series komen we er samen wel uit (iets met humor of iets met spannend), maar als het op films aankomt zitten we nog niet bepaald op één lijn. Ik vind dat Dylan te veel tieten-en-schieten-films uitkiest en Dylan klaagt dat ik alleen maar romantische jankfilms wil kijken. We doen ons best om een middenweg te vinden (een schietfilm met romantiek, of een romantisch moorddrama), maar het blijft lastig.

Vandaag heeft Dylan een verrassing voor me: een rechthoekig, plat pakje, ter grote van een dvd. Enthousiast als altijd ruk ik het papier eraf.

'*Breakfast at Tiffany's*!' juich ik.

'Dat was je lievelingsfilm, toch?'

Ik knik grijnzend. 'Wat lief dat je dat onthouden hebt!'

Blij schuift Dylan hem meteen in de dvd-speler.

Vergeet al die *Godfathers*, *Ben Hur*, *The Shining* en dat vervelende *Pulp Fiction*; *Breakfast at Tiffany's* is de enige ware filmklassieker. En Holly Golightly de ultieme heldin. Ze is wispelturig, impulsief en misschien af en toe onbetrouwbaar, maar tegelijkertijd een van de meest charmante en mooiste vrouwen die ooit op celluloid geboren zijn. Toen ik twaalf was, zag ik de film voor het eerst op tv. Ik keek naar mijn moeder op haar Purmerendse bank, ik keek naar Holly in het glamoureuze New York en zag dat het anders kon. Tientallen jaren later is alles dat ze draagt nog steeds van een tijdloosheid waar ik hopeloos jaloers op ben. Eens in de zoveel tijd neem ik me voor om me net zo klassiek te kleden als Holly – of Audrey Hepburn, zo u wilt – maar al snel zwicht ik dan weer voor frutsels, ruches en zwierigheid. Gelukkig beschermt Julia me tegenwoordig tegen mezelf.

Met de keukencreatie van de dag (tilapiafilet in dille-wittewijnsaus met gestoomde groenten; de hobbykok in Dylan maakt rasse schreden voorwaarts) gaan we op de bank zitten. Tevreden schuif ik tegen Dylan aan en zak weg in de openingsscène die ik al zo vaak gezien heb. New York, vroeg in de ochtend. Fifth Avenue is nog uitgestorven. Een gele taxi rijdt de lege straat in en stopt op de hoek. De passagiersdeur gaat open en Holly Golightly stapt uit. Haar haar draagt ze opgestoken en een grote, zwarte zonnebril beschermt haar ogen tegen het felle ochtendlicht. De camera zoomt uit; nu pas zien we dat we voor juwelenparadijs Tiffany's staan. En zien we wat Holly aanheeft; de beroemde lange, zwarte avondjurk van Givenchy, met bijbehorende lange handschoenen. Ze loopt naar de etalage, uit het papieren tasje dat ze bij zich draagt haalt ze een broodje en daarna een beker koffie. Dromerig bekijkt ze de juwelen en begint aan haar ontbijt.

'Prachtig,' zucht ik een stukje broccoli terug op mijn bord. Snel veeg ik de saus die het achtergelaten heeft van mijn onderlip. 'Ik bedoel, hoe ze daar staat, net terug van een feest, onbetaalbaar mooi in de geweldigste jurk ooit, weg te dromen bij de juwelen die ze zich niet kan veroorloven. En dan dat contrast met dat goedkope papieren zakje. Wat een klassieke opening.'

'Heb je het boek ook gelezen?' kauwt Dylan.

'Boek?'

'Het boek, van Capote. Waarop de film gebaseerd is.'

'Wie?'

'Truman Capote, één van de beste Amerikaanse schrijvers van de vorige eeuw!'

Verbaasd draait hij zich naar me toe, alsof ik niet weet wie de minister van Onderwijs is. Dat weet ik echt wel. Nou ja, ik kom er zo wel op.

'Jezus, doe niet zo Yljaaa,' knor ik.

'Auw,' grinnikt Dylan. 'Maar serieus, het boek is geweldig, nog beter dan de film.'

'Dat kan niet,' zeg ik stellig. Ik leun achterover, laat Dylans tilapiacreatie mijn smaakpapillen vertroetelen en geniet van het New York van 1961, de lievelingsstad waar ik nooit geweest ben. Ik verlies me zo in de film dat ik vergeet dat er feestjes beginnen in de stad, dat de Oyster Lounge zich vult met gelach en tinkelende glazen, dat er dreunend lawaai is waar ik me in kan storten, nieuwe mensen zijn die ik kan ontmoeten.

Voor de zoveelste keer zie ik hoe de middelmatige schrijver Paul vriendschap sluit met Holly, die in het appartement boven hem woont. In zijn tijd zal hij vast een knappe man geweest zijn met zijn vierkante hoofd en zijn frituurhaar, maar sinds iemand me vertelde dat hij ook Hannibal is in The A-Team kan ik eigenlijk niet meer normaal naar hem kijken. Maar dat doet er ook niet toe; hoe nietszeggender de bijpersoon, hoe meer Holly uit de verf komt. Als een vrolijke tornado dendert ze door de stad. Zo vrij als een vogel betovert ze man na man, in de ene beeldige outfit na de andere. Ik lach mee met de feestjes en afspraakjes, met Holly's jacht op een rijke echtgenoot, om de mannen die kwaad worden als ze niet mee naar binnen mogen, nadat ze haar hebben gefêteerd en voortdurend briefjes van vijftig dollar toe hebben gestopt voor toiletten en taxi's. Hannibal ontdekt tussen het typen aan zijn roman waarop niemand zit te wachten door dat Holly niet zo onschuldig is als ze lijkt, maar valt toch als een blok voor haar. Ze maakt hem aan het lachen, brengt licht in zijn bewolkte leven met haar impulsieve plannen en wonderlijke gedachtekronkels. En ik ben ontroerd als Holly's verleden opduikt; een echtgenoot uit Texas om precies te zijn, bij wie ze jaren geleden stilletjes vertrokken is op zoek naar een interessanter leven, de filmsterren uit haar tijdschriften achterna. Verdrietig komt hij haar halen, maar ze kan niet meer terug, ze wil het niet meer. Ze is een andere vrouw geworden, met een nieuwe naam, een nieuwe stad, nieuwe vrienden en een nieuwe garderobe.

Nou ja, en dan krijg je daarna nog een romantisch jankeinde, wat helemaal niet past. Beetje jammer. Holly staat op het punt om naar Brazilië te vertrekken, leuke Brazilianen achterna, als Hannibal haar overhaalt om te blijven voor een arm en gelukkig leven, wat resulteert in gezoen in de regen, violen en de hele Hollywoodrimram. Begrijp me niet verkeerd, ik gun haar best geluk in de liefde, van harte zelfs, maar niet met die schrijfdweil. Ik hoop dan maar dat dat anders is in dat boek.

'Nog steeds de beste film ooit. Nou ja, behalve dat einde dan,' zucht ik voldaan als de aftiteling over het doek rolt. 'Ik vind het zo mooi hoe de film laat zien dat het leven maakbaar is, dat je jezelf opnieuw uit kunt vinden en opnieuw kunt beginnen. Ik begrijp niet waarom de feministen Holly niet omhelsd hebben als boegbeeld.'

'Maar ze is een callgirl!' roept Dylan uit.

'Ach, callgirl, callgirl... je ziet wat je wilt zien,' wapper ik zijn bezwaar weg.

'Maar geloof je werkelijk dat ze vijftig dollar krijgt om naar het toilet te gaan?'

'Ze gaat uit met die mannen en die mannen geven haar geld. Dat is hun eigen keuze, hoor. Ze hebben geld zat, dat missen ze echt niet. Het is gewoon haar manier om zelfstandig te zijn.'

Maar zo makkelijk geeft Dylan zich niet gewonnen. 'Zie je dan niet hoe ongelukkig ze is? Ze verpakt het allemaal charmant en duikt van het ene feestje in het andere, maar als het erop aankomt woont ze met een koffer vol kleren in een huis dat ze nooit fatsoenlijk heeft ingericht en is ze op de vlucht voor zichzelf. En die schrijver is er niet veel beter aan toe. Nee, het gaat over twee eenzame zielen die het geluk bij elkaar vinden. Samen zijn ze niet meer alleen,' zucht Dylan dromerig. 'Schitterend.'

Hij draait zich naar me toe en kijkt niet meer dromerig, maar zo serieus dat ik er bijna zenuwachtig van word. 'Samen met jou ben ik ook niet meer alleen. Dat van dat ontbrekende puzzelstukje is gewoon waar. Ik voel me áf, met jou.'

'Jij en ik, daar gaat het om,' glimlach ik terug en duik op hem voor een grootse en meeslepende filmzoen, waarbij Holly en Hannibal verbleken tot hopeloze amateurs.

'I don't belong to anyone', zou Holly hebben gezegd.

Het kan nooit lang geduurd hebben met die schrijver.

Hoofdstuk 40

Poseren valt nog niet mee. Op foto's ziet het er altijd zo natuurlijk uit. Je gaat staan, kiest een leuke houding, klikklikklik en klaar. Zo stelde ik het me voor. Ik oefende ook weleens stiekem voor de spiegel. Hoofd gekanteld naar boven, ogen vanonder de wimpers lonkend naar de camera, hand losjes in de heup, linkervoet naar voren. Het zag er best aardig uit, vond ik zelf. Goed licht en een flinke lik plamuur zou de rest wel doen. Hoe moeilijk kan het zijn?

'Kan die neus nog iets verder omhoog? Nee, naar mij. Ik sta hier. Híér sta ik!'

Ontzettend moeilijk, dus. Ik til mijn neus een klein stukje verder omhoog en draai me voorzichtig naar Ronald Peeters. Hij schijnt een van Nederlands beste fotografen te zijn; peperduur, gewild tot ver over de grenzen en amper te boeken. Volgens Rodzjer zijn Ronald en hij dikke vrienden sinds hun samenwerking aan legendarische campagnes voor Mazda en Centraal Beheer. Hij hyperventileerde bijna van enthousiasme toen ik hem vertelde dat ik door Ronald gefotografeerd zou gaan worden.

'Had ik gezegd dat je je neus een halve meter omhoog moest tillen? Nee, toch? Nou dan!'

Precisiewerk, dit. Heel aardig vind ik Ronald nog niet, maar om buitengewoon goed te zijn in je vak kun je nou eenmaal niet altijd even aardig zijn. Denk ik.

'Oké, wil je nu je hand in je zij zetten, maar niet zodat het eruitziet alsof ik je gevraagd heb om je hand in je zij te zetten? Nee, gewoon losjes. Alsof je op de bus staat te wachten, ofzo. De bus, niet je pooier! Niet zo met je borsten naar voren! Nou ja, voor zover je die hebt, dan.'

Een lifestyle-opinieglossy heeft me geselecteerd als een van de tien meest opvallende vrouwen van het moment. Ik ben onder meer in het gezelschap van een Tweede Kamer-lid voor het CDA die zich inzet voor confessionele dierenopvang, Carmen van MTV, die me omhelsde als haar verloren gewaande tante uit Canada, een wetenschapster die baanbrekend onderzoek heeft gedaan naar het paringsgedrag van de woelrat, een toneelactrice die grote successen vierde met haar Bijbelmonologen, een piepjonge tennisster die een sensationele verrassing was op Wimbledon en een zangeresje dat een enorme hit had met een lied met veel oehs en aahs erin.

We zijn allemaal flink onder handen genomen door een visagist en een stylist. Mijn gezicht is weer dichtgekit met een jaarvoorraad plamuur en de make-upkoning is losgegaan op mijn ogen; de fluorescerend roze en paarse oogschaduw reikt van mijn wenkbrauwen tot mijn haargrens. Mijn haar is verbouwd tot een interessante sculptuur en ik heb een asymmetrische rok aan van jeans, satijn en wol, gecombineerd met gestreepte kousen en gouden pumps. Daarboven draag ik een kartonnen badpak, wat me niet bepaald een handig materiaal lijkt om mee te gaan zwemmen, maar ik zal de diepere betekenis van haute couture wel nog niet helemaal begrijpen. Carmen zei dat ik er echt goed uitzag en adviseerde me om me maar gewoon over te geven aan de stylist; dat deed zij al jaren. Dan weet je tenminste zeker dat je nooit iets aanhebt uit een vorig seizoen, zei ze.

'Laat maar,' zegt Ronald, 'we beginnen helemaal opnieuw. Ontspan je maar even, want met die verkrampte houding van jou heb je morgen een hernia.'

Ik wapper wat met mijn armen en mijn benen en check mijn telefoon; een lief sms'je van Dylan en een gemist gesprek van

Hester. Die bel ik straks wel terug. Naast me klinken sloffende voeten, die me erg bekend voorkomen.

'Hé, wat doe jij hier?' vraagt Ronald.

Ja, wat doet Rodzjer hier? Ik begrijp niet zo goed waar hij de laatste tijd mee bezig is. Hij besteedt al zijn tijd aan The Turtle Foundation en komt zijn andere afspraken niet na. De afdeling Creatie dobbert stuurloos door het pand van VOGH/JJGP; projecten voor Coca-Cola en Holland Casino staan op het punt om genadeloos uit de hand te lopen. Als iemand Rodzjer aan probeert te spreken op zijn gedrag, gooit hij zijn armen in de lucht, zijn kont tegen de krib en moppert hij dat we niet zo moeten zeuren om details als planningen en deadlines en dat een betere wereld een organisch proces is dat echt niet ingepland kan worden door Traffic.

Ronald loopt met gespreide armen op hem af, ze knuffelen elkaar als meisjes. Rodzjer wordt bijna gesmoord in het borsthaar dat tussen de knoopjes van Ronalds overhemd doorgroeit. 'Kerel!' roepen ze. En: 'Jochie! Wat goed om je te zien!' Ze slaan lachend op elkaars ruggen en armen en roepen nog maar een keer: 'Kerel!' en 'Jochie!'

'Dag Rodzjer,' zwaai ik uiteindelijk maar. Prachtig hoor, mannenvriendschappen, maar ik sta hier ook nog.

Rodzjer kijkt me onderzoekend aan. In die legerbroek en dat hawaïhemd ziet hij er kleiner uit dan ooit. 'Wauw, Alex, ben jij het? Ik had je helemaal niet herkend. Je ziet er zo, eh, modellerig uit!'

Ik kom er niet helemaal uit of de nadruk ligt op 'model' of 'dellerig', maar ik geef mezelf het voordeel van de twijfel.

'Maar wat kom je hier eigenlijk doen?' vraag ik.

'Ik dacht: ik ga eens even kijken hoe het hier gaat,' zegt Rodzjer. 'Ik was toch in de buurt.'

'Kijk, dát bedoel ik,' wijst Ronald naar Rodzjers hand, die losjes in zijn zij hangt. In zijn andere hand houdt hij een pakje vast, zie ik opeens. Voor mij? Zou hij onthouden hebben dat ik over zeven weken een jaar in dienst ben bij VOGH/JJGP?

Rodzjer voelt mijn ogen branden op het pakje en steekt het naar voren.

'En ik dacht, nou ja, als jullie er niet helemaal uitkomen met de kleding heb ik hier nog iets...'

Ronald neemt het pakje aan. Als hij het uitvouwt, blijkt het een T-shirt te zijn. Op de donkergroene borst staat een kikkergroene schildpad; het logo van The BPW Bank Turtle Foundation. Onder Kermit de Schildpad staat schreeuwend: SAVE THE TURTLES!

Ronald bekijkt het T-shirt fronsend en zegt: 'Rodzj, jongen, als jij het niet was had ik het allang in de prullenbak geflikkerd. Maar vooruit. Ik zal eens kijken of ik wat voor je kan doen.' Hij brult de styliste erbij – 'JOLITAAA!' – die op torenhoge hakken aan komt wankelen. 'Jool, wat vind jij hiervan?'

Jolita pakt het T-shirt aan en onderwerpt het kauwgomkauwend aan een kritische inspectie. 'Wat sal ik seggen,' kauwt ze, 'ik vind het oké, maar dan wil ik het wel effe *customizen*. Effe een stukje personality eraan geven, weetjewel.'

Zo kan het gebeuren dat ik tien minuten later in een asymmetrische rok van jeans, satijn en wol, gestreepte kousen, gouden pumps en een opengeknipt SAVE THE TURTLES T-shirt, dat met veiligheidsspelden aan elkaar hangt, voor een witte wand sta en houdingen aanneem die ongetwijfeld buitengewoon artistiek zijn, maar waarvan ik nu al weet dat ik er ongelofelijke spierpijn van ga krijgen. Ronald heeft besloten om het handje in de zij te laten varen en geeft me abstracte instructies, die ik moet visualiseren. Een soort acteren, eigenlijk. Hij lijkt een stuk tevredener met deze methode.

'O jee, wat komt daar aan!'

Ik sper ogen en mond wijd open en deins terug voor een onzichtbaar monster.

'Nee hè, vergeten!'

Ik sla mijn hand voor mijn voorhoofd en rol mijn oogbollen omhoog.

'Steigerend paard!'

Ik gooi mijn armen en één been in de lucht, mijn hoofd in mijn nek en kantel achterover.

'Geheim agent!'

Ik pak een denkbeeldig geweer vast en neem een mysterieuze sluiphouding aan.

'Ik denk dat we hem wel hebben,' zegt Ronald en steekt een Camel Filter op. 'Geen Light,' blaast hij uit, 'Light is voor mietjes.'

Tijd om even uit te rusten of om een sigaretje te roken met Carmen (ik rook helemaal niet, maar ik vind het zo leuk dat ze me meevraagt) is er niet; ik moet met journaliste Annette mee voor het interview. Ik word op een bank neergezet, Annette gaat tegenover me zitten en stelt me intelligente vragen over mijn favoriete kledingstuk (spijkerbroek, net als de rest van Nederland), mijn favoriete eten (sushi), mijn favoriete film (*Breakfast at Tiffany's*), waar ik vandaan kom (Purmerend, maar toen ik achttien was, ben ik direct vertrokken) en hoe het is om een relatie te hebben met Dylan Winter, Nederlands meest begeerde rockster (fantastisch! Ik kan niet anders zeggen). En Rodzjer heeft haar waarschijnlijk ingefluisterd dat ze ook iets over de schildpadden moet vragen, want ze is ook reuze benieuwd naar mijn lievelingsdier. Om hem een plezier te doen, doe ik mijn best op mijn antwoord: 'De Galápagos-schildpad, absoluut. Het zijn zulke prachtige, wijze beesten. En nog vegetarisch ook, dus ze doen letterlijk geen vlieg kwaad. Sommigen zijn al meer dan honderd jaar oud. Als je je eens bedenkt wat die beesten in hun leven allemaal gezien moeten hebben... Maar ze worden in hun bestaan bedreigd. Als we niks doen, zijn die prachtige dieren er straks niet meer. Dat kunnen we toch niet laten gebeuren?'

Ik laat me meeslepen, straks pink ik nog een traantje weg. Ik wist niet dat ik dit in me had.

'Daarom draag ik The Turtle Foundation een warm hart toe. Zij steunen het *Giant Tortoise Breeding & Rearing Program*, dat ervoor zorgt dat de schildpaddenpopulatie op peil blijft. En we van die mooie dieren kunnen blijven genieten.'

Ik twijfel of ik nog moet toevoegen 'en onze kleinkinderen ook', maar dat lijkt me bij nader inzien wat overdreven. Daarom besluit ik mijn betoog met een diepe zucht. Annette knikt tevreden en vraagt verder naar mijn favoriete beautyproduct, welke politieke partij mijn voorkeur heeft, wat ik Dylans beste eigenschap vind en of er al huwelijksbellen rinkelen. En zit ze nou werkelijk te vissen naar de lengte van Dylans geslacht?

'Mag ik je iets vragen?' onderbreek ik haar spervuur. 'Waarom hebben jullie mij eigenlijk uitgenodigd tussen al die politica's en zangeressen en presentatrices en sportvrouwen? Ik bedoel, ik heb niet echt een bijzondere prestatie geleverd, ofzo.'

Annette kijkt me verwonderd aan. 'Waar heb je het over? En óf je een prestatie geleverd hebt! Doe nou niet zo bescheiden. Je hebt Dylan Winter veroverd, Nederlands heetste rockster! De man die gezegd had dat hij zich nooit meer aan een vrouw zou binden, die een vaste relatie een overschat concept vond en trouw een onmogelijke opgave. Jij hebt de man die iedereen wilde. Als dat geen prestatie is, weet ik het ook niet meer. En bovendien vinden we je leuk. Je bent de media niet uit te slaan, je bent fotogeniek... je bent echt een persóónlijkheid. Ik weet niet wat je plannen zijn, maar jij kunt doen wat je wilt. Schrijf een boek, een column, ga acteren, presenteren, ga desnoods de politiek in. Je staat in het middelpunt van de aandacht. De vraag is: wat ga je daarmee doen?'

Hoofdstuk 41

Als we nog één avond thuis blijven, een biertje drinken met Thomas en Robbie, Thomas en Robbie uitzwaaien, koken, een fles wijn opentrekken, een film kijken op ons thuisbioscoopsysteem of een goed gesprek beginnen, dat voortzetten in de jacuzzi, elkaar inzepen, lang en teder vrijen en dan rozig in slaap vallen met Roderick van Lanschot op de flatscreen, ga ik gillen. Tegen beter weten in schuif ik de uitnodiging voor de James Bond-première nog een keer onder Dylans neus.

'Ik blijf liever thuis, met jou,' glimlacht hij en strekt zijn arm naar me uit om me op zijn schoot te trekken.

'Ik kom liever ook nog eens buiten dit huis,' sneer ik terug. Te scherp.

'Sorry, lieverd,' fleem ik op mijn bekoorlijkst, 'maar ik heb gewoon zin om even uit te gaan. Ik heb hard gewerkt en ik heb zin in een feestje. Dat snap je toch wel?'

Natuurlijk snapt Dylan dat. Dylan snapt alles. En als hij het niet snapt, doet hij zijn uiterste best om het wel te snappen, net zo lang tot hij het snapt. De lieverd.

Een uur later sta ik op een uitgerolde rol rode vloerbedekking en regenen de flitsers over me heen. Geduldig laat ik ze begaan. Het voelt kaal om hier alleen te staan, maar ook sterk. Hier sta ik. Ik durf dit. Omdat ik Dylan niet het gevoel wil geven dat ik hem afval, durf ik niet te zeggen dat ik heimelijk geniet van het licht dat over me heen glijdt. Dat ik als een zonnebloem naar het licht buig, omdat ik het nodig heb.

'Alex! Alex! Yolanda den Anker van *ShowWeek*. Waar is Dylan? We zien hem zo weinig de laatste tijd. Is hij depressief?'

'Depressief? Hoe kom je daar nou bij?' vraag ik zo verbaasd als ik kan. 'Dylan is heel druk met een fantastisch nieuw album, dus hij heeft helemaal geen tijd om uit te gaan. Hij is hard aan het werk, hij barst van de inspiratie!'

'Alex! Alex! Louise van Fashion TV. Wat draag je?' wijst ze naar mijn uitwaaierende zwarte jurk, waarin ik me een klein beetje Audrey Hepburn voel.

'Danio Romirarez!' roep ik. 'Die gaat heel groot worden, let op mijn woorden!'

Julia heeft zichzelf overtroffen met deze jurk. Ze onderhoudt contacten met de beste jonge ontwerpers van dit moment. Nu heeft niemand nog van ze gehoord, maar over een paar jaar zullen ze de top vormen. Volgens Julia past hun werk echt bij me; ze vindt dat ik van *classic fashion* mijn *signature look* moet maken. Danio heeft de jurk uitgeleend in ruil voor een *photo opportunity*, dus ik moet hem brandschoon inleveren.

'Alex, hoe denk je over de geruchten dat Dylan dood zou zijn en vervangen is door een lookalike?' vraagt een verslaggever van RTL. 'Wat vind je van de bewijzen die zich opstapelen?'

'Flauwekul!' roep ik lachend terug. 'Complottheorieën van een stel paranoïde fans. Ik kan je garanderen dat Dylan hartstikke echt is!'

'Alex! Alex! Alex! Berend Smit van *ShowWeek*. Kun je onze kijkers vertellen welke datum het wordt?'

'Datum?'

'Van jullie huwelijk!' zucht Berend, alsof hij mij ook altijd alles voor moet spellen.

'Huwelijk?'

Hij zucht diep. 'Dylan heeft jou toch een aanzoek gedaan? Een bron bij Dibrovski Diamonds heeft ons getipt dat jullie aan het ringshoppen waren!'

'Sorry, ik weet van niks. En als het zo is, zijn jullie de eersten die het weten!' knipoog ik en laat Berend scooploos achter.

Inwendig grinnikend loop ik naar binnen, waar Frenk wacht. Ik heb nog even overwogen om Hester en Eef te bellen, maar met hen is het toch anders. Zij zijn dit niet gewend; ze zouden met grote ogen rondlopen en mensen nawijzen, terwijl ik ze nog zo nadrukkelijk gevraagd zou hebben om geen mensen na te wijzen. Ze zouden giechelen om de gratis drankjes en er nog een paar bestellen, omdat ze immers gratis zijn. Ze zouden in spijkerbroeken arriveren op een feest dat toch echt black tie is en niet-begrijpend wijzen naar hun topjes, die ook echt heel feestelijk zijn.

Frenk is geen vriend, maar Frenk en ik begrijpen elkaar. Wij begrijpen hoe het eraan toegaat in dit parallelle universum. En wij begrijpen de vervreemding die aan ons knaagt als Dylan weer eens niet naar buiten wil, geen publiciteit wil doen of geen kleding van Julia wil dragen. We zijn geen vrienden, we zijn lotgenoten.

Samen lopen we de filmzaal in. Ik probeer mijn jurk binnen mijn stoel te houden en maak me op voor James Bond. Als de verleidelijke silhouetten van de introdames over het filmdoek kruipen, herinner ik me dat ik James Bond niet leuk vind. Echt helemaal niet. Dat was ik in mijn lichtdorst even vergeten. Mijn moeder keek altijd naar James, omdat ze vond dat hij alles in een man verenigde wat mijn vader niet had. Wat dat betreft zou ik eigenlijk een enorme sympathie voor meneer Bond moeten voelen. Maar ik begrijp niets van dat eeuwige geschiet, gestunt en gefoezel. Dagdromend over niks kom ik de eerste helft door. Na de pauze blijf ik hangen bij de martinibarman, die ik laat schudden, niet roeren. Zo zou James het gewild hebben. Frenk gaat terug naar de filmzaal. Als hij later groot is, wil hij James Bond worden.

Halverwege mijn derde Martini loopt de bar vol met filmkijkers, die met wilde gebaren napraten, nalachen en doen alsof ze een geweer in hun handen hebben. Frenk komt naar me toe gelopen, neemt een slok van mijn geschudde wodka-martini, trekt een vies gezicht en bestelt dan een biertje.

'Hebben ze niet wat te eten, hier?'

Ik wijs naar het stokje met olijven in mijn glas.

'Nee, écht eten. Wacht even.' Hij pakt een serveerdame vast bij haar heupen, lacht zijn scheve tanden bloot en pakt het blad bitterballen uit haar handen. 'Zo.' Met een ferme klap zet hij het blad tussen ons in op de bar. 'Nou schat, daar staan we dan. Ongezellig, zo zonder Dylan?'

Ik haal mijn bandjesloze schouders op. 'Valt wel mee.'

'Hoe vind jij dat het met hem gaat?'

In het gapende gat dat zijn mond is verdwijnt een bitterbal. En nog één. Ik slik een kokhals weg bij deze cementmolen vol vleesafval. Voor een man die zoveel mensen groot heeft gemaakt, heeft hij weinig aandacht besteed aan zijn eigen presentatie.

'Ik weet het niet,' zeg ik, 'ik maak me best zorgen. Hij is wat tobberig, de laatste tijd. En hij wil de deur niet meer uit. Maar dat had je al wel gemerkt. Het is net alsof hij zich bewust alle leuke dingen ontzegt. Hij was altijd zo'n feestbeest; ik kan me gewoon niet voorstellen dat dat opeens allemaal voorbij is.'

'Ik heb geen grip meer op Dylan,' smakt Frenk. Een volgende bitterbal verdwijnt tussen zijn malende kaken. 'Hij is zo recalcitrant! Hij doet moeilijk over premières waarvan ik graag wil dat hij er naartoe gaat, hij praat niet meer met de pers, terwijl hij wéét dat ik mijn uiterste best doe om een goede band met ze te houden. Man, je hebt geen idee wat een hoofdpijn die knokactie van hem me heeft opgeleverd. Ik heb de hoofdredacteur van *RoddelWeek* nog net niet hoeven pijpen. En nou stuurt-ie ook nog de kledingrekken van Julia retour. Alsof hijzelf verstand van kleding heeft. Die coltrui waarin hij laatst rondliep, bijvoorbeeld. Wie denkt hij dat hij is? Een Ierse schipper, ofzo?'

'Die trui vond ik ook niet zo'n succes, nee,' proest ik wodkamartini over zijn overhemd. Mijn jurk ontzie ik. Net. Gelukkig.

Frenk legt een vaderlijke hand op mijn blote schouder en

doet zijn best om me bemoedigend aan te kijken. 'Maar maak je maar niet te veel zorgen over Dylan, meisje. Je had hem moeten zien toen Daphne hem aan de kant had gezet; hij was nergens meer. En dat is ook allemaal goed gekomen. Het is gewoon een hele gevoelige jongen, dat is alles. Het gaat allemaal wel weer over, daar zorg ik wel voor. Alles gaat altijd weer over. En in de tussentijd moet jij de honneurs waarnemen. Dat doe je tot nu toe hartstikke goed.'

'Echt waar?' vraag ik quasi-bleu. Zelf vond ik ook dat ik het best aardig deed bij Roderick, maar een beetje lof is nooit weg. Ik ben immers nog maar een beginner.

Frenk zucht. 'Jezus, je lijkt mijn vriendin wel. Die moet ik ook altijd tien keer vertellen dat ze iets goed doet. Je deed het uit-sté-kend. Echt heel goed. Zo, en nu moet ik even pissen.' Hij graait nog een paar bitterballen van de schaal, voor onderweg, en loopt malend naar de toiletten.

Daar sta ik weer, alleen aan de bar, op de première van de nieuwe James Bond. In de mooiste jurk die ik ooit aangehad heb, maar nog wel een beetje onwennig, als ik eerlijk ben. De reserve-Bondgirl schijnt hier ook ergens rond te lopen. Ah, daar, onder die wolk van flitsers. Ik kijk rond of ik bekenden zie. Carmen, misschien. Of Max Wezeling. Zou hij mij nog herkennen? Of zou ik moeten refereren aan Dylan als ik hem zie en zeggen: 'Ik ben Alex, van Dylan'? Of misschien loopt Roderick van Lanschot hier wel rond. Die zal me zeker zien staan. Ik tuur verder, langs de drinkende, etende en kwakende hoofden. Dan maakt mijn bekendheidsradar een sprongetje. Want daar loopt iemand die ik ken. Een welgevormd, gemillimeterd hoofd, een slankgesneden pak en een strakke bril.

Yljaaa?

Wat doet Yljaaa hier?

Met een knipoog loopt hij naar me toe.

'Zo, jij ook hier?'

Hij lacht een spottend lachje dat ik niet van hem gewend ben. Yljaaa had de laatste tijd niet zoveel te lachen. Hij draagt hetzelfde pak als toen we elkaar voor het eerst ontmoetten, zie ik nu. Geen stropdas, zijn overhemd twee knoopjes open, de bril fier op de neus. Alsof hij zeggen wil: 'Hou maar op met interessant doen, schaapjes. Ik doe het niet, ik bén het.'

'Ja, maar wat doe jíj hier?' Het was de bedoeling dat het losjes zou klinken, maar de uitvoering is stijver dan ik had bedacht. Het is raar om Yljaaa onaangekondigd in een omgeving te zien waar ik hem niet verwacht. Bij VOGH/JJGP is zijn rol duidelijk: daar is hij de overserieuze regisseur, die het contact met mij zoveel mogelijk mijdt, die nooit lacht en ervan geniet om Dylan zo lelijk mogelijk te maken. Maar buiten de muren die ik ken zijn dit soort zekerheden een stuk vloeibaarder.

'Als filmmaker ben ik geïnteresseerd in alle vormen van cinematografie. En bovendien ben ik hier op uitnodiging van de Nederlandse Vereniging Van Filmmakers.'

'Dus het is je eindelijk gelukt om lid te worden?' roep ik, te enthousiast.

Yljaaa probeerde al jaren om opgenomen te worden door de NVVF, maar keer op keer wezen ze hem af, met altijd hetzelfde briefje: het was een vereniging voor filmmakers, niet voor makers van gladde commerciële filmpjes.

'Jaaaa,' grijnst Yljaaa in breedbeeld. 'Ze waren laaiend enthousiast over mijn werk voor de BPW Bank! Verrassend rauw en aritmisch gecomponeerd, dat soort dingen. Ze vonden het een filmische belofte voor een spannende toekomst in zwartwit. Goed, hè?'

Ik knik, overdreven hard. Daar moet je mee uitkijken, voor je het weet heb je een wiplash.

'O, en ik ben ook genomineerd voor een Golden Folding Chair, die volgende maand uitgereikt wordt op het International Advertising Festival in New York! De Oscar van de reclame, zeg maar.'

Ik wil grommen dat ik dat ook heus wel weet, maar kir in plaats daarvan: 'Jeetje! Nou, gefeliciteerd dan maar! Proost!'

We klinken met onze wodka-martini's en nemen tegelijkertijd een slok. Daarna is het stil. Waar moeten we het nu over hebben? De film? De politiek? Het weer?

'Hoe is het met je?' vraagt hij.

Wat een goede vraag. Waarom kom ik daar nou niet op?

'Goed, hoor, prima,' hou ik me op de vlakte. Want wat moet ik dan zeggen? Mijn nieuwe vriend is ontroerend lief en toegewijd en zo mooi dat het bijna pijn doet om naar hem te kijken, hij heeft het leukste leven van de wereld binnen handbereik, maar hij wil de deur niet uit en sluit zich op in zijn studio, in tegenstelling tot jij, jij bent dol op feestjes en borrels en openingen van tentoonstellingen en, o ja, kun je de volgende keer iemand anders gebruiken om lelijk te maken als je zo nodig bij die artistieke filmclub wil?

'Je ziet er goed uit,' zegt Yljaaa tegen mijn jurk.

'Dank je,' zeg ik tegen zijn knieën.

Niemand waarschuwt je ervoor hoe belachelijk dit soort gesprekjes zijn. Je hebt een paar maanden lief en leed met elkaar gedeeld, je hebt je handen overal op en om gehad en je tong overal in, je weet waar die moedervlek zit en waar die kromming en hij weet dat je weleens naar het toilet gaat. En nu sta je stijf tegenover elkaar, als twee ex-klasgenoten die elkaar sinds de brugklas niet meer hebben gezien.

'Waar is Dylan trouwens?' vraagt hij, alsof dat hem iets interesseert.

'Thuis, aan het werk. Hij zit midden in een enorme inspiratiegolf. Hij is bezig met een heleboel nieuwe nummers.'

'Goh, interessant,' zegt Yljaaa, met zijn aandacht ver over mijn schouder.

'Over mij.'

'Luister, er staat daar iemand die ik móét spreken. Nou, leuk je weer te zien. Tot snel, hè!'

Alsof er nooit iets lats tussen ons gebeurd is, alsof hij nooit met zijn soepele vingers aan me gezeten heeft en alsof hij nooit heetgebakerde woede-uitbarstingen over mijn zogenaamd schandalige semimonogame gedrag op mij botgevierd heeft via welk medium dan ook, geeft hij me drie hormoonloze kennissenzoenen op mijn wangen en loopt weg.

Daar gaat hij. Het niet langer veelbelovende, want zojuist gearriveerde regietalent van Nederland.

Ik drink mijn glas leeg, zet het op het dienblad van een voorbijlopende ober en zoek om me heen naar Frenk. Ik zie hem bij de bar, gebogen over een soapsterretje, dat hij graag in wil lijven in zijn stal. Heel veel potentie, zegt hij. Echt een authentieke, mediagenieke persoonlijkheid. Ze is duidelijk gevleid en zwaait haar witblonde haar van haar ene schouder over de andere. Voor de zekerheid trekt ze haar strakke glitterjurkje nog wat verder omlaag. Wat ordinair om zo opzichtig naar roem te lepelen. Ik loop maar weer naar de martinibar, waar ik inmiddels een innige band ontwikkeld heb met de schudder. Ik til mezelf op een kruk en vraag mijn martiniman nog een keer hetzelfde recept. De laatste. En dan ga ik naar huis. Morgen is er immers weer een dag, zou Eef zeggen.

'Wat een waanzinnige jurk,' hoor ik naast me.

Als ik zijn stem hoor, weet ik het direct. Het is A.J., die Max Wezeling heet, maar die voor mij gewoon A.J. blijft. Ik zie *Hoop & Liefde* te vaak om hem los te zien van zijn rol. Het enige verschil is dat hij er in het echt een stuk beter uitziet dan A.J., want A.J. heeft niet zo'n beste smaak. Hij heeft een voorkeur voor leren broeken, te ver opengeknoopte bloezen en brillantine. Zonder vet blijkt Max glanzend, donkerbruin haar te hebben, dat in dikke lokken langs zijn gezicht hangt. Achteloos haalt hij zijn hand erdoor, waarna ze in slowmotion weer op hun plek veren. Hoe doet hij dat? En waarom heeft een man mooier haar dan ik? Ik weet zeker dat ik er vijf keer zoveel geld aan besteed als hij.

'Je ziet er echt fantastisch uit.'

'Dank je,' mompel ik. Om wat te doen te hebben met mijn mond (anders ga ik er maar rare dingen mee zeggen) neem ik een grote slok wodka-martini.

'Hoe is het met Dylan?'

'Dat moet jij toch wel weten?' slik ik. 'Jullie zijn toch vrienden?'

'Klopt, maar ik heb hem de laatste tijd niet zoveel meer gezien. Ik heb hem nog een paar keer gebeld of hij meeging naar DRINCK, of de Oyster Lounge, of naar dat feest van Diesel, maar hij zei steeds af. Nou ja, die komt vanzelf wel weer boven water,' grijnst hij.

Ik hoor het al. Deze vriendschap gaat heel diep.

'Maar Alex, willen jij en je mooie jurk misschien nog wat drinken?'

Ik knik. 'Vooruit. De allerlaatste dan.'

Hoofdstuk 42

Dylan is 's ochtends tegenwoordig eerder op dan ik. Bij het ochtendgloren wordt hij al wakker van knellende inspiratie, die dringend vrijgelaten moet worden. Ook vandaag ontwaak ik weer in een leeg bed. Maar alleen ben ik niet; mijn kater houdt me nadrukkelijk gezelschap. Als ik hem probeer te negeren, begint hij bonkend op mijn hoofd te dansen. Daarom verwelkom ik hem maar, met groot onthaal. *If you can't beat them, join them.*

Samen lopen we de trap af, naar de studio, waar Dylan zit te plonken en te krabbelen. De studio was al nooit een toonbeeld van netheid en orde; meer een gezellige rommel, met een oud bankstel, rondslingerende gouden platen en tourposters. Maar sinds Dylan overvallen is door zijn bijna manische inspiratieaanval, liggen overal papieren, gitaarsnaren, klokhuizen van appels en proppen papier. Gabriella, de schoonmaakster, zal Dylan vrijdag wel weer bekogelen met een bloemrijke scheldkanonnade, die prachtig klinkt maar waaraan geen touw vast te knopen is. Hij moet zo onderhand al een zesdubbelalbum bij elkaar geschreven hebben, maar het resultaat houdt hij angstvallig voor zichzelf. Hij is nu in een stadium dat hij zich er nog te kwetsbaar over voelt, zegt hij, omdat het zo'n totaal andere richting is dan zijn vroegere werk. Maar als hij er klaar voor is, ben ik de eerste die het mag horen.

Ik houd mijn kater tegen bij de drempel, omdat ik nog even stiekem naar hem wil kijken. Zoals hij daar geconcentreerd gebogen zit over zijn gitaar, verlicht door de ochtendzon die zich door het raampje perst, doet hij me denken aan een van de foto's in het cd-boekje van *The Truth About Rock 'n Roll*. Posters ervan waren niet aan te slepen. Een iconisch beeld dat op honderden meisjesmuren hangt, live voor mijn neus. In gedachten lijst ik hem in. Mijn Dylan.

'Dag schoonheid!' roept hij opgewekt als hij me in de gaten krijgt.

Dat kan hij onmogelijk menen. Ik zie eruit als hij in de BPW Bank-commercial. Met als extraatje dat er mascara op mijn kin zit en lippenstift op mijn voorhoofd. Als hij opstaat om me te kussen, bedenk ik me in paniek dat ik mijn tanden nog niet gepoetst heb en dat ik ruik als een composthoop. Na mijn zevende wodka-martini werd ik gisteravond overvallen door een kloppende honger en ben ik met Max shoarma gaan eten bij Shoarma Yussuf. Ik geloof dat Max nog iets riep over bapao's en dat ik daar een stokje voor gestoken heb. Zo scherp was ik nog net. Maar Dylan laat zich niet weerhouden door de knoflookversperring en bekust liefdevol mijn lippen, nu tijdelijk gratis met shoarma-martini-smaak. Zes keer. Terwijl de kater op het punt staat om zijn maaginhoud eruit te gooien. Dat zal dan wel echte liefde zijn.

'Was het leuk gisteren?' vraagt hij.

Ik knik in het ritme dat mijn bonkende hoofd dicteert. 'En hoe was het hier?'

'Heel goed! Ik zit al een tijdje te broeden op een idee en gisteravond kwam het er allemaal uit. Gek is dat, zit je er dagen tegenaan te hikken, er komt misschien een woordje of vijf, een half coupletje, maar dat is het dan. En gisteren... man, het leek wel een vulkaan. Opeens kwam alles; drie coupletten, een nieuw refrein, een bridge... en toen ik in bed lag, dwarrelde er opeens een gitaarsolo mijn hoofd binnen. Uit het niets! Ik kan niet wachten om het voor te spelen aan Thomas en Robbie.'

Tevreden laat hij zich weer neerzakken op zijn muziekkrukje. Het muziekkrukje is een afgeleefd krukje dat ooit rood was, maar daar is niet veel meer van te zien. Dylan zou honderden nieuwe designkrukjes kunnen kopen, maar hij is bijzonder gehecht aan dit krukje. Het komt van zijn tienerkamer (in Coca-Cola-stijl) en hij heeft er zijn eerste nummers op geschreven.

'Dus het is af?' vraag ik.

Dylan slaat zijn arm om me heen en trekt me tegen zijn borst aan. En nog wat steviger. 'Bijna. Nog een paar puntjes op de i. Misschien dat ik er dan wel klaar voor ben om het je te laten horen.' Gelukzalig en onuitstaanbaar wakker straalt hij me aan.

Door al deze creatieve vreugde zou ik bijna mijn kater vergeten. Maar die laat dat niet over zijn kant gaan en begint aan een wilde polka op mijn schedeldak. Ik kus mijn rockster daarom veel succes toe (hij houdt zoveel van me dat hij de shoarma niet eens lijkt te ruiken) en loop naar boven, naar de keuken. Daar probeer ik mijn harige vriend weg te jagen met een omelet met spek, kaas en ketchup. Als hij het uitdrijvingsmiddel met smaak naar binnen werkt, begint het me te dagen dat ik de rest van de dag met hem opgescheept zit. Hè, gezellig. Met blakende tegenzin begin ik aan mijn dag.

Op weg naar VOGH/JJGP tel ik de billboards met Dylans grafgezicht. Zeven. Zeven keer kom ik hem tegen, met zijn diepe groeven en donkere wallen. In onze straat, in de bushalte van de Rozenstraat, op de hoek van de Arenastraat, in de bushalte op de Javalaan, in de tramhalte op de Poortstraat, op een doek van zeven bij tien, dat over het stadhuis gespannen is. En natuurlijk op ons huisbillboard voor VOGH/JJGP, waarin we ons meest recente werk etaleren. En deze week is dat Dylan.

'Goedemorgen!' lacht Martin Matthijsen, die me zoals altijd met zijn camera op staat te wachten.

'Dag Martin,' doen mijn kater en ik een poging om vriendelijk terug te lachen.

'Wacht even, ik heb iets voor je.' Uit de zak van zijn lange jas haalt hij een pakje tevoorschijn. Nieuwsgierig pak ik het aan, haastig graai ik het papier eraf. En haal er twee microsokjes uit, maat nul.

'Gefeliciteerd!' roept hij, doltevreden met zijn cadeaukeuze.

Vragend houd ik ze voor Martins gezicht. 'Ze zijn een paar maten te klein, denk je ook niet?'

'Jullie zullen vast heel gelukkig zijn, hè!' knipt hij met zijn camera.

'Ja, natuurlijk zijn we heel gelukkig. Ontzettend gelukkig. Niet te geloven, zo gelukkig zijn wij. Maar Martin, vertel me nou eens even waarom ik van jou een paar minisokken krijg?'

'Voor jullie liefdesbaby!' joelt Martin. 'Stop maar met ontkennen, we hebben het allang door!'

'Wat hebben jullie door?'

'Jezus, is de elektriciteit bij jou uitgevallen, ofzo? Zwan-ger, je bent zwanger!'

Perplex kijk ik hem aan. 'Nee hoor.'

'Ja hoor,' lacht Martin.

'Ik ben niet zwanger!'

'Je bent hartstikke zwanger!'

'Ik ben hartstikke niét zwanger!'

'Stop nou maar met dat toneelstukje,' lacht hij, nog steeds irritant vriendelijk. Uit zijn binnenzak haalt hij de nieuwste *RoddelWeek*, nog warm van de drukpers. Op de cover zie ik mezelf over straat lopen, zwoegend met twee dozen nieuwe schoenen en een boodschappentas. De wind waait mijn wijde T-shirt alle kanten op en blaast een plooi over mijn buik. Tja. Met een beetje fantasie kun je daar ook een baal heroïne in zien, die ik om mijn middel meesmokkel, of mijn geheime heupflacon met wodka, waar ik niet zonder kan. Ik wil iets roepen over smaad en rechtszaken, maar mijn kater vertelt me dat ik het rustig aan moet doen. Dat kan ik allemaal niet aan in mijn huidige staat. Daarom zeg ik: 'Een fijne dag, Martin!' en draai door de draaideur naar binnen. Ik step langs Serge, langs de Studio, langs Creatie en Roos en zet mijn computer aan. Mijn kater is niet gediend van zinloos ochtendgebabbel. Om tijd te besparen, en omdat Roos het lijkt te ruiken als ik langs mijn rondje favoriete sites klik, heb ik me geabonneerd op de e-maildiensten van alle entertainmentsites. Als ik mijn mailbox open, staan ze te trappelen om gelezen te worden, net als de rest van mijn zevenentachtig ongelezen e-mails. Sommige e-mails zijn net als blauwe enveloppen; ik laat ze maar liggen, in de hoop dat ze vanzelf verdwijnen.

rw@RoddelWeek.nl	Waar is DYLAN?	15-05 09:46
party@party.nl	Dylan grote afwezige op Bondpremière	15-05 09:11
rodzjer@vogh-jjgp.nl	Shooting schildpadden	15-05 09:08
nieuws@story.nl	Alex schittert op James Bond-première	15-05 09:01
max_wezeling@hotm	Gezellig	15-05 02:11
chgsf@figgig.ch	You wife say you lousy lover? Spice up!	14-05 23:48
suzanne@BPWbank.nl	RE: planning en begroting	14-05 18:50
bas@vogh-jjgp.nl	RE: Niet te glanzend, niet te mat	14-05 18:01
roos@vogh-jjgp.nl	Notulen accountvergadering????????	15-05 16:32
marque@BPWbank.nl	RE: Debriefing derde versie	15-05 15:53
roos@vogh-jjgp.nl	STATUSLIJST????????	15-05 13:20

Mijn kater adviseert me om niet meer dan drie e-mails te openen; dat zou niet goed zijn in mijn huidige conditie. Ik begin daarom maar met de mail met mijn naam in de *subjectline*. *Story* heeft vandaag een rodeloperspecial. Ik sta bovenaan in mijn wijd uitwaaierende James Bond-jurk. ‘Een geweldige vondst, die haar doet stralen als een ster uit verloren gewaande tijden!’ vindt *Story*. Hartelijk dank, *Story*; mensen als jullie maken een dag als vandaag een beetje zachter.

De telefoon heeft helaas geen boodschap aan mijn kater en doet een dappere poging om mijn schedel doormidden te rinkelen.

'Goedemorgen zonnestraaltje!' kirt Serge. 'Suzanne en Marque staan aan de balie!'

O ja. Statusoverleg. Net waar ik zin in had. Ik hijs me uit mijn stoel, haal De Klant en Baas Marque op, parkeer ze in de Executive Board Room en haal koffie. Koffie, misschien helpt dat wel. En dan bij de lunch een broodje kroket. Of twee. Met een saucijzenbroodje. En eigenlijk zou daar een glas witte wijn naast moeten. Ik moet eens in de bureaula van Rodzjer kijken. In het ritme van mijn hoofd loop ik terug; het blad trilt in mijn handen. Roos en Rodzjer zitten inmiddels ook aan de sloophouten tafel. Vriendelijk serveer ik de koffie. Ik moet de vriendelijkheid uit mijn tenen sleuren, maar het lukt. Redelijk.

'Ik drink tegenwoordig kamillethee, weet je nog?' zegt Roos, als ik een kopje voor haar op tafel zet. 'Koffie doet niets voor je, het is ook helemaal niet goed voor je metabolisme. En tegen katers helpt het ook niet. Dat is een mythe.'

Ik zet een extra kopje neer bij Rodzjer (immers de snelste drinker) en slof terug naar de koffieautomaat om stinkthee te maken voor Roos. Zo nu en dan moet ze weer even laten zien wie hier de baas is en wie nog lang niet. Zo beminnelijk dat ik er zelf misselijk van word – en dat is vandaag niet zo'n goed idee, meldt mijn kater, die tegen mijn slokdarm aanduwt – zet ik de kamillethee voor haar neer en ga zitten.

'... tot 87 procent spontane naamsbekendheid in week 22,' leest Roos op van haar spreadsheet. 'Dat is een toename van 12 procent!'

Tevreden kijkt ze de tafel rond.

'Uitstekend!' zegt Baas Marque.

'Erg goed,' knikt De Klant.

'Goed, dan wilde ik het nog even hebben over The Turtle Fund,' neemt Rodzjer de show over. 'Het platform staat. We hebben een huisstijl, een positionering en een eerste aanzet voor de website. Het is nu tijd om verdere stappen te zetten met een echte campagne. Ik heb RTL al zover gekregen om gratis mediaruimte ter beschikking te stellen en SBS gaat waarschijnlijk ook mee. Bij de publieken is het wat lastiger, die moeten er eerst nog in allerlei samenstellingen over vergaderen. Ach ja, je weet wel hoe dat gaat... Nou heb ik een paar ideeën, die ik jullie graag wil voorleggen.' Plechtig legt hij zijn handen op het stapeltje kartonnen voor hem, klaar voor het kartonnenritueel.

Baas Marque knikt, kucht en kijkt naar De Klant, die ook kucht en weer terugknikt naar Baas Marque.

'Eh, Rodzjer...' begint De Klant aarzelend. 'Nou, het zit zo, waar we het even over willen hebben is, eh...'

'We gaan niet door met de schildpadden,' zegt Baas Marque.

Eraf, die pleister, zie ik hem denken. Snel en pijnvol. Want ik heb nog meer te doen vandaag.

'WAT?' roept Rodzjer.

'Wat?' zeg ik.

'Schildpadden?' vraagt Roos.

'We vinden het idee prachtig,' gaat De Klant verder, 'en we waarderen de tijd en de moeite die je er ingestoken hebt enorm. Maar we zien gewoon niet hoe we met The Turtle Fund onze brand targets gaan halen.'

'Maar —'

'Rodzjer, luister, we hebben echt ons best gedaan,' onderbreekt Baas Marque hem. 'Denk je dat het ons niet raakt wat er allemaal in de wereld gebeurt? Denk je dat dat allemaal zomaar langs ons heen glijdt? Wij hebben ons uiterste best gedaan om The Turtle Fund te verkopen aan de project board, maar die bekijken het puur door een zakelijke bril. Ze vonden het echt een heel goed idee, hoor, maar het is nou eenmaal hun job om te kijken naar de businesskant. Dat is hun competentie.'

Verontschuldigend kijkt hij naar Rodzjer, wiens schouders steeds verder omlaag gaan hangen. 'Zij stelden voor om het voor te leggen aan een focus group. Nogmaals, niet omdat ze het geen goed idee vonden en ook niet omdat ze niet begaan zijn met het lot van de Galápagos-schildpad, maar om de bijdrage aan onze brand targets boven tafel te halen. Het goede nieuws is dat The Turtle Fund ontzéttend goed ontvangen werd. Men vond het een sympathiek doel. En de vormgeving, met dat felle groen, vonden ze erg mooi. Hip, werd er zelfs gezegd. Maar niemand koppelde het aan de BPW Bank, terwijl dat toch direct top of mind moet zijn. Na een zwaar beraad – het was loodzwaar, geloof me – is besloten om er toch niet mee door te gaan. De reason why ontbrak.'

'De reason why ontbrak?' Rodzjer is een stoomtrein. Hij komt wat langzaam op gang, maar als hij eenmaal op stoom is, dendert hij als een dolle door en braakt hij zwarte wolken uit. 'De reason why ontbrak? Moet ik het voor je opschrijven dan? Jij kunt een verschil maken. Jij kunt de eerste communicatiemanager zijn die werkelijk iets bijdraagt aan de wéreld! Die de macht van de media om kan zetten naar iets positiefs! Waar is je vechtlust gebleven? Je bent toch een vent? Je kunt er toch voor véchten? Kijk naar Bono, die stopte ook niet bij de eerste de beste tegenvaller. En Nelson Mandela toch ook niet? En waar zou Martin Luther King geweest zijn zonder zijn droom? Wat heb jij gedaan voor de jouwe?' Met zijn heftige armbewegingen zorgt hij ervoor dat zijn monoloog ook uitstekend te volgen is voor doven en slechthorenden. 'Marque, jij kunt ervoor zorgen dat —'

'Rodzjer, alsjeblieft. Je hebt geen idee wat voor een gevecht ik heb moeten voeren voor die commercial, dat artistieke pretproject van jou. Daar begrepen die mannen van de project board natuurlijk niets van. Nu ophouden.'

'Maar —'

'Om onze blijk van waardering te tonen voor je initiatief, willen we je onze bijdrage geven aan The Turtle Fund; jouw Turtle Fund. Alsjeblieft.' Hij haalt een envelop uit zijn binnenzak en overhandigt hem met een groots gebaar aan Rodzjer.

'WAT?' roept Rodzjer als hij de kaart eruit schuift. 'Zo'n fooi voor zo'n drama?'

Ontredderd kijkt hij naar Baas Marque en De Klant. 'Ik dacht dat jullie anders waren. Ik rekende op jullie!'

Hij schuift de Eames-stoel naar achteren (voorzichtig, want het is design), draait zich om op de hakken van zijn gerecyclede Goodyear-sneakers en stampt naar de deur, om deze zo hard mogelijk achter zich dicht te gooien. Bedremmeld luisteren we naar de flarden gemopper die door het dunne designwandje sijpelen.

'...altijd hetzelfde... geld, geld, geld... iedereen denkt ook alleen maar aan zichzelf... begrijpen er ook niets van... moet ik dan alles alleen doen... toch godverdomme veel te lief voor deze wereld...'

'Nou, dat was me wat,' zeg ik om maar wat te zeggen.

'Lekkere koffie, hoor,' zegt Baas Marque.

'Hoe is het eigenlijk met Dylan?' vraagt De Klant.

'Het regent buiten,' zeg ik.

'Hé, wat gek, het ruikt hier naar shoarma,' zegt Roos. 'Ruiken jullie dat ook?'

Als mijn kater en ik weer achter mijn bureau zitten (die statusmeeting was zo onverwacht spannend dat ik mijn metgezel even helemaal vergeten was), komen Eef en Hester langsgestept. In de drie jaar dat ze hier werken, zijn ze behoorlijk virtuoze steppers geworden. Eef draait een elegant rondje om de voetbaltafel en Hester doet een wheelie. Roos kijkt geërgerd naar de stepballetvoorstelling. Volgens Roos zijn stepjes puur functionele vervoermiddelen en geen voorwerpen om je doelloos mee te vermaken. En daarmee is direct alles gezegd over het pretgehalte van haar leven.

'Hééé,' roept Hester.

'Hééé,' roept Eef.

'Hééé,' roep ik terug.

'Ga je mee lunchen?' vraagt Hester.

'Er is wat nieuws in de kantine,' zegt Eef. 'Vegetarian Curry Bapao's.'

Met moeite houd ik mijn ontbijt binnen. 'Geen tijd, even heel druk met iets,' zeg ik. Wat technisch gezien geen leugen is.

'Ga je dan vanmiddag nog even mee wat drinken in Café Cor?' vraagt Hester.

'Náh,' zegt mijn kater, 'vandaag niet. Beetje brak.'

'Jij gaat nooit meer mee,' zegt Eef.

'Jawel, maar vandaag even niet,' zet ik een zielig stemmetje op. 'Ik voel me echt zo beroerd...'

'Nou ja, je moet het zelf weten.' Hester hangt haar gewicht naar achteren, zodat het stepje alleen nog maar op zijn achterwiel staat, draait hem 180 graden de andere kant op en zet hem weer met beide wielen op de grond. Eef doet hetzelfde. Dan zetten ze af, allebei met hun rechterbeen.

'Als je dorst hebt, weet je ons vanmiddag te vinden. Café Cor,' roept Hester over haar schouder.

'Of als je behoefte hebt aan vriendinnen,' roept Eef.

V R I E N D I N N E N, gebarenpraat Hester overdreven articulerend en wijst naar Eef en haarzelf.

'Jezus, kijk uit waar je stept!' roept Chantal, met stip de sufste Accountmanager van VOGII/JJGP, die zojuist door Hester omver is gestept.

Nee, vanavond wil ik voor één keer naar huis. Iets veel te vets eten, *Hoop & Liefde* kijken en dan in slaap vallen, terwijl Dylan vredig naast me zit te plonken op zijn gitaar. Misschien lukt het me om eerder weg te gaan met de nog-even-iets-naar-de-klant-brengen-smoes.

Hoofdstuk 43

De bank, de betonnen vloer in de woonkamer, de muren in de gang, de jacuzzi en de studio raken uit de gratie. Toiletten in horecagelegenheden helemaal, want daar komt Dylan niet meer. Het bed daarentegen wint razendsnel terrein. Onder het dekbed is er geen haast, geen gegraai, geen plaats voor snel gescoor. Hier hebben we de tijd, alle tijd van de wereld. Ik zak weg in de zachte matras, terwijl dokter Dylan me aan een uitgebreid onderzoek onderwerpt. Hij kan geen genoeg krijgen van mijn lichaam, zegt hij en kust mijn zij, mijn buik en kriebelt in mijn nek, precies op het juiste plekje. Ik ruik naar munt en jojoba; een herinnering aan de massageolie die hij langzaam in mijn rug kneedde, mijn billen en daarna mijn borsten. In dit bed neuken we niet. Wat we hier doen is mooier, dieper, betekenisvoller. Wij maken liefde.

Liefde maken.

Wie verzint er nou zoiets?

Met iedere kus die Dylan op me strooit voel ik me mistroostiger. Ik heb heimwee. Heimwee naar de bank, de vloer, de muur. Naar de beestachtige, wilde Dylan. Naar ongeremde, gepassioneerde vunzigheid, naar spierpijn en schrammen op mijn rug en knieën. Ik weet dat meisjes dit niet horen te zeggen, maar ik ben niet zo'n fan van teder geknutsel. Vooruit, af en toe ben ik er best voor te porren, maar over het algemeen hou ik niet zo van knuffelig vrijgebrei, waarbij ik tijdens het geworstel met mijn bh-sluiting al weet dat de tong als eerste aan bod komt, dat ik vervolgens misschien een gezellig stukje pijp, waarna mijn lichaam bekust wordt, mijn tepels besabbeld en ik vervolgens twintig minuten lang gevoelig bereden word volgens eeuwenoude tantratechnieken. Menig vrouw zal wegsmelten bij dit scenario en me ontsteld vragen of ik wel goed bij mijn hoofd ben. Maar ik hou nou eenmaal van het betere gooi-en-smijtwerk, waarbij je nooit precies weet wie er de baas is en hoe lang of kort het gaat duren. Ik wil overweldigd worden op een moment dat ik het totaal niet verwacht en me zo te buiten gaan aan Dylan en mezelf dat ik niet meer weet waar ik eindig en hij begint. Ik wil adrenaline en geilheid door mijn aderen voelen jagen en neuken alsof er geen morgen is. Dan openen al mijn zintuigen zich om ons op te slurpen en is hij dichterbij dan ooit. Pas dan voel ik echt dat we samen zijn.

Daarom trek ik me op uit matrassenland en duw Dylan achterover.

'Nu is het mijn beurt,' grijns ik en klem zijn handen tegen de matras, zodat hij weerloos op zijn rug ligt. 'Wacht jij maar eens af wat ik allemaal met jou van plan ben...' Ik voeg er nog een onheilspellend lachje aan toe, zoals een boef in kinderfilms doet voordat hij iets slechts gaat doen, maar Dylan weet zich binnen no time los te peuteren uit mijn zelfbedachte houdgreep.

'Neeee,' glimlacht hij, 'ik was nog niet klaar met jou. Nog lang niet.'

Hij rolt me weer op mijn rug, laat zijn hand loom langs mijn wang, mijn nek, mijn zij glijden, kust uitgebreid mijn borsten en mijn navel en verdwijnt dan tussen mijn benen. Ik sluit mijn ogen en geef me gewonnen.

Dylans tong is nu al vier minuten bezig. Snel en een tikje agressief, precies zoals ik het lekker vind. En hij weet de weg, wat een zegen is. Maar het lijkt alsof de overdosis tederheid mijn zinnen heeft uitgeschakeld. Net als paracetamol; als je het te vaak gebruikt, werkt het niet meer. Ik open mijn ogen, kijk naar Dylans hardwerkende hoofd en realiseer me dat we hier morgenochtend nog liggen als ik niets doe.

Er zit niets anders op.

Ik denk aan beton onder mijn knieën, aan zoute golven over mijn huid, aan een koude muur in mijn rug en begin zacht te kreunen, met lood in mijn knieën. Het is nog amper als gekreun te herkennen; eigenlijk is het meer uit de hand gelopen gehijg. Met iedere zucht voeg ik steeds iets meer stem toe, zodat het langzaam maar zeker op volwaardig gekreun begint te lijken. Tussen mijn benen is mijn genotsconcert inmiddels te horen; Dylans tong schakelt pardoes nog een versnelling hoger. In perfecte harmonie stevenen Dylans hoofd en mijn heupen af op een climax die er nooit gaat komen. Het had zo mooi kunnen zijn.

Om nog een extra effect toe te voegen, gooi ik mijn hoofd in mijn nek en kerm nog wat harder. Sneller en sneller bewegen we; mijn kreunen begint op schreeuwen te lijken. Koortsachtig probeer ik me voor de geest te halen hoe ik klaarkom, maar ik zou het eigenlijk niet weten. In dit stadium ben ik normaal gesproken half van de wereld. Ik doe een gok met 'jaah, o jaaah, jááááh, ga door, ga door', wat Dylan ziet als aanmoediging om een eindsprint in te zetten. Kreunend jááááh ik me naar de apotheose en kom vol overgave niet klaar, bibberend en al.

'Was dat lekker?' Dylan tilt zijn hoofd op en kijkt me afwachtend aan.

'Heerlijk,' hijg ik na van het toneelspel. 'Ongelofelijk.' Ik veeg mijn haar uit mijn gezicht. 'Ongelofelijk,' puf ik nog maar een keer. Ik had geen idee dat ik zo overtuigend iets kon veinzen. Ik moet me morgen onmiddellijk inschrijven bij een castingbureau.

Opgelucht en trots kruipt hij naar boven. Als hij me wil kussen, draai ik mijn hoofd snel een beetje, zodat zijn lippen op mijn wang terechtkomen. Ik zoen liever niet met mezelf. Dylan gaat achter me liggen en slaat zijn armen tevreden om me heen. Zijn warme lijf omhelst het mijne en ik voel zijn adem in mijn nek rustiger worden, maar ik ben eenzamer dan ooit. Ik wil wegkruipen in het dikke dekbed, zo ver dat niemand kan zien hoe erg ik me schaam.

Hoofdstuk 44

Roos wil me spreken. Nou wil Roos me wel vaker spreken, maar dan roept ze gewoon instructies van haar bureau naar het mijne en dan zie ik wel wat ik ermee doe. Ze maakt nooit een afspraak en al helemaal niet met Managing Director Martijn Westerman erbij. Wat zouden ze te vertellen hebben? Een nieuwe klant, in plaats van de BPW Bank? Een promotie, misschien? Ik pak mijn step om naar de Executive Board Room te gaan, maar de telefoon houdt me op mijn plaats.

'Háái schat, Serge hier. Er staat hier een ontzettend leuk mens voor je aan de balie. Ze zegt dat ze je moeder is. Waarom heb je me nooit verteld dat je zo'n leuke moeder hebt? Wat heb je trouwens een fantastische blouse aan!'

'Ik?' Ik heb helemaal geen blouse aan. Dat heb ik nooit. Die moeten gestreken worden en daar doe ik niet aan.

'Néé,' kirt Serge, 'je moeder!'

Mijn moeder aan de balie van VOGH/JJGP. Ik geloof dat ik het haar toch duidelijk genoeg heb gemaakt dat dat niet zo'n goed idee is. Wat komt ze eigenlijk doen?

'Wat kom je eigenlijk doen?' vraagt Serge aan mijn moeder.

'Ik kom mijn dochter halen om mee uit lunchen te gaan!' hoor ik haar galmen door de designhal. 'Ik dacht: als zij nooit naar mij toe komt, kom ik wel naar haar toe!'

'Ze komt je halen om mee uit lunchen te gaan,' echoot Serge. 'Ze dacht: als jij nooit naar haar toe komt —'

'Ja, ik had het gehoord,' kap ik hem af. 'Maar ik moet nu een bespreking in met Roos en Martijn. Kun jij haar even een kop koffie geven? Twee zoetjes. En zet haar maar naast de leesmap, dan vermaakt ze zich wel even. Kom ik er zo snel mogelijk aan.'

'Oké! Hoiii!' gilt Serge.

'Dag!' corrigeer ik hem.

Eindelijk bestijg ik mijn step en aanvaard de dappere reis naar de Executive Board Room. Mijn moeder. Net waar ik vandaag zin in had. Ik neem haar wel even mee naar Café Cor. Rond lunchtijd is het daar toch nog rustig. Ik step langs de gamehoek, langs de Volkswagen-groep en langs Rodzjers lege stoel. Nadat hij wegliep uit het statusoverleg met de BPW Bank, is hij niet meer teruggekomen. Overspannen, zegt de één. In zijn tweede huis in Umbrië, zegt een ander. *Adformatie* vermoedt dat hij besloten heeft om zich te wijden aan fictie en verder is gegaan met de roman waarover hij het al jaren heeft. Eef denkt dat hij bezig is met een louterende beklimming van de Kilimanjaro. Hester denkt dat hij met een fles wodka op de bank ligt. En eerlijk gezegd gaat mijn vermoeden ook die kant op. Hij sloeg natuurlijk een beetje door met die schildpaddenstichting, maar ik heb toch met hem te doen. Hij deed zo zijn best. En hij zag er gelukkig uit, nu hij weer ergens in geloofde. Ik zal hem binnenkort eens bellen.

Met een mooie bocht rol ik de Executive Board Room binnen. In het begin maakte ik hem nog weleens te ruim of juist te krap, waardoor je het risico loopt dat je tegen de muur of het kozijn aanknalt. De perfecte bocht vereist maandenlange gedisciplineerde oefening. En ik moet zeggen dat ik zo langzamerhand aardig in de buurt van die perfectie begin te komen.

'Ga zitten,' zegt Roos en wijst naar de overkant van de sloophouten tafel.

'Ja, ga zitten,' zegt Martijn, naast Roos.

Ik neem plaats en schuif vol verwachting mijn stoel aan.

'Zo. Alex,' zegt Roos. Rustig doopt ze haar kamilletheezakje in haar VOGH/JJGP-beker en tilt het er weer uit.

En in.

En uit.

Dan pakt ze haar theelepeltje, legt het zakje erop, draait het touwtje eromheen om het zakje uit te persen, draait het touwtje er weer van af, loopt met het lepeltje en het zakje naar de prullenbak, gooit het zakje in de prullenbak, loopt weer terug naar haar stoel, schuift aan en legt het lepeltje op tafel.

'Volgende maand loopt je jaarcontract af. En dat is altijd een moment waarop we bij elkaar komen om het te hebben over hoe we vinden dat het gaat.'

Ik knik. Ik denk dat dit een mooi moment is om misschien een stap verder te zetten. Dat operationele past gewoon niet zo goed bij me. En ik heb een bewezen bijdrage geleverd aan de BPW Bank-campagne, waarvan gefluisterd wordt dat hij hoge ogen zal gaan gooien tijdens het jaarlijkse Adformatic Awards Gala. Rodzjer hoopte vurig op een nominatie in de categorie 'Crossmedia'. Of misschien wil Roos het over een leaseauto hebben? Ik zou wel een Mini willen. Het liefst een rode, met een wit dak. Maar als er nog een andere staat vind ik dat ook prima; ik ben niet iemand die moeilijk doet over dat soort dingen.

'Het gaat niet zo goed, vind ik,' zegt Roos.

Wát?

Kalm neemt ze een slokje van haar kamillethee en gaat er eens goed voor zitten om te vertellen wat er blijkbaar allemaal mis is met mij. Let op, daar gaat ze. Nee, bij nader inzien vindt ze het belangrijker om eerst nog een slok te nemen. Met gesloten ogen concentreert ze zich op de warmte in haar mond, die via haar keel omlaag zakt. Even een momentje voor zichzelf, moet ze denken. Of iets vergelijkbaars dat theedrinkers altijd zeggen. De pure smaak van droogbloemen, ofzoiets. Of: heerlijk genieten van de rijkdom van het theeblad. Dan opent ze haar ogen weer en richt ze strak op mij. Martijn zit al die tijd als een etalagepop naast haar, met zijn zakcomputer voor zich. Zou hij iets met zijn stembanden hebben? Of een spreekverbod opgelegd hebben gekregen vanuit Chicago?

'Toen ik je aannam heb ik je het voordeel van de twijfel gegeven. Je wist van toeten noch blazen, maar ik dacht: dat trekt wel bij. Je wilde zó graag dat ik verwachtte dat je snel zou leren. En dat je bereid was om je voor de volle tweehonderd procent in te zetten.'

'Maar dat heb ik gedaan!' neem ik het voor mezelf op. Want ik heb niet het idee dat iemand anders dat in deze ruimte van plan is. 'Ik heb alles gedaan wat je me vroeg. Ik heb spreadsheets en statuslijsten bijgewerkt, ik heb Fébrèze-vlaggetjes geprikt in hondendrollen, heb tweehonderd strikken om tweehonderd beeldschermen geknoopt, honderden kopjes koffie gehaald...'

'Je begon inderdaad uitstekend,' knikt Roos. 'IJverig, leergierig, niet te beroerd om iets te doen – precies zoals ik het graag zie. Maar toen je met Jut en Jul om begon te gaan —'

'Wie?'

'Eveline en eh... Esther heet ze, geloof ik? In ieder geval, toen je met die meisjes de hort op ging, begon je aandacht af te dwalen. Je zat maar in de kroeg en op feestjes. Achter de mannen aan. Hoe je Yljaaa als oud vuil aan de kant hebt gezet, daar lusten de honden geen brood van.' De grip van haar hand om haar VOGH/JJGP-beker verstevigt zich. 'Je hebt geen idee hoeveel pijn je hem daarmee hebt gedaan. Want Yljaaa is in wezen een heel gevoelige jongen.'

Verbaasd kijk ik haar aan; ik vind dit een wat zonderlinge wending in het gesprek. 'Hoe weet jij dat? En wat heeft dit met mijn werkprestaties te maken? Ik vind het trouwens jammer dat je mijn toegevoegde waarde voor VOGH/JJGP zo makkelijk van tafel schuift. Want laten we eerlijk zijn, als ik er niet was geweest, had Dylan nog steeds een writer's block gehad van hier tot Sint-Petersburg en was er geen lied geweest, laat staan een commercial.'

Triomfantelijk kijk ik naar de troef die ik op tafel heb gegooid. Martijn blijft zwijgend voor zich uit staren, met een zijige glimlach op zijn gezicht.

Roos kucht. 'Dat heb je inderdaad goed gedaan, Alex. Maar zoals je weet werken we bij VOGH/JJGP met een systeem waarin je totale functioneren beoordeeld wordt. Om het overzichtelijk te houden, hebben we dat opgedeeld in verschillende competenties, zoals Accuratesse, Visie, Sensitiviteit, Collegialiteit, Klantgerichtheid, Creativiteit, Flexibiliteit, Ondernemerschap en Helikopterview. Voor iedere competentie krijg je een aantal punten. Ik kan de lange versie doen, maar ik heb over een halfuur een andere afspraak, dus in het kort komt het op het volgende neer.'

Ze pakt het papier voor zich op, houdt het een eindje van zich af en declameert: 'Je komt te laat op kantoor, je gaat te vroeg naar huis, je doet je werk niet zorgvuldig, je hebt je taken niet op tijd af, je laat belangrijke e-mails liggen, je doet niet serieus je best om vragen van De Klant te beantwoorden, je houdt je uren niet goed bij, je maakt slordige facturen, je bent niet proactief, je zit te lang te bellen met je vriendje, je vergeet je afspraken, neemt Creatie niet serieus, je briefings zijn incompleet of afwezig en je stemt te weinig af met mij. O ja, en je mengt werk met privé. Enorm.'

'Ja, sommige mensen hebben ook nog een privéleven,' probeer ik haar op een gevoelige plek te raken. Of het werkt kan ik niet zien, want Roos neemt nog een slok kamillethee. Haar geniethoofd maakt me wild. Oké, ik ben misschien wat losser geworden de laatste tijd, maar dat leek me juist goed. Een beetje ontspannen, niet te neurotisch. Van hyperactieve, perfectionistische accountmeisjes wordt de wereld niet veel wijzer, leek me.

'En wacht eens even,' bedenk ik me, 'ik was toch zo goed voor de free publicity?'

'Niet als je dit soort dingen gaat doen.'

Roos schuift de laatste *Privé* over de tafel. Die heb ik nog helemaal niet gezien.

ALEX' INTIEME AVOND MET MAX WEZELING
WAT DENKT DYLAN HIERVAN?

staat er, boven een foto van mij en Max. De foto is gemaakt op de James Bond-première. We staan gewoon te praten, al moet ik zeggen dat Max wel heel dicht bij mij staat te praten. Maar ja, daar heb ik niet om gevraagd.

'Om te beginnen is Max een vriend van Dylan,' zeg ik, 'en ten tweede waren we gewoon aan het praten! Ik heb niet —'

'De waarheid interesseert me niet, Alex. In de communicatie gaat het om wat je ziet. En wat ik zie, bevalt me niet.'

'Maar... '

'Ik denk dat de feiten voor zich spreken, dus wat mij betreft discussiëren we hier niet heel lang over. Het spijt me, maar ik denk niet dat jij en VOGH/JJGP een lange toekomst tegemoet gaan, samen. Daarom moeten we je laten gaan.'

'Laten gaan?'

'Je jaarcontract wordt niet verlengd.'

Met wijdopen mond staar ik naar Roos. En naar Martijn, die nog steeds niets gezegd heeft. Maar als je héél goed oplet, zie je dat hij knikt.

'Wát?' gil ik. Eigenlijk wil ik niet gillen; onderkoeld reageren is veel chiquer. Maar ik heb mezelf niet meer in de hand. Woede vermenigvuldigt zich in mijn hoofd. 'Dit is een vergissing! Dit moet een vergissing zijn!'

'Het spijt me,' zegt Roos nog een keer. 'Ik vind het prima als je vanmiddag vrij neemt. Weet je wat? Neem je vakantiedagen maar lekker op. Kun je rustig nadenken over je toekomst.'

'Prima.' Ik doe mijn uiterste best om me niet nog meer te laten kennen. Met loden armen en benen sta ik op, stap op mijn step en rol de kamer uit, de reclame uit.

Wat een illusie. Wat een fopwereld.

Hoofdstuk 45

Mijn moeder, dat kan ik er ook nog wel bij hebben vandaag, denk ik als ik doorstep naar de receptie. Ik verwacht begroet te worden door haar gekakel, maar er heerst een vredige rust. Serge zit, gehuld in een wikkelvestje, zijn nagels te vijlen in zijn rode designkubus. En op de bank zie ik niet de droge, witblonde bos haar van mijn moeder boven de *Story* uitsteken, maar —

Yljaaa.

Verdiept in de kunstbijlage van het NRC.

Ik heb geen reden om te schrikken, maar toch mist mijn hart een slag als ik hem daar zie zitten, kaarsrecht op de Gispenbank. Zoals altijd gekleed in Hugo Boss, zijn linkerbeen over zijn rechter geslagen. De Golden Folding Chair die hij gewonnen heeft op het Advertising Festival in New York heeft de vraag naar hem nog verder opgedreven, las ik vorige week in *Adformatie*. Zijn uurtarief heeft hij zo ver omhoog geschroefd dat alleen adverteerders met megabudgetten zich hem nog kunnen veroorloven. Het gerucht gaat dat hij zo een financiële buffer op wil bouwen, omdat hij een poging wil wagen als filmregisseur. Zijn hoofd heeft hij net bewerkt met de tondeuse, zodat hij kriebelig zacht voelt als je er met je wijsvinger overheen glijdt. En heeft hij een nieuwe bril?

'Dag Alex,' zegt hij droog, alsof hij me nooit heeft begeerd. Niet dat ik zou willen dat hij dat zou doen, maar toch irriteert het me mateloos.

'Jij hier?' Ik doe mijn best om zo seksloos terug te kijken dat het niet anders kan dat iedere herinnering aan vroeger uit mijn hoofd is gewist. Maar als ik eerlijk ben, komt hij er nog weleens langs.

'Ja, ik hier,' zegt Yljaaa, duidelijk niet op zijn gemak. Hij wiebelt tweehonderd wiebels per minuut met zijn linkerschoen en kraakt onrustig met zijn krant. 'Ik heb een afspraak met Roos. Werk, lunchdingetje, klus, zoiets.'

'O?'

'Je moeder staat buiten,' verandert hij snel van onderwerp. 'Ze is echt geen steek veranderd, zeg.'

Buiten? Ik dacht dat ze gestopt was met roken. Van achter de draaideur zie ik haar al staan, druk in gesprek met het leger paparazzi. Ze praat zo hard dat ik haar luid en duidelijk kan verstaan door het dubbele glas.

'Dat was me er eentje, hoor, die Rob de Nijs. Ik ben hem nooit vergeten. Dus Rob' – ze richt zich tot een camera van RTL – 'als je dit hoort...'

Een kakelende lach met gierende uithalen volgt.

'Zeg Patries, hoe was Alex eigenlijk als kind?' vraagt Martin Matthijsen, duidelijk niet geïnteresseerd in de bedprestaties van Rob de Nijs.

'Énig! Het zonnetje in huis! Toen ik scheidde van mijn echtgenoot, mijn ex-echtgenoot dus, waren we met zijn tweeën, maar we hadden het énig met zijn tweetjes, werkelijk énig! We hadden het niet zo breed, maar ik zei altijd: als we elkaar maar hebben, Lexje.'

Ja, nadat mijn moeder haar haar had laten blonderen, haar nagels, haar wenkbrauwen, haar benen, haar bikinilijn en haar snor had laten doen, kleding met diverse dierenprints had aangeschaft en haar rekening had voldaan in haar stamkroeg, was er inderdaad niet zoveel meer van de alimentatie over.

'Alexis was zo'n enthousiast kind, altijd aan het zingen en het dansen. Ze deed aan alle playbackshows in de omgeving mee. Als ik bezoek kreeg, stond ze erop om een optreden weg te geven. Madonna deed ze meestal. Ik had een pakje voor haar nagemaakt uit een videoclip, maar dat stond haar toch heel anders, want Alex was vrij dik als kind. Lief hoor, maar wel een dikkerdje. Toen ze ouder werd, ging dat puppyvet er vanzelf af en kreeg ze net zo'n slank figuurtje als ik vroeger had. Al was ik wel wat vrouwelijker, als je begrijpt wat ik bedoel. Maar het duurde lang voordat ze een vriendje had. Ik zei altijd tegen haar: al die leuke jongens op school, geniet er nou eens van! Ik zou het wel weten, hoor! Pas toen ze studeerde hoorde ik haar over een vriendje. Erwin heette hij, geloof ik. Niet dat ik hem ooit ontmoet heb, trouwens, dus zeker weten deed ik het niet.'

Ha! Denkt ze nou werkelijk dat ik een vriendje mee naar huis zou nemen, naar het keurende oog en overjeugdige gedrag van mijn moeder? Nee, vriendjes genoeg, maar ik ging met hen mee naar huis, als we het fietsenhok voorbij waren. Naar moeders met kopjes thee en normale kleren.

'Ik heb heel lang gedacht dat ze op meisjes viel. Dat had me niet uitgemaakt hoor, ik heb niets tegen homoseksualiteit. Mijn beste vrienden zijn homo! Trouwens, het had ook niet veel gescheeld of jullie hadden achter mij aan gezeten met jullie cameraatjes, wisten jullie dat? Ze zeiden altijd dat ik een lekker moppie kon zingen. Mijn country-act was een groot succes in Purmerend en omstreken. Maar ja, toen raakte ik zwanger, hè. Tegenwoordig kun je dan gewoon door, ze gaan zelfs in hun nakie op de foto, die meiden, met hun dikke buik en hun handen voor hun jongens. Maar in die tijd was het toen gewoon voorbij. Maar als dat allemaal anders was gelopen...'

Martins aandacht lijkt mijn moeder niet meer vast te houden met haar verhaal; zijn blik dwaalt af, naar de voorgevel van VOGH/JJGP, de grote lichtletters, de draaideur, waarachter hij – shit! – mij ziet. Vriendelijk zwaait hij en lacht zijn jumbotanden bloot. Ik wil me onzichtbaar maken, of heel zachtjes achteruitlopen, of me verschuilen in Serges designkubus. Te laat.

'Alexis!' gilt mijn moeder, die mij ook in haar vizier heeft gekregen.

Vluchten kan niet meer.

Als een boerin met kiespijn steek ik mijn linkerhand stijfjes in de lucht, bij wijze van zwaai. Alle camera's zwenken naar me toe.

'Popje!' koert ze. Op haar wankele hakken trippelt ze door de draaideur naar me toe en omhelst me met alle pathetiek die ze in zich heeft. De fotografen flitsen zich een flitsarm.

'Mijn lieve dochter! Hoe is het met je?' Ze geeft me drie plakkerige zoenen met haar everlasting lipstick, die ik nooit meer van mijn wangen af zal krijgen.

'Dag, mam,' zeg ik.

Ga uit mijn licht, denk ik.

Ze grijpt mijn hand en trekt me mee door de draaideur, naar buiten. 'Mijn dochter!' gilt ze naar de fotobrigade, alsof die geen idee heeft wie ik ben. Er wordt nog maar een keer geflitst, om dit unieke portret van moeder en dochter vast te leggen. Geflankeerd door een haag van fotografen aan weerszijden neem ik haar mee de VOGH/JJGP-tuin uit, naar Café Cor. Hoe sneller we hier weg zijn, hoe beter.

'Dag jongens!' roept ze naar de fotografen. 'Tot de volgende keer!'

Drie kwartier lang praten we over de mannen in mijn moeders leven, het lastige proces van blonderen in verschillende blondtinten, de ongelofelijke hoeveelheid kilo's die ze is afgevallen dankzij een dieet van vloeibare ruimtevaartvoeding, de hondjes van de buren, de teleurstellende slaapkamerprestaties van haar laatste verovering en het lekkere kontje van Sjon.

'Och, dat zal toch wel meevallen,' giechelt Sjon verlegen, die onze borden komt afhalen.

'Nee, je hebt een verrukkelijk achterwerk, als ik zo vrij mag zijn. Verrrrrúkkelijk!'

Als Sjon wegloopt, geeft ze een tik op zijn billen en slaakt een opgetogen gilletje.

'Wat een lekkertje,' verzucht ze tegen mij.

Verbouwereerd kijk ik haar aan. 'Mam, waarom bén je zo?'

'Wat bedoel je, pop?' vraagt mijn moeder, niet-begrijpend.

'Zo overdreven, zo...' – ik wil het helemaal niet zeggen, maar mijn mond gaat zijn eigen gang – '...aanstellerig, zo aanwezig! Waarom moet jij altijd in het middelpunt van de aandacht staan? Waarom neem je altijd de show over? Waarom?'

Opgefokt neem ik een slok martini (voor de wodka vond ik het bij nader inzien toch te vroeg) en verslik me net niet. Misschien moet ik toch ook eens dat nieuwe kamilletheeritueel van Roos proberen. Ze lijkt er erg kalm van te worden. En beheerst. Zo beheerst dat ze geen spier vertrekt als ze me ontslaat.

'Waarom niet?' vraagt mijn moeder. Ze dept haar mond schoon met haar servet en controleert haar make-up in haar met nepdiamantjes bezaaide zakspiegeltje. 'Weet je, pop,' zegt ze dan, serieuzer dan ik van haar gewend ben, 'als je ouder je wordt, kom je erachter dat weinig is zoals je hoopte. Het duurt heel lang voordat je dat in de gaten krijgt, hoor. Het gaat stukje bij beetje. Maar op een dag moet je het toch inzien. Liefde is een reeks van teleurstellingen, mensen zijn niet wie je denkt dat ze zijn en de ambities die je had, heb je niet waargemaakt. Niemand waarschuwt je dat het leven een grijze smurrie is, dat het lang niet zo leuk is als ze je voorhielden toen je klein was.'

Haar zwartomrande ogen kijken me indringend aan; er lijkt toch echt iets van emotie tussen de klonten mascara door te flakkeren.

'En dan kun je twee dingen doen. Je kunt erin wegzakken en zelf ook lekker grijs worden, of je kunt kleur geven aan je leven. Als je je gedraagt als een ster, word je behandeld als een ster. Kijk maar naar mij. Ik word ook een dagje ouder, maar de mannen zijn niet bij me weg te slaan. De deur hoef ik nooit zelf open te doen. En die fotografen gaven me het gevoel alsof ik Marilyn Monroe was! Ik leef mijn leven als een diva *and I enjoy every minute of it*. En niet iedereen kan dat, hoor. In de spotlights staan is een gave die maar weinig mensen beheersen.'

Ze buigt zich naar me toe; een zware, zoete wolk drijft over.

'Jij hebt het ook. Natuurlijk, je bent mijn dochter. Weinig mensen krijgen zo'n kans als jij, om boven de grijze massa uit te steken. Geniet ervan, pop. Pak die kans met beide handen aan. Je geniet ervan, toch?'

Ik knik, betrapt. 'Ik —'

'Maar goed, nog even die héérlijke ober.' Een moment van introspectie met mijn moeder duurt nooit lang. 'Is hij vrijgezel, denk je?'

Hoofdstuk 46

'Wat wil je eten, lieverd?' vraagt Dylan. 'Waar heb je zin in?'

Geconcentreerd bestudeert hij de inhoud van de koelkast, die altijd goed gevuld is sinds dit huis zijn vrijwillige gevangenis is. Er zijn ingrediënten in huis voor iedere kookopwelling. Tomaten, basilicum, knoflook en Parmezaan voor als hij zin heeft in Italiaans; koriander, pepers, citroengras en kokos voor een Thaise bui en mosselen, bouillon, kippenvleugeltjes en gamba's voor het geval het toch een paella moet worden.

'Ik kan ook stamppot andijvie maken, hoor. Dat vind je toch zo lekker?'

'Kook maar waar jij zin in hebt, schat, ik ga even wat eten met Carmen in de Oyster Lounge.'

En ik moet me nog haasten ook, zie ik als ik op mijn horloge kijk. Toen Carmen me een paar dagen geleden belde en voorstelde om samen wat te gaan eten, heb ik geluidloos gejuicht en een klein sprongetje gemaakt. Heel voorzichtig concludeer ik dat Carmen van Doorn, de leukste vj van MTV, mij begint te zien als vriendin. Mij! Het afgelopen halfuur heb ik voor mijn deel van de inbouwkledingkast gestaan en alle hangertjes die Julia de afgelopen tijd voor me volgewinkeld heeft onrustig heen en weer geschoven. Want ik wilde er wel bijzonder uitzien, maar niet te opgedirkt.

Uiteindelijk koos ik voor mijn Royal Denim-jeans – altijd goed – met een ingewikkeld topje dat met strikken en knoopjes aan elkaar zit en pumps met hakken als de Eiffeltoren. Stylish Casual, zou Julia zeggen.

'Ga je nou alweer uit?' Dylan draait zich samen met een prei naar me om. Het licht van de koelkast maakt hem vaal. En de coltrui doet ook niets voor hem.

'Dat jij niet meer uit wil, betekent nog niet dat ik altijd thuis moet blijven,' zeg ik.

'Maar waarom blijf je vanavond niet bij mij?' Hij ziet er zielig uit, zo samen met zijn prei. 'Lekker eten, misschien een filmpje kijken...'

Ik word al moe als ik eraan denk. De sleur van het leven met Nederlands heetste rockster.

'Ik heb een beter idee,' probeer ik opgewekt. 'Waarom ga jij niet met míj mee? Trek wat leuks aan, dan gaan we gezellig wat eten met Carmen. Het is goed voor je om er even uit te zijn, je bent zoveel binnen. Even een andere omgeving, mensen om je heen... Hoe lang is het wel niet geleden dat wij samen uit geweest zijn?'

Dylan zucht; de prei kijkt er ook niet vrolijker op. 'Je wéét toch dat ik dat circus vol mediaklootzakken niet meer in wil? Ik heb geen zin meer om gefotografeerd te worden om mezelf vervolgens terug te zien met een kop erboven die niets met de werkelijkheid te maken heeft.'

'Maar ik wil er gewoon graag even uit,' zeg ik met een onschuldig stemmetje.

'Maar ik wil gewoon graag even wat tijd met je doorbrengen,' zegt Dylan. Overtuigend smekend (het werkt, ik word er bijna week van) loopt hij naar me toe. 'Je bent de laatste tijd zoveel weg. Waarom ga je uit als wij het samen fijn kunnen hebben? Hier, thuis?'

'Nou ja, dat vind ik ook wel leuk hoor, maar...'

'Ik begrijp het niet,' zegt hij vertwijfeld. 'Ik dacht dat je het fijn vond om bij mij te zijn. Waarom ben je dan niet bij me?'

Ik pak zijn handen en zwaai ze vrolijk heen en weer. De prei mag ook meedoen. 'Lieverd...'

Weet je wat, ik doe er ook nog maar een kus bij. Die doen het vaak goed. 'Vraag je nou niet zulke rare dingen af! Ik ben een open boek voor jou, jij weet alles wat ik weet. Jij en ik, weet je nog?'

'Als je dat maar onthoudt,' zegt Dylan, alweer iets opgewekter. 'Doe wat je wilt, ik wil niet zo'n man zijn die dingen verbiedt. Je moet je eigen beslissingen nemen. Maar ik hou van je. En zij niet.'

Met dat laatste heeft hij niet helemaal gelijk, denk ik als ik in het warme bad van flitsers voor de deur van de Oyster Lounge duik en rondpoedel in het licht. De Oyster Lounge is sinds de opening dé hotspot van de stad; alle leuke mensen lopen hier de deur plat. Daarom staat er altijd een flitsbrigade klaar; je weet immers maar nooit wie er naar binnen of buiten loopt. Zoals altijd word ik besprongen door de opwindende sensatie dat ik me bevind in het epicentrum van al het leuks op de wereld. Het raast door mijn bloed, ik krijg er kippenvel van.

De garderobemedewerker verwelkomt me als een oude vriendin en neemt mijn jas met veel omhaal aan. 'Maak er weer een fantastische avond van,' knipoogt hij.

'Dat is het nu al,' glimlach ik.

Midden in het tinkelende rumoer zit Carmen aan de bar, in een jurk die ik nooit aan zou durven trekken. Ze springt op als ze me ziet.

'Méísje!' gilt ze. 'Wat leuk dat je er bent!'

Ze omhelst me en zoent me op mijn wang. Ik zoen terug, voor zover dat lukt in deze beklemmende omhelzing. Ik ben blij dat ze het leuk vindt om me te zien, maar ik ben nog blijer als ze me eindelijk loslaat. Ik hou namelijk niet zo van mensen in mijn intieme zone. Behalve als er sprake is van mannen of noodsituaties. Bovendien heb ik een bijzonder kreukgevoelig topje aan.

'Champagne dan maar?' tilt ze een halflege fles uit de koeler naast zich.

'Daar kun je me voor wakker maken,' knik ik blij. En ik ben bang dat ik het letterlijk meen.

We eten weinig en drinken veel: sushiminiaturen op een bedje van champagne en wodka-martini's. Sinds de James Bond-première heb ik een warme voorliefde ontwikkeld voor James' favoriete drankje. Het ziet er leuk uit en je hebt wat te doen, met die olijven. Al ben ik allang ontgroend door bekende Nederlanderland, toch was ik stiekem zenuwachtig. Ik bedoel, een paar maanden geleden had ik Carmen niet eens aan durven spreken en nu zit ik met haar in de Oyster Lounge, aan een tafel voor twee. Maar ze praat zo makkelijk dat het na vijf minuten lijkt alsof we elkaar al jaren kennen. Ze vertelt over het ingeslapen dorp waar ze vandaan komt, haar eeuwig schoonmakende moeder en haar zwijgzame vader, het showballet waarbij ze vanaf haar vijftiende danste, tot ze op haar eindexamenfeest geblesseerd raakte door beneveld van een stapel bierkratten te vallen en haar zware jaren bij Call TV daarna.

'Je denkt: ik klets wel twee uur aan elkaar. Maar het is zo moeilijk om het antwoord niet te verraden! K O E K J _ E. We zoeken nog één letter. Wat zou het toch zijn? Ik geef nog één hint, stelletje eencellige tv-lurkers: het is lekker bij de thee. Het is lekker bij de thee. Jij daar, op die uitgewoonde bank. Ik wéét dat jij het weet. En ik weet dat jij die vijftienhonderd euro best kunt gebruiken, met je winkelverslaafde vrouw en je frequente flipperkastbezoek. Wie kan er nou geen vijftienhonderd euro gebruiken? En wat doe je eigenlijk voor die tv? Heb je geen baan ofzo, waar je naartoe moet? Kom op, pak die telefoon en bel me. Eén telefoontje en die vijf-tien-hon-derd euro kunnen voor jóú zijn!'

Ik moet zo hard lachen dat er een stukje uramaki in mijn wodka-martini valt. Giechelend probeer ik het er met mijn stokjes uit te vissen, maar dat is moeilijker dan het lijkt. Iedere keer als ik beet heb, valt het verder uit elkaar, waardoor mijn wodka-martini er uiteindelijk uitziet als een drinkontbijt. Ach, wat maakt het uit; lekker én voedzaam!

Ik vertel over Bapao Dries en Patries, opgroeien in Purmerend, mijn ponyjaren en mijn twaalf ambachten. Eigenlijk marcheer ik altijd het liefst met ferme pas over dit onderwerp heen, maar Carmen heeft zoveel over zichzelf verteld dat ik vind dat ik eerlijk over moet steken. Carmen blijkt ook een pony gehad te hebben, die Bliksem heette, en heeft net als ik een hekel aan bapao's. We blijken nog veel meer gemeen te hebben en halen herinneringen op aan Barbies, schoolfeesten, haarlak en *Dirty Dancing*. Net als we beginnen aan onze jeugdverliefdheden op filmsterren en vergeten zangers, horen we gekuch boven onze hoofden.

'Dag dames.' Een hese stem, die ik dagelijks hoor op tv.

'Maxie!' gilt Carmen. Ze springt op en geeft hem drie zoenen. 'Schat! Wat leuk! Hoe lang is het wel niet geleden dat wij elkaar voor het laatst gezien hebben?'

'Die awardshow voor de best geklede personen van het jaar?' probeert Max.

Carmen schudt nee, haar hoogglanzende, donkerbruine haar schudt mee.

'De première van James Bond?'

Carmen blijft schudden.

'Het lanceringsfeest van die zangeres van dat nummer met "oeh-oehoehaah"?'

Carmen knikt enthousiast. 'Oh, mán! Wat was dat leuk! Weet je nog dat – sorry, dit is Alex. Ze —'

'Ik ken Alex wel,' grijnst Max. 'Dag, Alex,' kust hij me op mijn wang. 'Hoe is het?'

Ik geloof dat we na het derde broodje shoarma een luidruchtig lied hebben gecomponeerd over het belang van knoflooksaus voor de hedendaagse maatschappij, maar ik voel me nu een stuk minder uitgelaten.

'Goed, hoor,' piep ik. 'Prima, hartstikke goed.'

'Nou, ik zal jullie niet langer ophouden. Eet smakelijk, dames. En maak er een leuke avond van.'

Samen met de rest van de Oyster Lounge kijken we hoe hij

met verende tred wegloopt, zijn haar langzaam uit zijn gezicht veegt en aanschuift bij een dozijn modellen, met een gezamenlijk gewicht van 75 kilo.

'Mag ik je iets vragen?' vraag ik Carmen als we uitgegeten zijn en als dessert nog maar een wodka-martini hebben besteld. Ik aarzel even of ik het wel moet doen, maar van de andere kant: ik voel me op mijn gemak. Ik heb het ongeduldige gevoel dat dit weleens een heel mooie vriendschap kan worden. Zo eentje die je het liefst een paar maanden vooruit wil spoelen, om de aftastende fase voorbij te zijn en alvast midden in die comfortabele vertrouwdheid te zitten.

'Natuurlijk,' lacht ze bemoedigend. 'Vraag maar raak.'

'Wat doe jij als eh... nou ja, als dat hele wilde er een beetje af is in je relatie? Je weet wel, in het begin kun je niet van elkaar afblijven en maakt het niet uit waar en wanneer en hoe vaak, maar na een tijdje wordt het wat kalmer...'

Carmen kijkt me ongelovig aan. 'Dylan?' vraagt ze, alsof ik haar zojuist verteld heb dat hij eigenlijk geen zanger is, maar paardenfluisteraar.

Ik knik, de frustratie staat me nader dan het lachen. 'Hij zegt dat dat hele heftige plaats heeft gemaakt voor iets veel mooiers.'

Wat heerlijk om uit te spreken wat ik niet eens durf te denken. Zonder na te denken voor ik wat zeg, stroomt het naar buiten. Drank maakt niet alleen je bloed dunner, maar ook je woorden.

'Ik bedoel, hij knuffelt en kust en streelt en masseert als de beste, maar waarom kan ik niet gewoon weer eens op de keukentafel geworpen worden, ofzo, bij wijze van spreken, dan? Ik wil voelen dat hij me begeert. Ik wil die gekmakende passie terug, waarin we niet van elkaar af kunnen blijven, waarin ik me dicht bij hem voel! Begrijp je?'

Ik stop even om adem te halen; de opwinding en de wodkamartini's stijgen naar mijn hoofd.

'Mag ik jou dan ook iets persoonlijks vragen?' vraagt Carmen. Ze trekt het hoofd dat Grote Interviewers altijd opzetten als ze de minister-president iets over de staatsfinanciën vragen, of een blunderende minister. Het staat haar niet.

Ik knik, benieuwd naar wat er uit dit gezicht gaat komen. Mijn visie op de Midden-Oostenproblematiek? Een psychologische analyse van de invloed van mijn jeugd op mijn erotische belevingswereld? De rol van Christus in mijn leven?

'Wat doe jíj ervoor om op die keukentafel geworpen te worden?'

'Ik? Nou gewoon, ik ben mijn charmante zelf,' grap ik en flapper mijn wimpers bevallig heen en weer. Meer dan genoeg, lijkt me. Maar Carmen kijkt minder overtuigd.

'Vind je het goed als ik even een kleine inspectie doe?'

Ze buigt zich naar me over en schuift mijn top van mijn schouder af. Nog een klein stukje en ik zit in mijn ondergoed in de Oyster Lounge.

'Dit?' Verontwaardigd trekt ze mijn bh-bandje omhoog. 'Denk je dat dít genoeg is? Zo'n zwart, tricot dingetje? Denk jij dat je wild genomen wordt met een verwassen, uitgerekte, doordeweekse Hema-bh?'

Moet dat zo hard?

'Maar mannen zien niet eens wat je aanhebt,' verdedig ik mijn Hemaatje zacht, in de hoop dat Carmens volume meezakt. Ze heeft een prachtig hese stem, maar op momenten als dit is dat niet zo handig. 'Mannen zijn alleen maar bezig om je uit te kleden om je zo snel mogelijk naakt te krijgen.'

Ik vind ondergoed moeilijk. Ik loop weleens een lingeriewinkel binnen, maar meestal word ik dan overweldigd door al die volle muren. Tientallen rekjes vol met kant, bloemetjes, beugels, bodystockings, jarretelles, strikjes en streepjes komen op me af en ik heb geen idee waar ik moet beginnen. Meestal sta ik binnen drie minuten weer met lege handen buiten. Helaas doet Julia geen lingerie.

Mismoedig schudt Carmen haar hoofd. Dan buigt ze zich als een grote zus naar me over. 'Ik heb één woord voor je,' fluistert ze. 'Wonderbra.'

'Maar wat heb ik nou op te pushen?' wijs ik naar mijn bescheiden B-cup.

'Meer dan je denkt,' zegt ze samenzweerderig, 'geloof me. Zo, en dan ga ik nu even mijn neus poederen.'

Ze staat op, trekt haar karige jurk recht en heupwiegt naar de toiletten, zich tot in de tenen in haar designerschoenen bewust van de collectieve blik op haar gespierde billen. Carmen is een levend *testimonial* ter promotie van sportschoolbezoek.

Ik neem nog een slok, vraag me af hoe het met Bliksem zou zijn en mijmer verder over Wonderbra's en Carmen, met wie het zoveel gezelliger is dan ik had durven hopen.

'Op nieuwe dingen,' toost ik in stilte met mezelf.

Net als ik de drie martini-olijven in mijn mond steek en het stokje er uittrek, komt er een klein, kalend mannetje naast onze tafel staan. Op zijn buitenproportioneel grote neus staat een rond, rood brilletje. Hij komt me ergens bekend van voor, maar ik kan me niet voorstellen waar ik een klein, kalend mannetje met een knalrode bril van zou kunnen kennen. Ik verkeer namelijk niet vaak in omgevingen met kleine, kalende mannetjes met rode brillen.

'Hai, Alex, toch?' steekt hij zijn hand uit.

Ik kauw haastig de olijven weg, zodat ik kan praten zonder dat er groene flarden mijn mond uit vliegen. 'Nou ja, eigenlijk Alexis.'

Het mannetje met de rode bril vraagt niets over *Dynasty*, maar staat nog steeds afwachtend tegenover me, met zijn hand vragend vooruitgestoken. Ik steek de mijne maar terug, om ze samen een paar keer naar boven en beneden te laten zwaaien. Ik blijf het een idiote gewoonte vinden, dat handen schudden.

'Tobias Groenteman,' stelt hij zich voor, 'Casting Director.'

Ah, nou weet ik het weer! Tobias is een van de meest invloedrijke castingmannen van Nederland en de man achter bijna alle acteurs in *Hoop & Liefde*.

'Wat leuk je te ontmoeten!' schud ik zijn hand nog een paar keer hartelijk op en neer. 'Ik ben een enorme fan van je werk!

Vooral Dokter Jaques, wat een vondst, hij is net een echter dokter. Waar heb je die man gevonden?'

Tobias lijkt me een man die graag gevleid wordt. Mijn mensenkennis is uitstekend, want hij knikt glimmend.

'Ik wilde even zeggen dat ik je énig vond bij Roderick van Lanschot. Zo lekker oorspronkelijk. Je komt heel goed over op de camera, wist je dat? Serieus,' dringt Tobias aan. 'Je hebt iets heel... hoe zal ik het zeggen... naturels, begrijp je wat ik bedoel?'

Leuk is dat; zit je een uur in de make-up en dan vinden ze je naturel. Een bijzonder onnaturelle vrouw trekt aan Tobias' arm. Met een slap verhaal dat hij er echt vandoor moet, drukdrukdruk, ik weet het wel, laat hij zich meeslepen. Haastig weet hij me nog een kaartje in mijn handen te drukken.

'Bel me eens. Gaan we eens praten, een borrel drinken, of lunchen, ofzo. Kijken of we eens iets voor elkaar kunnen betekenen. Je weet het nooit.'

Hoofdstuk 47

Ik weet niet zeker of dit de tweeëntachtigste aflevering van *Friends* is die we kijken of de drieëntachtigste, maar ik begin zo langzamerhand staar te ontwikkelen van al dat gekijk. De vrienden zijn een amorfe massa geworden en de lachband lacht me uit. Een mooi moment voor iets anders.

Aan mijn oorlel kun je sabbelen zoveel je wilt, je kunt hem strelen en er sensueel in bijten; ik voel niets. Maar Dylan duikt al sidderend van genot in elkaar als ik naar de zijne wijs. Voorzichtig schuif ik naar hem toe en strijk met mijn tong langs zijn rechteroor. Hij rilt giechelend. Aangemoedigd door dit enthousiaste onthaal laat ik mijn lippen om zijn oorlel glijden en zuig er zachtjes aan.

'Wacht heel even,' siddert hij, 'dit is een leuk stukje.'

Ik heb geen zin om te wachten tot Ross voor de tweehonderdste keer aan Rachel vertelt dat hij niet vreemdging, omdat ze *on an break* waren en voeg een voorzichtig beetje toe.

'Wacht nou heel even,' bibberlacht hij.

'Maar ik wil je wat laten zien,' fleem ik. Wat zal hij verrast zijn als hij het setje ontdekt dat ik onder mijn nietsvermoedende joggingpak aanheb. Tijdens de lunchpauze heeft Carmen me meegenomen naar Le Paradis de Lingerie en me voor twee jaar nieuw ondergoed aangesmeerd. Gelukkig was Martin Matthijsen niet in de buurt toen ze bij me in het pashokje dook om mijn borsten op hun plaats te leggen.

'Wat dan?' vraagt Dylan, met één oog op Rachel.

'Dit.' Ik doe mijn best om zo broeierig mogelijk te kijken als ik de rits van mijn trainingsjasje langzaam omlaag trek.

'Waaaauw,' zucht hij met grote ogen. Ross, Rachel en de andere lachebekjes bestaan niet meer; alle aandacht is voor mij. Opgetogen kijkt Dylan naar mijn borsten, die omhooggeduwd worden door een stellage van ijzerdraad, kant en gelkussentjes. Ik had geen idee dat van mijn bescheiden B-cup (of royale A-cup, zoals mijn moeder altijd zegt) zoiets gemaakt kon worden. Verlekkerd pelt hij het trainingsjasje van me af en vouwt zijn handen om mijn wonderbaarlijk gegroeide boezem. Hij kan zijn aandacht maar moeilijk tussen mijn linker- en mijn rechterborst verdelen; gulzig schieten zijn ogen heen en weer. Dan bedenkt hij zich dat het een goed idee is als mijn joggingbroek ook uitgaat. Voorgenietend lig ik op de bank, terwijl Dylan mijn broek van mijn benen afsjort. Ik wil dat mijn zintuigen weer ontploffen, dat hij met ik vermengt. Ik wil weer echt samen zijn. Mijn gloednieuwe kanten string verdwijnt ongezien op de grond. Veertig euro, verdomme. Dylan kust nu mijn linkertenen en meteen ook maar de hele voet. Teder masseert hij daarna mijn linkerkuit, terwijl zijn lippen langzaam van mijn linkerdij naar mijn zij dwalen, zich opwarmend voor een ongetwijfeld avondvullende kusmarathon. Hij koost, kneedt en kust en de moed zakt in de gelkussentjes van mijn Wonderbra. Ik word niet meegesleurd in een vloedgolf van begeerte, zet mijn nagels niet in zijn rug van ondraaglijk genot. Ik lig op de bank, gevangen in een web van tederheid.

Het begint met kleine krampjes. Mijn tenen trekken zich geërgerd in en ontspannen zich dan weer even, een keer of twaalf achter elkaar. Dan doet mijn gezicht hetzelfde. Mijn mond grimast en mijn ogen knijpen zich dicht. Ik wil mijn handen in vuisten ballen en er heel hard mee op de bank timmeren. Woorden borrelen in mijn onderbuik en stuwen zich langzaam omhoog. Ik wil ze binnen houden, maar daar denken ze zelf heel anders over. Slikkend probeer ik een blokkade op te werpen, maar die houdt maar even. Met alle kracht die ze in zich hebben slingeren ze zich naar buiten, te snel en te luid: 'Hou nou op en néúk me alsjeblieft! Neuk me als een man, met alles dat je in je hebt! Verras me, overweldig me, laat me voelen dat ik een vrouw ben, bind me vast als je dat wilt, alles behalve dit gefrutsel!'

Keek hij maar kwaad, of geschokt. Maar hij kijkt alsof ik met naaldhakken op zijn ziel ben gaan staan.

'Sorry dat je meer bent voor mij dan een lichaam,' zegt hij zachtjes. 'Ik hou van je.'

Hij staat op, loopt de kamer uit en laat mij achter op de bank, alleen met mijn nieuwe borsten.

'But we were on a break!' roept Ross nog maar een keer op het homecinemacenter. De lachband doet het bijna in zijn broek van de pret.

'Ach, hou toch je kop,' grauw ik. 'Er valt hier helemaal niets te lachen.'

Hoofdstuk 48

'Kijk, Aglaia Dujardin,' wijst Eef onopvallend vanachter haar gin-tonic naar een man aan de bar. We staan in Café Cor voor de donderdagmiddagborrel, die waarschijnlijk mijn laatste donderdagmiddagborrel is. Ik heb het mijn bureau leeggeruimd en een nietmachine en een pak stiften in mijn tas laten glijden. Toen Frenk me eergisteren belde om te vertellen wat er allemaal voor verzoeken voor me binnengekomen waren, was ik opeens een stuk minder rouwig om mijn vertrek bij VOGH/JJGP. Ik had geen idee dat je zoveel kreeg om alleen maar in een panel bij een spelletjesprogramma te gaan zitten! En ik was geschokt toen ik hoorde hoeveel DRINCK ervoor overhad als ik een feest kwam hosten. Ik geloof dat ik van mijn hobby mijn werk kan gaan maken.

'Aglaia Dujardin, ooit Account Manager bij BTBC/Bernwold & Bogey,' weet Hester, 'maar nu zangeres, actrice én presentatrice van *RTL Middag Magazine*.'

'De hoop van iedere Accountmanager,' zucht Hester.

'Samen met jou,' voegt Eef er snel achteraan.

'Die vrouw naast Aglaia is Stephanie de Vriezer,' weet ik, 'een groot actrice; haar Bijbelmonologen waren een enorm succes.'

Stephanie krijgt me in de gaten en zwaait vrolijk. Ik zwaai net zo vrolijk terug.

'Ken je haar?' vraagt Eef verbaasd.

'Een beetje, we hebben samen eens een fotoshoot gedaan,' haal ik mijn schouders op en hoop dat hiermee het onderwerp is afgedaan. Ik voel me schuldig. Niet omdat ik te lang niets van me heb laten horen. Daar heb ik sinds de huilsessie (die trouwens breed uitgemeten werd in *RoddelWeek*, met in chocoladeletters

ALEX: 'VRIENDSCHAP GAAT VOOR ALLES!'

erboven) best goed op gelet, vind ik zelf. Maar omdat hun verhalen over Bonzo, J.P. van der Lugt, Coca-Cola, nieuwe kleren en leuke mannen me net zoveel interesseren als de stoelgang van de premier. Mijn oren blijken allebei een deurtje te hebben, dat na verloop van tijd gewoon dichtschuift. Ze gillen over mensen tegen wie ik praat en giechelen om mensen die zij nooit zullen ontmoeten, maar van wie ik een paar dagen geleden nog een drankje heb gekregen.

Alles is anders geworden. En Carmen begrijpt dat.

De laatste keer dat ik me zo voelde was na de introductieweek van Rechten (of was ik nou begonnen met Psychologie?) en ik de mensen bij wie ik in de klas zat, de winkels waar ik mijn kleding kocht en de kroeg waarvan ik me er donderdag al stuiterend op verheugde dat ik er vrijdagmiddag naar toe zou gaan, opeens met heel andere ogen bekeek. Wat ooit met stip de leukste mensen aller tijden, de beste winkels en de ultieme kroeg waren, verloren razendsnel hun glans nu ik gezien had wat de wereld nog meer in de aanbieding had. Maar dat is ook zoiets om te zeggen. Daarom vraag ik belangstellend: 'Hoe is het met J.P. van der Lugt?'

'Zo, jij bent lekker bij, zeg,' fronst Eef.

'Hij heeft er een punt achter gezet,' zegt Hester. Ze trekt een afscheidingswandje voor haar gezicht, dat het meest kwetsbare deel aan het zicht onttrekt. 'Hij vond het niet meer leuk. Ik begon me te afhankelijk op te stellen, zei hij.'

'Wat? Jij?' Ongelovig kijk ik haar aan. Hester? De vrouw achter uitspraken als 'mannen zijn net accessoires, je moet ze uitkiezen bij je outfit' en 'vaste relaties zijn net als drank, ze maken meer kapot dan je lief is'?

'Waarom heb je me dat niet verteld?'

IJverig probeert ze het etiket van haar tonicflesje af te peuteren, dat geen zin heeft om mee te werken. 'Ik heb je geprobeerd te bellen, maar je nam steeds niet op. En ik had ook geen zin om het bij VOGH/JJGP te vertellen. Sta ik daar te janken bij de koffiemachine. Nee, bedankt.'

'Dat snap ik,' knik ik zo begripvol dat het meer op headbangen lijkt.

'Ik begrijp best dat het allemaal geweldig is,' zegt ze, geconcentreerd op het tegenstribbelende etiket, 'met Dylan en al die feestjes en de nieuwe mensen die je ontmoet, maar waar blijven wij?'

'Ja, waar blijven wij?' vraagt Eef.

'Je zou ons bijvoorbeeld uitnodigen voor een etentje bij je rocksterrenvriendje, weet je nog? Maar je bent vast te druk met neuken om voor ons te koken.'

'Dat valt reuze mee, hoor,' zucht ik. 'Serieus, Dylan heeft ook zijn buien, zeker sinds hij niet meer naar buiten wil. Leven met Dylan Winter is echt niet iedere dag de vochtige fantasie waarvoor alle vrouwen van Nederland het houden.'

Aan Hester en Eefs gezichten te zien, lopen ze niet over van medelijden.

'Maar was je nou echt serieus van plan om ons uit te nodigen?' vraagt Eef.

'Natuurlijk,' lieg ik. Het zou gek zijn om Eef en Hester op het Alex & Dylan-eiland te hebben. Ik ga graag naar de buitenwereld toe, kroegen en restaurants genoeg in deze stad. Maar ik ben het niet gewend dat de buitenwereld onze bubbel binnenwandelt. Ik weet niet zeker of hij daar stevig genoeg voor is.

'Wanneer kunnen jullie?' veeg ik mijn zorgen weg. 'En wat zullen we voor jullie maken? Dylan kan tegenwoordig gewéldig koken. Zeg het maar. Thais? Japans? Italiaans? Nog wat drinken?'

'Daar zeg ik geen nee tegen,' lacht Hester voorzichtig.
'Moet je dat nog vragen?' grapt Eef dof.

Ik steek drie vingers op naar Sjon en wijs naar de lege glazen voor ons. Een vertrouwd gebaar. Hoe vaak heb ik die beweging wel niet gemaakt? Voordat ik Eef en Hester kende, had ik nog nooit een gin-tonic gedronken, maar het afgelopen jaar heb ik de schade goed ingehaald. Tientallen, nee, honderden heb ik er gedronken, terwijl Eef en Hester me inwijdden in de reclamewereld en me het gevoel gaven dat ik meetelde.

'Drinkt Carmen ook gin-tonics?' wil Eef weten. Ze kijkt er niet erg nieuwsgierig bij.

'Of vindt ze dat ordinaire drankjes voor gewone mensen?' vraagt Hester nors.

'Carmen drinkt wodka-martini's en champagne,' stamel ik.

Ik moet opeens denken aan Peter-Paul, die toen ik mijn spullen pakte zei dat ik deed wat ik altijd deed. Dat ik een nomade was, die verder trok als ik dacht dat de weiden ergens anders groener waren. Dat ik mijn best niet deed.

'Ook lekker hoor, wodka-martini's,' ga ik verder. 'Maar ik vind gin-tonics nog steeds het lekkerst!'

Wat zit ik toch te zeuren. Vriendschap komt in golfbewegingen. Soms golf je een beetje uit elkaar, maar je komt altijd weer bij elkaar terug.

Met een glimlach zoek ik aarzelend een brug.

Hester strijkt een lok haar achter haar oor.

Eef haalt een denkbeeldige wimper uit haar oog.

Ik til mijn armen op.

Hester krabt in haar nek.

Eef legt haar staartje recht.

Ik til mijn armen nog een stukje verder op. En gooi me in volle vaart tegen ze aan. Midden in mijn intieme cirkel, maar dit is een noodsituatie.

'Ik heb jullie toch ook nodig?' zeg ik in hun haar. 'Jullie zijn mijn vriendinnen!'

Ik verwacht dat ze, net als de vorige keer, enthousiast terugknuffelen om als een bergje vriendinnen tegen elkaar aan te hangen, maar ze blijven staan waar ze staan. Hun armen hangen langs hun lichaam. Ik knuffel nog wat steviger; zo gemakkelijk laat ik me niet kennen. Als ik ze zo stevig omhelsd heb als ik kan, laat ik ze los en til mezelf weer op mijn barkruk.

'Ik moet maar weer eens gaan,' kucht Hester. 'Ik moet nog een presentatie maken.'

Eef kijkt op haar horloge. 'Jee, is het al zo laat? Ik moet er ook vandoor, ik moet nog een was draaien en het is echt een enórme troep thuis...'

Ze trekken hun jassen aan en pakken hun tassen van de grond.

'Tot snel, hè,' kust Eef me op mijn linkerwang.

'Ja, tot snel,' kust Hester mijn rechterwang.

'Tot snel,' zwaai ik naar hun ruggen.

'Alsjeblieft, meid, drie gin-tonics,' zegt Sjon.

Ik kijk naar de gin-tonics, die bubbelend en beslagen voor me staan.

'Vooruit, jongens,' mompel ik tegen ze. 'Daar gaan we dan.'

Hoofdstuk 49

'Godverdomme.'

Thuis, bij zijn ouders, mocht Dylan niet vloeken. In zijn volwassen leven heeft hij dat aardig ingehaald, maar de laatste weken is hij niet meer te stuiten. Het lijkt wel alsof hij in training is voor gangstarapper, zo boos is hij op iedereen die schrijft, filmt of fotografeert.

'Wat is er?' vraag ik, zo rustig mogelijk. Je weet maar nooit of het helpt.

Dylan wijst naar mijn favoriete bladen op tafel. Grappig is dat, ik blijf ze kopen. Vroeger kocht ik ze om me te vermaken met en te vergapen aan de levens van mensen die ik niet kende, maar waarvan ik het gevoel had dat ik ze kende, omdat ik hun gezicht zo vaak zag. Het schijnt biologisch te zijn, las ik laatst. In je hoofd zit een soort kaartenbakje, waar de mensen die je het vaakst ziet een voorkeurspositie krijgen, omdat het bakje denkt dat die mensen het belangrijkst voor jou zijn. Nou was het in de oertijd ongetwijfeld zo dat je je familie en je medegrotbewoners het vaakst zag, maar ik zie menig lid van het koningshuis vaker dan mijn eigen familie. En daar raakt mijn systeem van in de war. Mijn ouders bungelen onderaan in het kaartenbakje, maar half Hollywood zit erin. Nu sta ik zelf in die bladen. En heb ik de meeste van die mensen weleens in het echt ontmoet, of ken ik wel iemand die ze kent. Maar nu ik ze ken, heb ik steeds minder het gevoel dat ik ze ken.

'Kijk nou,' wijst Dylan.

'Jij leest die bladen toch niet?' vraag ik.

Dylan veracht ze, spuugt op ze, danst een duivels dansje op ze als het nodig is. Vond hij het vroeger nog schattig, nee, aanbiddelijk dat ik die bladen vrat, nu doet hij zijn uiterste best om ze uit mijn hoofd te praten en me over te laten stappen op Grunberg of Reve of Márquez of Capote of Kluun desnoods, als ik maar ophoud met die bladen.

Net Yljaaa.

Op de cover van *RoddelWeek* staan wij weer eens, voor de verandering. We lopen samen over straat, wat vrij uniek is, omdat Dylan alleen nog voor het hoognodige de deur uitgaat. Boodschappen laat hij bezorgen en boeken bestelt hij via internet. Ik loop een halve meter achter hem aan. Dat komt omdat ik net gestruikeld was; het is erg moeilijk om met hakken over die rottige kinderkopjes in de binnenstad te lopen. Dylan had niet in de gaten dat ik bijna mijn hak verloor en liep snel door, omdat hij zo snel mogelijk weer binnen wilde zijn. Ik zie er leuk uit, al zeg ik het zelf; leuk genoeg om in gefotografeerd te worden, maar niet te opgetut voor een wandeling door de stad. Ik draag een geweldige vintage jas, die Julia voor me gevonden heeft (een uniek stuk, zei ze) met kniehoge laarzen (gloednieuw, maar ze zien er reuze retro uit; ook een vondst van Julia. Ik weet niet waar ik zou zijn zonder Julia). En eindelijk heb ik de juiste zonnebril gevonden. Niet van een wangbedekkend filmsterrenformaat maar net groot genoeg om me achter te verschuilen. Ik begin het te leren. Dylan doet zijn afbrokkelende reputatie eer aan. Hij draagt zijn eeuwige kabelcoltrui en zijn highlights zijn zover uitgegroeid dat hij eruitziet alsof iemand hem ondersteboven in een pot gele verf heeft gehouden. Het valt me nu pas op hoe slecht Dylan er de laatste tijd uit is gaan zien. Ongemerkt is hij meer gaan lijken op de man uit Yljaaa's commercial dan ik voor mogelijk hield. Zijn huid is bleek; de zon schijnt nou eenmaal niet zoveel in zijn studio. En erg druk om zijn huid Photoshop-proof te houden, maakt hij zich ook niet meer. De facials heeft hij al weken laten verzaken, waardoor zijn gezicht niet meer babybilletjeszacht is, maar gegroefd en gebobbeld. Boven de foto staat:

DYLAN EN ALEX: DE LIEFDE BEKOELD?
INTIEME BRON: 'EEN KWESTIE VAN DAGEN.'

Ook de *Privé* heeft het op ons voorzien.

VERGEEFT DYLAN ALEX' SLIPPERTJE
MET MAX WEZELING?

Ik zeg het nog één keer: ik héb niet... Ach, laat ook maar. Alsof iemand geïnteresseerd is in de waarheid. Ook de *Story* maalt daar niet naar:

HET EINDE VAN HET LIEFDESPAAR VAN HET JAAR
DYLAN JALOERS OP ALEX' SUCCES!

'Waarom dóén ze dit?' De tranen springen in zijn ogen. 'Alex, ik kan er niet meer tegen,' zucht hij. Deze zucht is niet meer wanhopig, ik zou hem bijna suïcidaal noemen als ik niet wist dat Dylan onder de dikke laag ellende stiekem toch erg veel van het leven houdt.

'Het is ook niet makkelijk,' zeg ik en trek er een meelevend gezicht bij. Wat een waardeloze dooddoener weer. 'Maar het hoort er nou eenmaal bij,' voeg ik eraan toe en leg mijn hand op zijn hand. Als we dan toch op de glijdende schaal van dooddoeners zitten, dan maar all the way.

'Wat lief dat je dat zegt. Jij bent de enige bij wie ik nog rust kan vinden, weet je dat?'

Om heel eerlijk te zijn vind ik dat een vrij benauwende eer. Maar ik knik lief. Daar ben ik erg goed in, lief knikken.

'Ik kan er niet meer tegen.' Dylan staat op en begint aan een ijsbeer die verdacht veel op Rodzjers slofdrentel lijkt. 'Tegen

Nederland, tegen de Nederlandse mentaliteit. Tegen iedereen die me in een hokje wil stoppen en mijn muziek niet serieus neemt. Tegen iedereen die ons uit elkaar wil halen.'

Nu ik toch in de hoek zit waar de dooddoeners vallen, wil ik iets zeggen over dingen waar je nou eenmaal doorheen moet en dat je er zo weinig aan kunt doen, maar Dylan is op dreef. Het is alsof ik Rodzjer zie slofdrentelen, zo gepassioneerd zwaait hij met zijn armen.

'De pers heeft het op ons gemunt. Ze moeten ons hebben en ze zullen niet stoppen voor ze bloed zien. Wat doen we hier eigenlijk nog? Wat doen we hier nog, in dit rotland? Met die bloedzuigers? Schat, ik heb zitten denken.'

Hij gaat tegenover me zitten. Ellebogen op de tafel, ogen waterpas op mij gericht.

'Jij en ik, daar gaat het om, weet je nog?' vraagt hij, dwingend, alsof hij bang is dat ik het vergeten ben.

Ik knik.

'Ik heb op internet een geweldig boerderijtje gezien. Tweehonderd jaar oud, maar net gerenoveerd en van alle gemakken voorzien. En met een haard die het ook echt doet. In een prachtige omgeving; overal waar je om je heen kijkt zie je groen, bomen en heuvels. We zouden een hond kunnen nemen, of een geit. Of desnoods een biggetje, als jij dat wilt. Zie je het voor je?'

Een lach glipt mijn keelgat uit. Wat een opluchting kan het zijn om de donkere spanning aan flarden te lachen. 'Die geit zie ik niet zo zitten, maar de rest klinkt erg goed. Gaan we een weekendje weg?'

'Een weekendje weg?' Dylan kijkt me niet-begrijpend aan. 'Ik wil er permanent naartoe verhuizen. Met jou.'

'Wat? Naar Twente?' grinnik ik na. Wat moet ik daar in godsnaam doen? Varkens hoeden? Of rieten manden vlechten, ofzo?

'Niet naar Twente, naar Ierland. De boerderij staat in Ierland. In Parknasilla, om precies te zijn.'

Een boerderij in Ierland.
Ierland.
Ierland?
Heel even wacht ik verbluft tot er iemand uit het keukenkastje kruipt en gierend vertelt dat ik erin geluisd ben door een verborgencameraprogramma, waarop Dylan jankend van de lach opstaat en me met vrolijk betraande ogen vraagt hoe ik hier in hemelsnaam toch kan intrappen. Dat hij er natuurlijk niets van meent, dat hij wel weer klaar is met dat gezever over de pers, omdat dat er nou eenmaal bij hoort, dat hij zijn coltrui aan de wilgen hangt en of we vanavond alsjeblieft wat leuks kunnen gaan doen, samen, omdat hij snakt naar een beetje plezier en lawaai en drank en mensen.
Maar dat gebeurt niet.
In plaats daarvan zit Dylan me nog steeds aan te kijken met een gezicht dat opzwelt van verwachting.
Ierland?
Een boerderij in Ierland?
'Ierland?'
Met moeite worstelt het woord zich naar buiten. Ik geloof dat ik niet gemaakt ben voor het woord. Net zoals Fransen nooit goed Engels kunnen spreken, omdat hun mond er niet goed voor is afgesteld. Het laat ook een vieze smaak na, Ierland. Van bloedworst en zwart bier.
'Ja, is het niet geweldig?' juicht Dylan. 'Daar kunnen we eindelijk echt genieten van elkaar, zonder gestoord te worden door die flitsende parasieten. Jij en ik. Of eigenlijk jij, ik en Ierland.' Hij buigt zich stralend naar me toe voor een en-nu-mag-u-de-bruid-kussen-kus, maar ik hou mijn handen als een stootkussen voor me.
'Iérland?' roep ik kwaad.
Zo, dat komt er een stuk lekkerder uit.
'Iérland? Wat moet ik nou in Iérland?'
Dylan kijkt me aan alsof ik vraag of tonijn van kip gemaakt wordt. 'Lieverd, Ierland is prachtig! Ik kan me daar helemaal

wijden aan mijn liefde voor jou en de muziek. Thomas en Robbie kan ik regelmatig laten overvliegen. En misschien kom ik daar op nieuwe muzikale ideeën.' Dromerig staart hij langs me heen. 'Die bergen, afwisselend ruig en glooiend. Eeuwenoude stadjes en kastelen met hun eigen legenden en spoken en helden. De stilte op de heidevelden, de weidse uitzichten, de grillige kust met schilderachtige vissersdorpjes. De meest fantastische whisky's die we gaan drinken in die sfeervolle pubs, waar iedereen weet wie je bent, maar niemand weet dat je bekend bent... Lief, lijkt je dat niet de hemel op aarde?'

Hemel? Hel!

Dylan zakt neer op zijn knieën en pakt mijn hand. 'Alex... ga je met me mee naar Ierland? Jij en ik?'

Niets in hem twijfelt, hij weet zeker dat ik dit wil. Dat ik hetzelfde wil als hij. Dat er voor mij ook nog maar één ding is: wij. En dat alles daaraan ondergeschikt is. Ik haal diep adem en spreek het uit. Het moet.

'Ik kan niet met je mee naar Ierland, Dylan.'

Ik had gedacht dat mijn lieve blik de woorden wel een beetje zou watteren, maar Dylan deinst naar achteren alsof ze dolkstoten zijn. Tranen springen in zijn ogen.

'Begrijp me nou niet verkeerd, het is niet om jou, maar om mezelf,' zeg ik.

Ik word gék van die stroom aan gerecyclede woorden die mijn mond uitkomt, alsof ze rechtstreeks uit een B-film komen. Ik blaas daarom de clichés mijn neus uit en neem me voor om eerlijk te vertellen wat er met zijn volle gewicht op mijn hart ligt.

'Lieve, lieve Dylan,' benadruk ik zijn liefheid nog maar een keer. Je weet maar nooit of dat de gemoederen verzacht. 'Mijn hele leven heb ik gezocht naar iets dat ik graag zou willen doen. Ik ben onrustig van studie naar studie gehopt en van baan naar baan. Als ik dacht dat ik het gevonden had, bleek het later toch tegen te vallen. Ik dacht dat de reclame het helemaal was. Dat ik daar eindelijk op mijn plek zat. Maar dat was ook echt geen pretje, hoor. Serieus, dat gedoe met spreadsheets en begrotingen en deadlines die niemand haalt gaat echt op je zenuwen werken. Ik was een óber. En ik wil geen ober zijn.'

Dylan kijkt me glazig aan, hij heeft duidelijk geen idee waarom deze informatie relevant is voor het gesprek.

'Nu ben ik op een plek in mijn leven waar ik me goed voel, waar ik mogelijkheden zie. Eindelijk kan ik iets doen waarvoor ik niet op mijn tenen hoef te lopen, omdat ik er gewoon góéd in ben. Het leven is te kort om ongemerkt voorbij te laten gaan, Dylan. Ik wil niet onopgemerkt aan de wereld voorbijgaan. Ik zou toch gek zijn als ik die kansen zou laten liggen om niemand te zijn in Ierland, terwijl ik iemand kan zijn in Nederland?'

Dylans blik doet mijn maag omrollen.

'Dus je kiest voor jezelf,' fluistert hij. 'En niet voor ons.'

'Ik kan niet met je mee als ik daar zelf ongelukkig word,' antwoord ik zachtjes.

'Ik vraag je of je voor jezelf kiest of voor ons,' herhaalt Dylan.

Zijn gezicht zakt nu razendsnel in temperatuur. De kleur trekt weg, zijn lichtgrijze ogen geven beneden nul aan.

Ik zwijg. Een rilling kruipt over mijn ruggenwervels omhoog.

Hij gaat weer op zijn stoel zitten en schuift fel naar achteren. De stoelpoten schuren over de vloer.

'Weet je wat ik denk?' Hij kijkt me provocerend aan.

'Nou?' Ik schuif mijn stoel naar hem toe, tegen de tafel aan en sla mijn armen over elkaar. Het is koud hier.

'Je kan niet meer zonder die aandacht. Je wil niet meer terug naar het onzichtbare meisje dat je was, nu iedereen je ziet staan, inclusief je ouders en je bekende nieuwe vrienden. Hoe voelt dat? Is het fijn?'

'Ach, hou toch op, Freud,' spuug ik uit. 'Hou nou eens op met psycholoogje spelen, je hebt te veel van die zelfhulpboeken gelezen. Ze zouden die boekenclub van Oprah moeten verbieden!'

Net zo fel als hij zijn stoel naar achteren schoof, schuift hij hem weer terug naar de tafel. Ik voel zijn adem in mijn gezicht. Hij kijkt me streng aan, maar zijn trillende mondhoek verraadt dat hij zijn emoties minder goed onder controle heeft dan hij zijn gezicht wil doen vertellen. 'Als je echt van me houdt ga je mee,' zegt hij. 'Hou je van me?' Zijn stem heeft kartelrandjes.

'Ik, eh...'

'Hóú je wel van me? Ik weet eigenlijk niet of ik het je ooit heb horen zeggen.'

Ik buig over de tafel en probeer zo diep mogelijk in zijn ogen te kijken. Maar het lukt me niet om door te dringen. Gefrustreerd sluit ik mijn ogen, een zucht ontsnapt tussen mijn lippen door. Aan de binnenkant van mijn oogleden begint een filmpje te spelen. Glimlachend laat ik de beelden aan me voorbijtrekken. De zweterige, zenuwslopende ontmoetingen in de studio. Ons eerste etentje in de Oyster Lounge. Dylan naakt, gebogen over mij, in de keuken. Op de hennepbank. In de jacuzzi. Mijn gezicht, vertrokken van genot. Alle feestjes. Spannende nieuwe mensen. Liedjes over mij. Gesprekken bij de haard die geen haard is. De Galápagos-eilanden. De Royal Suite in het Tortoise Hotel. China Girl in de branding. Dylan, geconcentreerd over zijn gitaar gebogen in zijn studio. Zijn bewonderende blikken als ik een kamer binnen kom lopen, of de trap af. *The Best of Dylan Winter.* Ik open mijn ogen en zoek de verschillen.

'Jij en ik, daar gaat het om, toch?' herinner ik hem aan zijn lijfspreuk. Ik strek mijn hand naar hem uit, in de hoop dat hij hem vastpakt. Hij doet het niet. In plaats daarvan trekt hij de zijne beschermend tegen zich aan.

'Zeg het dan, zég dan dat je van me houdt!' Met een ruk staat hij op van zijn stoel. De stoel valt achterover, op de grond. 'I-K H-O-U-V-A-N-J-E,' spelt hij me voor, 'hoe moeilijk kan dat zijn?'

Ik sta ook op en open mijn mond, maar de woorden stokken tussen mijn hersenen en mijn stembanden. Ze blijven hangen achter mijn huig, waardoor ik geluidloos tegenover Dylan sta.

Met een opengesperde mond kijk ik hem aan. Zijn gezicht vult zich met teleurstelling en machteloosheid.

'Ik weet genoeg,' zegt hij zachtjes en draait zich om.

Met mijn mond nog steeds open kijk ik hem na. Ik kijk naar zijn rug, naar zijn afhangende schouders en zijn gebogen hoofd, naar zijn verslagen tred. Naar de deur die hij oorverdovend luid achter ons dichtslaat.

Een kwartier later vind ik mezelf terug. Ik staar nog steeds naar de deur, mijn gezicht glanst van de tranen. Ik dwing mijn ogen zich los te maken van de deur en slenter ze achterna. Langs de hennepbank. Langs de haard die het niet doet met het zachte kleed ervoor. Langs de ongelakte tafel en de Brood aan de muur. Een afscheidstournee door de kamer. Het zal wel een stoffige bende zijn op mijn zolderkamerappartement in Schotelcity.

Ik slenter door naar mijn Diana Bag en haal er een portemonnee, een dop van een lippenstift, een agenda, een tampon, een rol plakband en een apparaatje om mee te internetbankieren uit. In een van de zijvakjes vind ik eindelijk wat ik zoek: een kaartje. Met de rug van mijn linkerhand veeg ik wat geweest is van mijn wangen, met mijn rechterhand pak ik de telefoon.

Voorwaarts, we moeten voorwaarts. Niemand wil leven in zijn achteruit. Laat staan in z'n vrij.

'Tobias? Ja, hallo, met Alex... Sorry dat ik nu pas bel, maar je had iets leuks voor me?'

[...]

'*Hoop & Liefde*, zeg je?'

[...]

'Nee, ik heb alle tijd van de wereld. De toekomst ligt voor me open.'

Epiloog

De kunst van visagie wordt onderschat. Weinig vrouwen beschikken over het talent zich zo op te maken dat het er niet uitziet alsof ze er een halfuur aan besteed hebben. En ik ben er de afgelopen anderhalf jaar erg goed in geworden, vind ikzelf. Met dank aan de adviezen van Julia, natuurlijk. Een huid die straalt alsof je er net een fikse wandeling op hebt zitten, of beter, stevig onder handen bent genomen door een blozende koerier die per ongeluk bij je aanbelde met een pizza voor de benedenburen. Lippen die er natuurlijk glanzend uitzien, maar waar je je ogen niet van af kunt houden. Haar, rommelig geklit alsof je met windkracht tien over de Afsluitdijk hebt gefietst, met de wind tegen. Ik ben onbevattelijk geworden voor alle vormen van reclame die op me afgevuurd worden. Reclame is een illusie, dat weet ik als geen ander. Maar ik heb één zwakte ontwikkeld. Ik ga plat voor mascara's die je wimpers nóg langer maken. Lipsticks die beloven zesendertig uur te blijven zitten kan ik niet weerstaan. Sluit me op als de nagellak wordt geïntroduceerd die binnen een halve seconde droogt.

Het belangrijkste en meest ingewikkelde onderdeel is de eyeliner. Het aanbrengen van het perfecte lijntje vereist volledige stilte, concentratie en beheersing. Ik draai het dopje van de eyeliner, trek mijn rechterooglid strak, zet het kwastje aan het uiteinde van mijn ooglid en teken heel zorgvuldig een pracht van een lijntje. Heel langzaam... voorzichtig... dit wordt een van de betere lijntj —

Mijn hand schrikt zich wezenloos van voetstappen in de kamer; een zwarte streep schiet over mijn voorhoofd.

'Ben je al bijna klaar?' vraagt Max. 'O, nog niet, dus,' zegt hij als hij ziet dat ik in mijn ondergoed voor de spiegel sta. Zelf ziet hij eruit als een Armani-advertentie in zijn donkerbruine pak. Hij komt achter me staan en legt zijn hoofd op mijn schouder. We kijken naar ons in de spiegel. Max' haar haalt mijn ogen op, ik doe hem langer lijken. Als we samen lachen, stralen we dubbel. We staan elkaar goed.

'Is dat iets nieuws?' wijst hij bezorgd naar de streep op mijn voorhoofd.

Lachend jaag ik hem weg; zijn haar veert achter hem aan als hij de kamer uit holt. Omkleden is iets dat een meisje alleen moet doen. Geen man hoeft te zien tussen hoeveel kledingstukken ik twijfel voor ik eindelijk een keuze heb gemaakt.

Max heeft de grootste kledingkast die ik ooit bij een man heb gezien; half zo groot als mijn zolderkamerappartement. En Max heeft meer kleren dan welke man dan ook. Voor iedere gelegenheid heeft hij wel wat. Armani's voor pakmomenten, versleten jeans om boodschappen in te doen, tweedehands trainingsjasjes en sneakers voor sportieve buien, linnen broeken voor strandbezoeken, leren jacks voor rocksterallures en T-shirts met statements voor het geval hij iets te zeggen heeft. Max is niet voor niets al twee keer uitgeroepen tot Best Geklede Man Van Het Jaar.

Voor de derde keer schuif ik al mijn jurken heen en weer over hun stang. Ik heb één stang, Max vier. De lichtblauwe jurk met blote rug? Nee, daar ben ik laatst nog in gefotografeerd. De strapless rode met de uitwaaierende rok? Nee, die is te opvallend; daarmee kom ik direct op de Jurken Op Herhaling-pagina van *RoddelWeek*. Sinds het contract met Julia is stopgezet, moet ik alles weer zelf doen. Ik kan er moeilijk aan wennen. En eigenlijk kan ik het ook niet betalen.

Uiteindelijk kies ik voor een zwarte mini-jurk, die ik combineer met een grote ketting en knalrode schoenen. Hopelijk leiden die de aandacht een beetje af van de tweede ronde. Max is gelukkig enthousiast en wietwieuwt bewonderend als ik de woonkamer binnenloop. Hij kust me op mijn voorhoofd en trekt de bovenkant van mijn jurk een beetje omhoog. Al ben ik dan niet zo indrukwekkend bedeeld, hij heeft toch liever niet dat de wereld daarvan meegeniet. Max is nogal jaloers. Hij doet ook altijd zijn uiterste best om mijn spreektijd met andere mannen tot een minimum te beperken. Ik ben er nog niet uit of ik dat vleiend of vervelend vind.

Buiten toetert de taxi een aantal keren lang en driftig. Ik pak snel mijn tasje en laat mijn jas liggen. Anders zie ik er zo dom uit op de rode loper, met mijn jas over mijn arm. Max doet de deur open en kijkt of er nog fotografen staan, maar het is uitgestorven op straat.

'Ze zijn vast allemaal al bij de bioscoop,' mompelt hij.

In de taxi vertelt Max de taxichauffeur dat we naar de première van *Hals*! gaan, de grote Nederlandse speelfilm over het leven van Frans Hals, en begint dan een gesprek over voetbal. Ik kan aardig meepraten over auto's, over mooie vrouwen weet ik ook nog wel wat te zeggen, maar van voetbal begrijp ik niets. Ik staar daarom uit het raam en laat de stad voorbijglijden.

In het begin was het druk op straat. Als ik Max' deur uitstapte, zag ik vertrouwde gezichten. De jongens van SBS, Martin Matthijsen. Maar alles werd anders toen Dylans plaat uitkwam, *Love. The World* had hij blijkbaar maar achterwege gelaten. Recensenten die er tot voor kort genoegen in schepten om Dylan af te branden, buitelden nu over elkaar heen om te verkondigen hoe fantastisch zijn nieuwste werk was.

'Een plaat die door je ziel snijdt,' schreef Steef Modderman in *de Volkskrant*. 'Oprechte, doorleefde songs over verlies en verraad. Eerlijk is eerlijk: Dylan Winter heeft me verrast!'

Ook *OOR* was laaiend: 'Als je verlaten moet worden door een aandachtsgeile trut om zo'n rauwe, emotionele prachtplaat te maken, dan moet dat maar. Wie had ooit gedacht dat wij dit ooit zouden zeggen over Dylan Winter: wat een geweldige plaat!'

Op internet begon de De Dylan Winter Fanclub alle songteksten direct uit te pluizen. 'Everything' ging volgens hen over alles dat Dylan mij gegeven zou hebben: zijn huis, zijn geld, zijn ziel, zijn lichaam, zijn hart. Ik zou het allemaal luchthartig geïncasseerd hebben, om hem vervolgens harteloos te laten stikken. 'Alone In This World' ging er volgens hen over dat je je pas echt alleen kon voelen als je werkelijk van iemand gehouden had. 'Since You Went Away' zei volgens hen alles over mijn verwerpelijke karakter. Het instrumentele nummer midden op de plaat stond volgens Miss-Winter-98 symbool voor de momenten waarop Dylan nog steeds sprakeloos was over het onrecht dat ik hem had aangedaan. En zo ging het maar door. Er zaten werkelijk heel creatieve interpretaties tussen.

Het Alex-topic van hun forum groeide met de dag; van aandoenlijk jaloers veranderde de toon in hatelijk en agressief. Ik maakte me er niet zo druk over; een club met onvolgroeide meisjes en hun moeders neemt toch niemand serieus. Bovendien had ik niet eens tijd om me er druk om te maken, want ik was veel te druk met mijn nieuwe rol in *Hoop & Liefde*. De eerste weken had ik ontzettend veel tekst, want er moest van alles uitgelegd worden over mijn karakter Victoria, de assistente van A.J., ofwel Max, die een duister geheim met zich meedroeg. En het was niet eenvoudig om dat te combineren met al die interviews en fotoshoots die erbij kwamen kijken. Op aanraden van Frenk heb ik alles aangepakt: mooie, uitgebreide reportages in *ELLE* en *de Volksrant*, een taalspelletje, drie talkshows, een praatje in *Ochtend TV* en rubrieken als 'De Toilettas Van' en 'In De Keuken Bij'. Ik ging mijn gang, de fanclubdames mopperden op hun website en alles was zoals het was.

Mijn geluk kantelde toen fanclubvoorzitster Lisette de Boer een interview gaf aan *RTL ShowWeek*. Met haar cameravullende poppenogen vertelde ze dat de fans Dylan heus wel een vrouw gunnen, maar niet eentje die over zijn rug, of beter via zijn matras, in de schijnwerpers wil staan. Tranen sprongen in haar bambikijkers als ze dacht aan de afgrond waarin ik Dylan had geduwd. Hij scheen te veel in de lokale pub van Parknasilla rond te hangen en voor het gemak maar helemaal niet meer aan persoonlijke verzorging te doen. En dat alles was niet Dylans vrije keuze, neen, het was mijn schuld.

Lisettes doortimmerde betoog maakte het Nederlandse roddeljournaille wakker. Als een roedel hongerige hyena's stortten ze zich op me. De mensen die altijd opgelijnd stonden in rijen van tien om foto's van me te maken en aangename dingen te schrijven over mijn verrassende kledingkeuzes, mijn ontwapenende lach en mijn sprankelende persoonlijkheid, stonden nu klaar om me neer te sabelen. Behalve Martin Matthijsen, die woorden bleef gebruiken als 'charmant', 'talentvol', 'belofte' en 'ontzettend aardig'.

Ik heb mijn best gedaan om mijn kant van het verhaal te vertellen, maar daar was weinig animo voor.

'Hoor en wederhoor!' foeterde Frenk nog tegen de redactie van *Roderick!* 'Dat is toch de basisregel van jullie journalisten?'

'Maar wij zijn geen journalisten,' grinnkte een redactielid.

Ondertussen vloog Dylans plaat de winkels uit en stond één op de vijftig computers zijn nummers te downloaden. Heel Nederland luisterde naar Dylans wrokkige, wraakzuchtige versie van mij. Zelf verblijft hij nu permanent in Ierland; zijn grachtenhuis heeft hij verkocht. Interviews geeft hij nog steeds zo weinig mogelijk, maar nu lijkt het zijn cultstatus alleen maar te versterken. Nederlands heetste rockster, die vrouwen en feestjes van zich af moet slaan, bestaat definitief niet meer. Op de voorkant van *Love* staat de nieuwe Dylan: een muzikale kluizenaar op een Ierse boerderij, met zijn eeuwige coltrui en nog iets nieuws: een baard. Een baard! Hij zit op zijn afgebladderde rode krukje; naast hem zit een labrador, die Bob schijnt te heten. Een nieuwsgierige verslaggever ontdekte dat het helemaal zo slecht niet meer ging met Dylan en dat hij nu werkelijk de liefde van zijn leven ontmoet had; de bardame van de lokale pub van Parknasilla, 'een warme vrouw met een gulle lach en een troostende boezem'.

'We zijn er,' schudt Max aan mijn arm. Hij betaalt de chauffeur, doet de bovenste knoop van zijn jasje dicht en stapt de taxi uit. Ik trek mijn jurk nog maar een keer op en stap achter hem aan.

De bioscoop is om de hoek; dichterbij kon de taxi niet komen. Het is een kille herfstavond, Max slaat een arm om mijn blote schouders. Gespierde schouders, wil ik graag even benadrukken, en ziet u die biceps? Nu ik niet meer bij *Hoop & Liefde* werk, heb ik alle tijd om te sporten. Frenk zei dat het geen kwaad kon als ik wat aan mijn lichaam ging doen; het moest allemaal strak zijn, tegenwoordig.

Bij *Hoop & Liefde* zeiden ze dat het niets te maken had met mijn capaciteiten en al helemaal niets met de negatieve publiciteit rondom mij en de 'Alex moet uit *Hoop & Liefde*'-handtekeningenactie dat Vicoria eruit geschreven werd. Mijn personage kwam gewoon niet uit de verf. Ik zou er wel komen, zeiden ze, met mijn talent en mijn mediagenieke persoonlijkheid. Ik ben nog steeds niet bijgekomen van de schok. Maar wie had ook kunnen voorspellen dat Victoria en dokter Jacques samen om zouden komen in A.J.'s privévliegtuigje? Ik denk dat zelfs Roos dat niet voorzien had.

Misschien is het maar beter zo; het ging ook allemaal zo snel. Van VOGH/JJGP rolde ik rechtstreeks de Aalsmeerse studio's in. Nu kan ik de tijd nemen om me serieus te bezinnen op mijn carrière.

Als we de hoek om lopen, zien we een limousine aanrijden. Alle fotografen die langs de rode loper staan stuiven er direct naar toe. De deur gaat open en er komt een been uit. Een glad, glanzend, eindeloos been, met een zilveren sandaaltje aan de perfect gepedicuurde voet. Er volgt er nog één; net zo lang, glad en glanzend. Dan verschijnen wilde, donkere krullen, felrode lippen en een minuscule zilveren jurk.

'Sofia! Sofia!' gillen de fotografen door elkaar. 'Sofia!'

Sofia van der Mey, volgens filmkenners dé sensatie van *Hals!*, als zijn tweede vrouw Lysbeth. Yljaaa schijnt het met hen eens te zijn; hij heeft haar benaderd voor zijn eerste speelfilm. Roos helpt mee met de productie; zij en Yljaaa hebben elkaar helemaal gevonden. Hoe ontroerend. Sofia poseert geduldig voor de fotografen en strooit kushandjes rond. Haar zilveren jurk spant om haar afgetrainde lichaam. Strak, het moet allemaal strak zijn, tegenwoordig. De fotografen zwermen achter haar aan als ze naar de ingang van de bioscoop loopt, flitsen hun batterijen leeg en leggen iedere pas die ze maakt vast.

'Kom, laten wij ook maar gaan,' zegt Max. Hij pakt mijn hand, samen lopen we de rode loper op. Mijn rode schoenen knellen, maar ik loop door; lachend, stralend, klaar voor het lichtbad. Hoewel de meeste aandacht de laatste tijd naar Max gaat. Meestal duiken de camera's boven op hem en sta ik er zo leuk mogelijk naast.

'Sofia! Sofia!' word er nog steeds gegild.

'Verdomme,' sist Max, 'drie maanden geleden had niemand nog van dat mens gehoord en nu is ze overal.'

Links en rechts van ons is het oorverdovend stil. Geen geklik, geen geflits, geen geroep. Voor ons draait Sofia rondjes en zwaait haar krullen van haar linker- over haar rechterschouder. Als zoutpilaren kijken we naar het exploderende licht, dat haar jurk oogverblindend doet stralen.

'Ik heb hier geen zin in,' grauwt Max. 'Er zijn ook nog andere mensen, hoor.'

Hij laat mijn hand los en snelwandelt met felle passen langs Sofia heen, zonder één keer gefotografeerd te worden. Als ik achter hem aan loop, krijgt Martin Matthijsen me in de gaten.

'Alex!' zwaait hij enthousiast.

Vrolijk zwaai ik terug en neem de tijd om te poseren. Ik draai mijn hoofd een beetje naar beneden, kijk met zo groot mogelijke ogen omhoog en krul mijn lippen in een mysterieus lachje. Thuis voor de spiegel heb ik de Audrey Hepburn-look geperfectioneerd.

'Kom nou,' seint Max ongeduldig. Hij vertrouwt Martin niet; hij denkt dat hij iets van me wil. Stiekem knipoog ik Martin gedag en loop verder. Max staat al bij de ingang van de bioscoop. Ik loop zo langzaam mogelijk, voor het geval andere fotografen nog een foto van me maken, maar die flitsen Sofia's zilveren billen nog maar eens, of kijken langs me heen of er nog iets interessants achter me aankomt. Ongeduldig steekt Max zijn hand naar me uit, ik kan hem bijna aanraken.

'Alex!' roept een verslaggeefster die zich bedacht moet hebben. Een echo uit een nabij verleden. Opwinding en nostalgie vechten om aandacht in mijn hoofd; mijn bloed stroomt op topsnelheid door mijn aderen. Als ik me omdraai zie ik geen journaliste naast een camera, maar een muizig meisje, dat niet ouder kan zijn dan een jaar of achttien. 'Hee, trut!' gilt ze. 'Starfucker!'

Max pakt me bij mijn arm. 'Kom, het is genoeg geweest. We gaan naar binnen.'